Sortie de filles

**Catalogage avant publication de Bibliothèque et Archives nationales du Québec et Bibliothèque et Archives Canada**

Bourgault, Catherine, 1981-

Sortie de filles

Sommaire : t. 1. Parce que tout peut changer en une soirée...

ISBN 978-2-89585-427-2 (vol. 1)

I. Titre. II. Titre : Parce que tout peut changer en une soirée...

PS8603.O946S67 2013 C843'.6 C2013-940887-8

PS9603.O946S67 2013



Image de la couverture : 123RF

Les Éditeurs réunis bénéficient du soutien financier de la SODEC et du Programme de crédit d'impôt du gouvernement du Québec.

Nous remercions le Conseil des Arts du Canada de l'aide accordée à notre programme de publication.

Nous reconnaissons l'aide financière du gouvernement du Canada par l'entremise du Fonds du livre du Canada pour nos activités d'édition.

*Édition :*
LES ÉDITEURS RÉUNIS
www.lesediteursreunis.com

*Distribution au Canada :*
PROLOGUE
www.prologue.ca

*Distribution en Europe :*
DNM
www.librairieduquebec.fr

*Suivez Les Éditeurs réunis sur Facebook.*

Imprimé au Québec (Canada)

Dépôt légal : 2013
Bibliothèque et Archives nationales du Québec
Bibliothèque nationale du Canada
Bibliothèque nationale de France

CATHERINE BOURGAULT

PARCE QUE TOUT PEUT
CHANGER EN UNE SOIRÉE...

LES ÉDITEURS RÉUNIS

## De la même auteure

*Blanc maculé d'une ombre – tome 1, mars 2012.*

*Blanc maculé d'une ombre – tome 2, novembre 2012.*

*Blanc maculé d'une ombre – tome 3, septembre 2013.*

Catherine Bourgault – Auteure

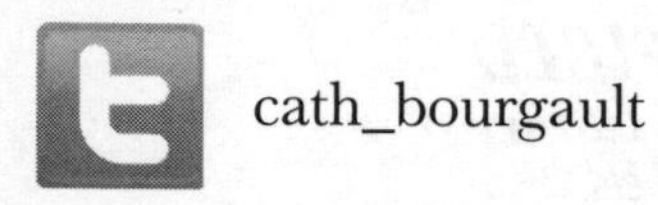

cath_bourgault

*À toutes celles qui ont participé*
*à quelques soirées de filles mémorables…*

# 1
# Au milieu de nulle part

Faire le trajet de Dolbeau-Mistassini à Montréal en autobus, avec un arrêt dans tous les foutus villages, c'est du délire. J'ai les fesses en compote. Toutefois, même si le paysage défilait à une lenteur exaspérante, j'avais un excellent roman à lire. Une histoire d'amour passionnante. Ma grand-mère l'a toujours dit : quand on a un bon livre, rien au monde ne peut nous perturber. *Mis à part un voisin de droite, qui souhaite faire la conversation avec une jeune demoiselle.*

Je saute sur le quai ; j'ai les pieds engourdis et le cœur au bord des lèvres. Malgré tout, habitée par la fébrilité de revoir deux copines, j'ai le sourire fendu jusqu'aux oreilles. Voilà des mois que j'attends ce moment, que je compte les jours. Huit heures d'autobus à rêver de cette seconde où je frapperai joyeusement à une porte pour entendre un bruit de pas précipités, puis voir enfin apparaître les yeux de celles qui en savent plus sur ma vie que ma propre mère.

Avec ma valise dans une main et une bouteille de rosé sous le bras – emballée dans un sac de tissu vert garni d'une boucle blanche –, je suis armée pour notre traditionnelle sortie de filles. Alors que l'Action de grâce est, pour la plupart des gens, synonyme de réunion familiale agrémentée d'un copieux repas à la dinde farcie, pour Sophie, Claudia et moi, c'est une course aux retrouvailles, c'est rattraper le temps perdu et le moment de s'éclater.

Vingt-quatre heures sans dormir passées à enchaîner les martinis, à se raconter nos vies, mais surtout à déblatérer sur le cas des hommes. « Il était beau, mais abruti », dira Sophie. « Tu es trop difficile », renchérira Claudia. Ah ! comme j'ai hâte de les serrer dans mes bras ! Une date marquée d'une croix rouge sur notre calendrier. Je louperais le mariage de ma sœur pour ne pas rater l'événement. *Enfin, presque.*

En effet, une fois l'an, a lieu ce moment sacré auquel aucune de nous ne déroge. *Sauf l'année où Claudia a préféré aller se faire cuire au soleil avec le beau Christian.* Pourtant, c'était perdu d'avance avec lui ; pendant une semaine en République dominicaine, elle l'avait regardé siffler les *rhums & Coke* au baril. Certes, il avait un torse agréable à regarder, mais Claudia s'est mordu les doigts de s'être laissée entraîner dans cette aventure. « Même pas de sexe tellement il était soûl ! » avait-elle miaulé à son retour. Un coup de soleil des pieds à la tête, voilà le souvenir de vacances qu'elle a rapporté.

La pluie est froide, et je sens l'humidité gagner mes cheveux. À moitié cachée sous le portique de la gare, je scrute le décor, le cœur battant, avec le sentiment que les choses ne se passeront pas exactement comme je l'avais prévu. *Je vais simplement papoter avec de vieilles copines.* Pourtant, un malaise me barre les omoplates. Les feuilles tourbillonnent le long de la chaîne de trottoir. Les bâtisses sont si hautes que j'ai peine à entrevoir les nuages, les rues sont dépourvues de verdure, les gens vont et viennent sans me voir. Si je risque un sourire, on recule spontanément, on baisse la tête ; les passants ont peur que j'essaie de leur vendre quelque chose. Je ne suis pas habituée à ça. « De par chez nous », on se regarde dans les yeux, on se salue, on s'entraide. Montréal m'accueille dans son anonymat, sa méfiance et sa froideur citadine.

De plus en plus soucieuse, je cherche nerveusement Sophie dans la foule qui se presse autour de moi. Elle devait m'attendre, être ici bien avant mon arrivée. Nous devrions déjà être en train de sauter sur place en se serrant dans nos bras à l'heure qu'il est. Chose certaine, il n'y a pas de banderole ni de ballons pour me souhaiter la bienvenue. Je ne croise qu'un Chinois, deux Haïtiens et un couple d'Arabes. Un vieillard dialogue avec lui-même sur le trottoir d'en face. Au loin, j'entends des conversations dans la langue de Shakespeare. « *Oh my God! How are you?* » déclare une voix nasillarde à une autre qui renchérit sur le même ton. Un homme vient vers moi en titubant; ses cheveux sont gras, ses vêtements sont débraillés. Il traîne un sac défraîchi sur son dos. Péniblement, il secoue un pot vide de yogourt nature entre ses mains crasseuses. La cigarette pendue à ses lèvres tremblote lorsqu'il marmonne:

— Un peu de monnaie? C'est pour manger...

Je fuis son regard insistant, voire intimidant. Sans réfléchir, mais surtout parce que j'ai toujours eu pitié de ces gens qui n'ont pour seule maison qu'un banc de parc, je gratte le fond de mes poches. Je fais dégringoler deux dollars et quelques vingt-cinq sous dans le plat de plastique à moitié vide. Zut! Je gardais ces pièces pour acheter un bon café au lait. Ou pour appeler Sophie en cas de besoin. *Elle est mieux de se pointer, celle-là!*

Je suis soulagée que le pauvre homme poursuive sa route nonchalamment. Je n'aurais pas su lui faire la conversation. Je m'appuie contre le mur, et j'attends patiemment de voir apparaître la tignasse noire de mon amie. Je piétine en regardant la pluie tomber. Il y a mille autres endroits où je voudrais me trouver en ce moment. Je frissonne d'humidité. L'eau commence à imbiber mes semelles, à rejoindre la texture de mes bas. L'excitation à l'idée de passer du temps avec Sophie est à son comble. *Qu'est-ce qu'elle fait ?* Toutes les deux natives du Lac-Saint-Jean, nous formons une paire du tonnerre depuis notre berceau, nos mères étant les meilleures amies du monde. Encore aujourd'hui, à la moindre occasion, et ce, avec une petite larme nostalgique au coin de l'œil, elles nous racontent combien nous étions mignonnes assises l'une en face de l'autre et bavant sur le même jouet.

De la maternelle, en passant par nos folies d'adolescentes jusqu'aux interminables années universitaires, nous avons tout partagé. Sauf les hommes ! *La majorité du temps.* Ah ! Nos soirées à tenter de communiquer avec les esprits dans le sous-sol chez Sophie, nos étés en camping dans la roulotte de mes parents… Que d'aventures nous avons vécues durant nos études – moi en enseignement, elle en administration. Nos soupers aux macaronis sans gluten et garnis aux tomates, nos week-ends passés à écouter *Mon fantôme d'amour*, les nuits pendant lesquelles nous avons fantasmé sur le beau Patrick Swayze… Le film était déjà vieux, mais nous nous en fichions. C'est à cette époque que Claudia s'est jointe à nous – non pas sans que cela crée quelques remous dans mon amitié avec Sophie – pour former le trio d'enfer que nous sommes depuis.

La relation entre Claudia et Sophie a toujours été un peu plus fragile. La glace et le feu, une relation amour-haine. Claudia m'emmenait partout dans ses activités, alors Sophie s'était rapidement sentie mise de côté. Elle ne me cachait même pas sa jalousie : Claudia était celle qui me dévergondait, qui s'immisçait dans notre complicité. J'avais beau lui crier que l'une n'empêchait pas l'autre, c'était infernal. Des semaines interminables de bouderies, de pointes lancées à tout hasard. Jusqu'au jour où nous avons sérieusement eu besoin d'une colocataire pour pallier la hausse du loyer. Nous n'avions que quelques jours pour trouver la perle rare. Claudia a débarqué dans notre demi-sous-sol près du campus de McGill avec ses trente paires de souliers, son tofu et ses trois chats. Maniaque de l'ordre, Sophie a littéralement gagné son ciel pendant ces quatre années de cohabitation. Malgré tout, c'est pendant cette période que nous sommes devenues inséparables, toutes les trois. En effet, grâce à son charme peu commun, Claudia a su conquérir le cœur de Sophie.

J'en ai eu pour des jours à pleurer lorsque, nos diplômes en poche, nous avons dû faire face à la réalité d'être séparées. C'était la fin de ce qu'on appelle maintenant « le bon vieux temps ». Ces moments d'insouciance, de liberté et d'amours éphémères seraient relégués pour faire place aux nouvelles responsabilités professionnelles qui nous attendaient. Sur le même quai de gare où je me trouve aujourd'hui, Claudia avait repris le chemin vers Québec, et moi celui du Lac.

J'aurais probablement fait comme Sophie, et adopté officiellement la grande métropole, s'il n'y avait pas eu David dans ma vie. Les petits cafés à tous les coins de rue et les boutiques branchées étaient plutôt attrayantes pour les jeunes adultes émergeant de la campagne. Cependant, il y avait David, mon premier amour. *Si je ne compte pas Olivier et ses broches.* Qui prend mari, prend pays.

Bleuet dans l'âme, «Je veux m'établir au Lac» fut la deuxième phrase qu'il me lança entre deux tours de langue lors de notre premier baiser. Il n'y avait pas place à la discussion, c'était à prendre ou à laisser. J'ai pris! Il faut dire qu'au Lac, il y a moins d'hommes que de femmes. C'est une bien triste mathématique lorsqu'on est célibataire.

Le grand David Leclerc marchait la tête haute en roulant les épaules avec ses chandails moulants et ses jeans trop amples. Par chance, la mode des fonds de culotte aux genoux n'était pas encore dans l'air. *Il y aurait adhéré avec c*œur. Cet adolescent à la chevelure blonde et ondulée que toutes les filles reluquaient s'était approché de moi pour la première fois au bal des finissants.

— Cet été, je prends mon sac à dos et je parcours l'Ouest canadien. Ça t'intéresse?

Mes yeux s'étaient alors agrandis, non pas parce que le plus beau garçon de l'école venait de m'accoster, mais parce que mon regard avait croisé celui de Vanessa au loin, sa cavalière. Ses poings étaient serrés sur le tissu fin de sa robe, le rouge de son visage avait tourné au violet. J'avais bien cru qu'elle allait me trouer la tête avec ses talons aiguilles. *Elle n'était même pas belle!* David a toujours eu cette façon directe d'aborder les gens. S'il s'adresse à nous, c'est que ses paroles sont réfléchies et portent un but précis. D'ailleurs, il sait très bien manipuler les mots pour obtenir ce qu'il veut. En résumé, il n'a qu'à ouvrir la bouche pour convaincre un Français que les Canadiens habitent toujours dans des igloos. Aucune faille ne lui échappe; c'est probablement pour cette raison qu'il est devenu le meilleur comptable en ville. Sans aucun doute, il manie les chiffres à l'avantage de chacun.

Si bien que cet été-là, je l'avais talonné comme un chien de poche. Il n'avait pas encore posé la question que je voulais le suivre au bout du monde. Ce voyage a marqué le début de notre relation. Je ne me lasse pas de regarder les photos de nous deux, les cheveux dans le vent, prises du haut des falaises de la côte Ouest, à visionner les vidéos captées via une petite caméra à main que nous trimballions partout. J'ai passé deux mois à avoir ses larges épaules dans ma mire, à manger dans la même assiette que lui et à faire l'amour sur un lit de paille au fond d'une grange. *J'ai maigri de dix kilos en un temps record.*

Dix ans plus tard, cet homme qui me promettait un quotidien rempli de surprises, de voyages et de folies passe maintenant plus d'heures devant la télé qu'un adolescent et lit le journal au restaurant durant nos sorties en amoureux. Avec le temps, son front s'est légèrement dégarni, son ventre s'est arrondi ; seule la profondeur de ses pupilles noisette est restée la même. De la passion à la tendresse, puis à l'habitude et finalement, à la sécurité de retrouver toujours le même visage le soir après le boulot, voilà ce qui résume ma relation avec David. Sa mutation s'est effectuée sournoisement, sans que je voie venir la vague, jusqu'au jour où tout m'a sauté aux yeux. Définitivement envolés les papillons et la magie des débuts. Avec lui, demain sera égal à hier. À moins qu'il ne change de cap et vise tout à coup à ressembler à Goliath. Il y a peu de chance que ça arrive, je ne suis même pas inquiète. C'est une existence qui me berce dans une routine réconfortante, qui me convient. Enfin, c'est ce que je croyais, jusqu'au jour de mon vingt-huitième anniversaire, le mois dernier.

Ce matin-là, comme tous les jours que le bon Dieu amène, David avait empoigné son porte-documents entre deux gorgées de café. Un double expresso. J'avais ajusté sa cravate en lui souhaitant une agréable journée d'un ton neutre. Il s'était alors penché pour me donner un léger baiser au coin des lèvres avant de sortir de la maison en vitesse. Rien de nouveau, chéri oublie mon anniversaire une année sur deux. Je m'étais ensuite rendue au boulot en me disant qu'au moins, mes petits amis de première année me chanteraient bonne fête à tue-tête. Effectivement, la journée s'était déroulée normalement : pas de message, pas de fleurs livrées au milieu d'une réunion. En espérais-je vraiment ? Mes collègues m'avaient accueillie avec une chandelle plantée dans un Jos Louis dans la salle des enseignants. Je m'étais arrêtée Chez ti-Ben sur le chemin du retour. Pas question de faire à souper en plus ! Une bonne poutine graisseuse. *Mon cadeau « à moi, de moi ».* J'avais mangé seule devant une reprise du dernier épisode de *Friends,* noyant ma déception dans un Pepsi diète.

Passé vingt heures, des phares avaient illuminé la fenêtre de la cuisine. David était entré bruyamment au bout de plusieurs minutes, tenant son porte-documents entre ses dents et une grosse boîte blanche dans les mains.

— Viens m'aider, c'est ton cadeau ! avait-il marmonné la bouche pleine et en marchant à l'aveuglette jusqu'au salon.

Sans aucun doute, ça n'avait rien d'un pyjama réconfortant, d'un livre de recettes ou d'une paire de boucles d'oreilles. *Encore moins d'une bague!* J'avais incliné la tête pour pouvoir lire ce qu'il y avait sur le dessus du carton.

« Aspirateur central à moteur élec... »

J'avais cessé de lire, espérant un instant que ce n'était qu'une boîte de camouflage, que le véritable cadeau, plus féminin, plus romantique, était caché à l'intérieur. De préférence, emballé dans dix contenants de formats différents, comme dans les films. *Une vraie surprise!* Incrédule, David m'avait regardée avec de grands yeux innocents.

— Tu n'es pas contente ? On va enfin pouvoir se débarrasser de notre vieille affaire...

— Tu m'as acheté un aspirateur pour mon anniversaire ?

— Eh oui ! C'est le plus puissant de sa catégorie. Regarde !

Il avait fièrement tourné la boîte sous mes yeux pour me montrer toutes les options de l'appareil.

— Ah ! Si c'est le plus puissant... avais-je ajouté avec dérision.

Sa joie de me lire les performances du nouveau jouet avait contrasté avec ma moue atterrée. *Qu'il n'avait pas remarquée, bien sûr.* Moteur de six cent vingt-cinq watts, filtration en deux étapes, six réglages de hauteur... *La Cadillac!*

Le prix était encore bien en évidence. Évidemment, David tenait à ce que je connaisse son investissement. 549 dollars. Un paiement de voiture pour un aspirateur. Je m'étais demandé un instant si je devais trouver flatteur que mon compagnon ait dépensé une telle fortune pour mon anniversaire. Après tout, c'était un sacré montant. Cependant, le sourire qui s'était dessiné sur mes lèvres était totalement ironique. Ce serait quoi l'année suivante ? Une tondeuse ? C'est à cet instant précis que j'avais constaté la montagne de déceptions qui enterrait mon cœur petit à petit depuis trop longtemps. Ah ! il ne faudrait pas croire que je n'étais pas heureuse de jeter le monstre sur quatre roues que je devais tirer à bout de bras et qui faisait une sélection des graines qu'il engloutissait. Sans oublier tout ce qu'il recrachait. Seulement, une rose rouge à cinq dollars aurait fait mon bonheur.

Je n'exige pas le prince charmant qui pose un genou au sol à tout moment pour me dire à quel point ma beauté dépasse toutes les merveilles du monde. Je n'aspire pas non plus à recevoir un poème de quatre pages sur un parchemin. Je ne souhaite que de petites joies volées dans le quotidien. Un sourire complice, un bras autour de mes épaules dans les mauvaises journées, un mot doux à l'oreille avant de m'endormir le soir, faire une bataille d'œufs dans la cuisine au souper… OK, peut-être pas des œufs, c'est un peu répugnant, mais une guerre de pelures de pommes de terre, ça pourrait avoir son charme. Aurai-je, un jour, le courage de tourner la page sur dix ans de ma vie, de recommencer à zéro, de renoncer à la sécurité confortable que m'offre David, de rebâtir autre chose avec quelqu'un d'autre ?

Je me laisse cette sortie de filles pour y penser. Ça, ou tâcher d'effacer, de freiner les idées noires qui dansent dans ma tête.

Je regarde ma montre. Les minutes me paraissent des heures, la déception me noue la gorge. *Où est Sophie Carrier?* Aurait-elle pu m'oublier? Ce serait étonnant... J'en viens à m'inquiéter. Je ne tiens plus en place. Le temps passe, j'ai faim. La pomme que j'ai grignotée avant de partir ce matin est maintenant loin dans mon estomac. Soudain, je m'arrête pour réfléchir à la situation. Je suis seule au milieu de nulle part, sans téléphone et sans un sou. David me reproche continuellement ma manie de sortir sans monnaie. J'ai donné mes dernières pièces au clochard tantôt. La frousse me pend au nez; je me sens bien petite parmi tous ces inconnus. Il y a en moyenne trente meurtres par année sur l'île de Montréal. Je n'aurais pas dû faire de recherches sur les statistiques, car elles me titillent la conscience. Mon souffle devient court, comme si je respirais à travers une paille. Les doigts tremblants, je cherche ma pompe dans mon sac à main. Tout le contenu de celui-ci se renverse sur le trottoir.

Le précieux papier avec le nouveau numéro de Sophie s'envole au vent.

— NON!

Je cours sur une distance de quelques mètres pour tenter de rattraper ce vulgaire papier, au risque de me faire heurter. Mon rouge à lèvres roule dans la rue, où il est rapidement écrasé par un cycliste. *Qui peut prendre plaisir à faire du vélo en pleine tempête de pluie?* Évidemment, nous sommes en ville. Ici, le vélo, c'est comme les voitures pour bien des gens: c'est un moyen de transport. Je reviens vers mon sac à main d'un pas lent et la mine basse. J'inspire profondément alors qu'une large main plonge dans mon sac et me tend ma pompe. Je lève les yeux. L'homme devant moi est très grand, et son teint est naturellement basané. Je prends deux longues bouffées pendant qu'il ramasse mon portefeuille et mon tampon…

— Ça va aller ? me demande-t-il avec compassion.

Je m'accroche au muret, en tâchant de me calmer.

— Je crois que oui.

Un demi-sourire apparaît sur son visage alors que ses yeux me détaillent des pieds à la tête.

— Votre chemisier est ouvert…

Il détourne poliment le regard et pointe son index vers ma poitrine. Un cri aigu sort de ma bouche en constatant que LE bouton le plus important de mon chemisier a disparu. Morte de honte, je serre mon sac à main contre mon buste pour camoufler mon soutien-gorge rose. On peut clairement distinguer la courbe de mes seins sous ce bout de tissu que ma sœur Julie m'a forcée à acheter pour améliorer soi-disant ma vie de couple. Même mon entourage a compris la platitude de ma relation. Cependant, ce n'est pas un simple soutien-gorge bon marché qui réussirait à ranimer la flamme. Ce n'est plus du feu qu'il y a entre David et moi, mais de la glace.

Visiblement amusé, l'inconnu remarque ma valise.

— Vous attendez quelqu'un ? s'enquiert-il posément.

Je tarde à lui répondre ; on m'a appris à ne jamais parler aux étrangers. Pourtant, je suis soulagée de le savoir là. Ses cheveux de jais s'agitent sous la brise. Cet homme dégage une force tranquille, rassurante.

— Une amie devait venir me chercher…

Les idées se bousculent dans ma tête. Comment prévenir Sophie ? J'ai vidé mes poches dans un plat de plastique, et je n'ai plus rien pour l'appeler. En plus, le papier avec son numéro de téléphone vole au vent quelque part dans Berri. Assurément, il s'est passé quelque chose pour que Sophie manque à son engagement. Ce n'est pas son genre. Si ça avait été Claudia, j'aurais simplement levé les yeux au ciel en souriant, mais Sophie ne déroge pas à son agenda. Jamais ! Elle le consulte avec un zèle agaçant. Elle ne rate pas un rendez-vous, encore moins quand celui-ci est avec une amie. Où est-elle ?

J'enfile ma veste, car la pluie a redoublé d'intensité et l'air est froid. Moi qui avais espéré me prélasser une dernière fois sur une terrasse en jupe ajustée, une limonade à la main… Mon compagnon de fortune appuie son épaule contre le mur, comme s'il s'installait à mes côtés.

— Qu'est-ce que vous faites ? m'informé-je, un peu abasourdie mais ô combien reconnaissante.

— Je vais attendre avec vous, me répond-il en croisant les bras sur sa poitrine.

Je relève la tête, parée à lui montrer ma détermination. Je saurai me débrouiller sans lui. *Enfin, si Sophie peut arriver…* Il est un peu sombre comme personnage, alors je ris nerveusement. Chacun de ses gestes est lent et précis, sa voix est grave, l'éclat de son regard est mi-troublant mi-séduisant. J'ai l'impression de m'entretenir avec un vieux sage dissimulé dans un corps de jeune homme dans la force de l'âge. N'ayant pas un sou pour passer un appel dans un téléphone public, je le regarde timidement.

— Je peux utiliser votre cellulaire ?

D'un geste calme mais direct, il fait un mouvement vers sa taille et me tend ensuite un iPhone 5 dernière génération qui sent encore le neuf. C'est la première fois que j'en tiens un entre mes mains ; serai-je en mesure de l'utiliser sans me couvrir de ridicule ? De son index, mon compagnon pointe sur l'écran l'image d'un téléphone. Je réussis à compléter la suite de la démarche sans trop de difficulté. Les doigts gelés, je porte l'appareil à mon oreille, priant le Seigneur pour entendre la voix de Claudia au bout du fil. À l'heure qu'il est, elle doit rouler à toute vapeur sur l'autoroute 40. *Ou elle est arrêtée sur le bord de la route, et des lumières rouges et bleues scintillent derrière elle.*

Je sens que l'inconnu à mes côtés retient sa respiration avec moi. Ses yeux, un peu en amande, sont si noirs que je peux y voir mon reflet.

Un coup, deux coups, trois coups… « Bonjour, vous m'avez trouvée ! Laissez-moi un message. Je vous rappelle si j'ai le temps… »

Je rends l'appareil. L'homme devine la situation. J'ai mal à mon orgueil. Le vieux clochard au pot de yogourt chancelle dans notre direction. Naturellement, mon bon Samaritain presse un bras dans mon dos pour me ramener près de lui. Le vieillard aurait été un terroriste qu'il n'aurait pas réagi autrement. Je ne sais pas comment interpréter ce geste qui me surprend. Il lui tend deux dollars avec impatience.

— C'est bon, va embêter quelqu'un d'autre maintenant, grogne-t-il entre ses dents.

L'itinérant s'arrête un instant pour me scruter attentivement d'un regard embarrassant. Il tente de toucher mon avant-bras, mais mon garde du corps repousse ses doigts crasseux.

— Tu es une beauté rare, déclare le sans-abri. Monsieur, vous avez beaucoup de chance, ajoute-t-il, l'air sincère.

Enfin, il s'éloigne en chantonnant. Le corps près de moi se déplace légèrement, je ne sens plus la main dans mon dos. Le vent me fouette le visage d'une bourrasque qui sent le monoxyde de carbone. Le bruit des voitures et des klaxons enterre mon jugement. *Je t'arracherai les cheveux un par un aussitôt que je te retrouverai, Sophie Carrier!*

L'inconnu me tend un muffin aux brisures de chocolat qui semble succulent et moelleux.

— As-tu faim?

Bien que mon ventre crie famine, que je salive à la seule idée de mordre dans cette pâtisserie délectable, je lève la main pour refuser.

— Non, merci, réponds-je contre mon gré.

Mon propre refus me brise le cœur ; mon estomac protestera contre cette décision dans quelques secondes, c'est certain. Je dévorerais n'importe quoi ! Cependant, je dois limiter mon élan. Mon sac à main ne contient pas qu'une pompe pour l'asthme, mais aussi de l'Épipen pour mon allergie aux arachides, au lait, mon intolérance au gluten… bref, à tout ce qui se mange. Mais je ne suis pas allergique aux chats ni aux abeilles. Je connais toutes les étiquettes des produits alimentaires sur le bout de mes doigts, je trie chaque ingrédient avec vigilance, je suis championne dans les substituts qui goûtent soi-disant la même chose que le produit original, mais dont David se plaint sans arrêt. *Il se plaint à propos de tout, d'ailleurs.*

Mes allergies prennent une place si importante qu'elles contaminent ma vie sociale. Petite fille, j'étais celle qui apportait sa portion de gâteau maison dans les fêtes d'amis. J'ai grandi en regardant les autres se bourrer de pâtisseries, de fromages qui puent et de *sundaes* au chocolat saupoudrés de noix. Comme tout ça a l'air bon ! Ça demande un cours en nutrition alimentaire pour qui veut me recevoir. Pas ceci, pas cela… Je ne serai jamais comme tout le monde, ce qui me gêne énormément. Finalement, quand je suis invitée, j'apporte mon repas. David, lui, doit se cacher chez un ami pour manger une bonne rôtie au beurre d'arachide. Une fois, il ne s'est pas brossé les dents avant de m'embrasser – il n'a plus jamais oublié… Passer à deux doigts de la mort pour un baiser, ce n'est pas très romantique, surtout lorsque ledit baiser n'est que routine. Si au moins j'avais risqué ma vie pour un échange fiévreux et passionné avec un Adonis prêt au même sacrifice pour ma personne... *Comme tout Roméo le fait pour sa Juliette.* Avec David, elle est loin l'époque des émotions à fleur de peau.

Je soupire, car je n'en peux plus de regarder l'homme savourer chaque bouchée comme s'il s'agissait de son dernier repas sur terre. Ses doigts séparent le muffin en d'inégales bouchées qu'il porte lentement à sa bouche. Ses lèvres se referment doucement sur chaque morceau, et il va jusqu'à lécher le bout de son pouce maculé de chocolat. *Sa façon de manger est presque érotique.*

— Tu me conduirais jusque chez mon amie? lui lancé-je en désespoir de cause, laissant tomber du même coup le vouvoiement entre nous moi aussi.

Il hésite, m'observant de haut.

— Non, tu ferais mieux de prendre un taxi.

Son ton est ferme, sans appel. Je fuis son regard insistant pour fixer mes mains. Mon silence alourdit l'air entre nous. Qui a de l'argent dans son porte-monnaie de nos jours? Même si je dois écraser ma fierté, je capitule.

— Je n'ai pas d'argent sur moi...

Honnêtement, je dois faire pitié, car la lueur dans sa pupille change. Il passe une main dans ses cheveux.

— Elle habite où, ton amie? demande-t-il sur une nouvelle intonation, empreinte de compassion.

Autour de nous, les autobus vont et viennent les uns à la suite des autres, nous aspergeant chaque fois de l'eau répandue sur la chaussée. Les passagers débarquent sur le quai avec leurs bagages.

— À côté du métro Champ-de-Mars, réponds-je.

Aussitôt, il soulève mon sac de voyage ainsi qu'une longue boîte en carton lui appartenant.

— D'accord.

Il s'élance sous la pluie sans m'attendre. Il tombe des cordes, et mes souliers à talons nagent dans une mare d'eau. J'ai un doute. Et si Sophie était en route pour venir me chercher? Nous pourrions nous manquer de peu. Il n'y aurait alors personne pour m'accueillir à son appartement à mon arrivée. *Le jeu du chat et de la souris.* Aussi, peut-être que l'inconnu en profitera pour m'entraîner dans un quatrième sous-sol, m'attacher à une chaise, bander mes yeux et descendre sa braguette? *David n'approuverait pas.* Trop tard, mes pas le suivent malgré la peur qui me scie les entrailles. Je resserre ma veste autour de ma taille tout en repoussant mes mèches mouillées derrière mes oreilles. Après tout, s'il avait eu de mauvaises intentions à mon égard, pourquoi n'aurait-il pas sauté sur la première occasion de me capturer? Le simple fait qu'il ait tout d'abord refusé de me conduire augmente un tout petit peu le faible sentiment de sécurité qui m'habite.

Se foutant carrément de l'eau qui déferle sur lui, il met ma valise à l'abri, puis m'ouvre la portière côté passager. Alors que je me tiens à la poignée prévue à cet effet, j'enjambe la haute marche. Sa main sur mon coude me permet de terminer la manœuvre avec une grâce qui m'étonne moi-même. Aussitôt grimpée à bord du monstre rouge, non sans avoir sali le bas de mon pantalon, je regarde mon sauveteur faire le tour du camion au pas de course. Il apparaît sur le siège à mes côtés.

— C'est un gros véhicule que tu as là !

*C'est tout ce que je trouve à dire ? Vraiment ?*

— Tu n'as jamais fait un tour de camion ?

— Euh… oui, peut-être une fois ou deux, dis-je à voix basse, embarrassée.

J'attends qu'il démarre, puis je pointe mon pouce vers l'arrière. Le carton est si long qu'il dépasse de la boîte du camion de plusieurs centimètres.

— Qu'est-ce que c'est ?

*Au cas où ce serait de gros calibre.*

— Mes nouveaux skis. Ça t'arrive de dévaler les pentes ?

— Non.

Mon ton est un peu rêche, mais c'est plus fort que moi. Une seule expérience l'an dernier. La matinée dans la piste pour débutants, l'après-midi à l'urgence pour avoir vu un arbre de trop près.

— Tu as peur ?

— Oui. Mon centre de l'équilibre est un peu… faible.

— Avec moi, rien ne pourrait t'arriver.

Sa voix est grave, sans affectation. Il a énoncé cette affirmation comme un fait tout simple. Son assurance tranquille m'émeut, mais je mets ma réaction puérile sur le compte de la fatigue. La journée a été longue. Je l'observe pendant qu'il se concentre pour sortir du stationnement. Évidemment, l'heure de pointe ne lui facilite pas la tâche. Je m'interroge sur son âge – fin vingtaine, peut-être. Il se tient droit comme un guerrier, ses traits sont harmonieux, les lignes de son visage sont bien définies. Il ne semble pas à l'aise dans son complet noir, car il passe sans arrêt un doigt autour de son collet comme si ce dernier était trop ajusté. Finalement, il desserre un peu le nœud de sa cravate. Pourquoi est-il ainsi vêtu? Avait-il un rendez-vous? A-t-il modifié ses plans pour moi? Mon Dieu, j'espère que non. Je remarque que ses mains larges ne ressemblent en rien à celles d'un homme qui travaille derrière un ordinateur. Ses ongles sont noircis et cassés.

Un coup de volant secoue le camion. Je m'agrippe à mon siège tandis que mon cœur fait un bond.

— Désolé... Un nid de poule... dit-il avec un demi-sourire.

— Je m'appelle Mahée Tremblay.

— Vincent Grandbois.

Un nom qui s'arrime parfaitement à son image: il est grand, fort, solide... Il fixe la route sans animer davantage la conversation. Il zigzague aisément dans la circulation plutôt dense. C'est le vide total dans ma tête; je ne trouve rien d'intelligent à dire. Finalement, je me lance:

— J'arrive du Lac-Saint-Jean.

— Oui, j'avais deviné.

Un sourire étire mes lèvres. Je suis fière de mon accent. Vincent ralentit pour laisser passer les piétons qui nous coupent la route avec insouciance. Trois jeunes filles trottinent devant nous en retenant leurs jupes trop courtes.

— Tu fais quoi dans la vie ?

Ma phrase n'a pas l'effet escompté. Son visage se durcit, ses doigts se crispent sur le volant. J'ai la désagréable impression que ma question, pourtant inoffensive, est déplacée.

— C'est compliqué, finit-il par déclarer dans un souffle.

— Ah !

Décidément, Vincent n'est pas un grand bavard. Je sens même que je l'embête avec ma curiosité. Je tambourine mon impatience sur mes genoux alors que nous sommes coincés dans un bouchon de circulation. J'ai hâte d'arriver à destination, de me jeter dans les bras de Sophie, d'être enfin en terrain connu. Et puis, qui conduit un Toyota Tundra en ville ? Certes, le gars est de grande taille, mais qu'a-t-il besoin d'un engin d'une pareille hauteur ? Il en fait des détours. On file sur Saint-Laurent. Il pourrait m'emmener n'importe où : je suis complètement désorientée dans cet univers d'autoroutes et de viaducs à perte de vue. J'ai étudié ici pendant quatre ans et, pourtant, je n'ai jamais pu m'y retrouver.

Une sonnerie résonne dans toute la cabine. Vincent appuie sur un bouton.

— Oh ! Ricky Boy, tu es en ville ?

J'écarquille les yeux en le voyant si enjoué. Il ressemble soudainement à un petit garçon le matin de Noël.

— Hé ! Vince ! Oui, je suis à Montréal pour quelques jours, indique une voix dans les haut-parleurs.

— Passe au restaurant, ce soir !

— Peut-être…

Vincent freine doucement tout en coupant court à sa conversation. Je ferme les yeux alors qu'il stationne son camion dans un espace qui me paraît trop restreint, entre une Hyundai bleue et un RAV4 de l'année.

— C'est ici.

L'immeuble de mon amie est sur ma droite. Un escalier en colimaçon mène jusqu'à l'appartement 302. Même si je m'empresse de détacher ma ceinture, lorsque j'y parviens, Vincent est déjà de mon côté pour m'aider à descendre. Je saute la marche en tenant sa main. L'averse a cessé, mais je constate que j'aurais dû mettre mes souliers sport. Moi qui croyais me promener sur de beaux trottoirs bien propres, je me retrouve dans une cour devenue vaseuse à cause du déluge. Mes talons s'enfoncent dans deux centimètres de terre.

— Comment puis-je te remercier ?

— Ce n'est rien.

# 2
# Richard Gere : 1, Tristan : 0

Sans plus attendre, j'arrache ma valise à Vincent – il s'apprêtait à la monter à l'étage –, puis je me précipite vers les escaliers en lançant par-dessus mon épaule : « Merci encore, au revoir ! » Il me salue d'un signe de la main. Cet homme, aussi impressionnant soit-il, ne devient sur-le-champ qu'un vague souvenir. Il n'aura été qu'une halte dans mon périple, un ange aux cheveux d'ébène qui hantera mes rêves érotiques. *Non, mes rêves tout court.*

J'évite quelques trous d'eau dans l'allée. L'immeuble de Sophie est légèrement en retrait par rapport aux autres. D'un rouge qui a déjà eu un certain éclat, les imposantes moulures qui ornent les fenêtres lui donnent un style vieillot. Je suis étonnée ; je m'attendais à quelque chose de plus récent, de plus branché comme endroit. Sophie a toujours préféré les *looks* urbains, chics et de couleurs neutres. Le bruit de mes talons contre le métal mouillé accentue ma hâte. Je manque de renverser une femme qui tient son chihuahua sous son bras tel un sac à main. Je me bats avec ma valise qui ne suit pas mon élan, puis enfin, je frappe mes jointures avec frénésie contre la porte 302.

Je piétine sur le seuil. *C'est long.* J'ai effacé de ma mémoire l'incident de la gare. Peu importe si Sophie m'a oubliée, je ne veux que tomber dans ses bras. Le temps mort qui suit vient cependant ternir mon enthousiasme. *J'espère qu'elle n'est pas en train de m'attendre sur le quai!* Je n'entends que le son d'un téléviseur et les voix d'un couple qui s'envoie en l'air. Les fenêtres voleront en éclats sous peu si la fille n'atténue pas son cri d'une octave.

Je me demande d'où vient le bruit. Sur la pointe des pieds, je traverse le couloir pour coller mon oreille contre la porte de l'appartement d'en face. Aussitôt, celle-ci s'ouvre avec fracas. Mallette à la main, un jeune homme entièrement vêtu de noir me scrute, l'air perplexe.

— Je peux vous aider, madame?

Je m'empourpre en me redressant.

— Non, merci.

Je recule d'un bond jusqu'à la porte de Sophie. Je n'ai plus de doute, elle est bel et bien chez elle. *Mon Dieu, c'est de là que proviennent les sons obscènes.* L'homme verrouille calmement sa porte avant de marcher vers la sortie d'un pas lent, sans se soucier de la mélodie du bonheur que chantent ses voisins. Un autre entre dans l'édifice au même instant; ils se saluent au passage, échangent brièvement sur la météo. J'apprends alors qu'on prévoit de la pluie jusqu'au milieu de la nuit avec des températures sous les normales de saison. *Super!*

Personne ne fait allusion aux cris effrénés. La situation semble habituelle pour tout le monde. Et moi qui croyais que Sophie avait les moyens de se payer un condo insonorisé… J'entends tout, même le lustre qui tremble. Les secousses régulières qui résonnent derrière le mur tirent mon sourcil vers le haut. Je ne peux m'empêcher de penser que son beau Tristan doit avoir un sacré bassin pour donner de tels coups de hanche. À la hauteur du sportif qu'il est, en somme ! Je trépigne en plissant le nez. J'ai l'impression d'être témoin d'une scène dans laquelle je tiens le rôle de la vicieuse qui écoute aux portes. *Je pourrais me pencher pour espionner par le trou de la serrure.*

Je cogne une autre fois, du bout des doigts, gênée d'interrompre Adam et Ève dans leurs enthousiastes élans d'affection. Peut-être décideront-ils de terminer tranquillement leur bonne action avant d'émerger à nouveau dans le monde réel. Je laisserai défiler dans ma tête la suite du scénario si je n'ai pas de réponse. Assise sur ma valise, je me ferai toute petite au fond du couloir en complétant mon cahier de Sudoku acheté ce matin à la gare d'autobus.

Les sons – ou plutôt les cris – s'interrompent d'un coup sec. Je souris ; je ne savais pas mon amie si efficace. *En fait, je ne sais rien du tout.* Jusqu'à aujourd'hui, je ne l'avais jamais entendue jouir et, honnêtement, j'aurais pu m'en passer. J'attends encore quelques minutes, puis je perçois des froissements, du mouvement de l'autre côté du battant. Je sonde la poignée, qui cède sans effort.

— Sophie ?

Les secondes s'arrêtent, ma joie disparaît aussitôt. Deux paires d'yeux m'observent comme si j'étais la dernière personne que l'on s'attendait à trouver sur le seuil. *Est-ce que je me suis trompée de week-end ?* Je n'ose même pas imaginer mon air : je suis mouillée jusqu'aux chevilles et mes boucles sont collées sur mon front.

— Mahée, tu es déjà là ? s'étonne mon amie.

J'avale ma salive, ramasse mes cheveux en un chignon improvisé. Mon scénario de retrouvailles enfiévrées tombe à plat. Il n'y a aucun sourire sur le visage de Sophie, aucun point d'exclamation dans ses yeux… seulement un vide nébuleux qui multiplie par mille mon embarras d'être arrivée au mauvais moment.

— Eh oui, Sophie ! On a échangé un dernier courriel hier soir : Action de grâce, sortie de filles, j'arrive demain midi.

Ses cheveux noirs normalement lisses pointent dans tous les sens, ce qui crée un étrange contraste avec ses joues rouges. Des dossiers ouverts sont éparpillés sur la petite table ronde, et deux tasses de café à moitié pleines trônent au centre de ce fatras.

— Désolée, j'ai eu un contretemps…

Mon regard se porte alors sur l'homme à côté de mon amie. J'ai un mouvement de recul que Sophie ne manque pas de remarquer. L'inconnu n'a rien en commun avec Tristan, son amoureux depuis plusieurs mois. Impatient, il martèle la pointe de son crayon sur une feuille blanche. Sa chaise est si près de celle de Sophie que leurs avant-bras se frôlent. Pensent-ils vraiment me faire croire qu'ils sont en réunion d'affaires ?

Il est facile de déduire que l'homme est important. Ses sourcils prononcés imposent le respect, son œil aiguisé force autrui à baisser la tête, sa montre – sûrement en or – sent le fric à plein nez. C'est le genre de personnes qui écrase les autres par sa simple prestance. Mais je ne me laisse pas intimider et le fixe directement dans les yeux.

— Je dérange ?

— Non... en fait... euh ! bafouille Sophie, qui semble ardemment souhaiter se cacher sous la table.

D'un geste pressé, l'homme repousse sa chaise qui crisse contre le plancher flottant. Sophie l'imite alors qu'il enfile à la hâte son veston Armani, créant un réel ouragan pour les quelques cheveux poivre et sel qui lui restent sur la tête. En quelques battements de cils, il camoufle son gros ventre sous sa veste, attrape son parapluie et disparaît dans le couloir sans me jeter un regard. Sans aucun doute, cet homme a célébré son soixantième anniversaire de naissance depuis belle lurette. «Je te transfère le dossier» sont ses derniers mots à l'intention de mon amie qui marmonne une réponse à peine audible.

J'ose enfin un pas à l'intérieur, et dépose ma valise à mes pieds. Je retire sèchement ma veste mouillée. J'attends ensuite les exclamations de joie et les embrassades, mais elles tardent à venir. C'est plutôt une douce musique propice aux rapprochements qui rejoint mes oreilles. Sophie dépose les tasses dans l'évier, puis rassemble nerveusement ses papiers pour en faire une pile bien droite. Je ne suis qu'un meuble dans sa cuisine qu'elle contourne en soupirant. Les bras croisés, je tape du pied pour manifester mon mécontentement.

— Tu devais venir me chercher !

Ma voix résonne sur les murs blancs épurés. Sophie fait volte-face. Sous ses traits sévères, ses yeux s'enflamment et son nez fin pointe vers le bas – réaction typique lorsqu'elle s'énerve.

— Pardon ? Tu devais m'appeler pour m'avertir de l'heure de ton arrivée ! dit-elle, offusquée.

*Ah oui ?*

Malgré toutes mes bonnes intentions, les circonstances ont joué contre moi. Il m'a été impossible de la prévenir. Je m'approche. Sophie est plus grande que moi, alors je dois lever la tête pour la regarder.

— Tu connaissais l'heure de mon départ, ce matin.

— Oui, mais tout le monde sait que les horaires peuvent changer. Je ne tenais pas particulièrement à danser sous la pluie en t'attendant.

— Non, évidemment. Tu avais mieux à faire, rétorqué-je sans mâcher mes mots.

Elle lève les yeux au ciel.

— Mahée…

— Sophie, si tu avais eu un accident, oublié tes clés ou sauvé la vie d'un petit chaton perdu, j'aurais pu comprendre. Je m'inquiétais ! Tu m'as vraiment laissée niaiser pour un vieillard ? Par ta faute, j'ai eu l'air d'une idiote sur le quai de la gare devant un bel Adonis.

— Quel Adonis ?

— Peu importe ! dis-je sur un ton plus énervé que je ne l'aurais voulu.

— Et à cause de toi…

Sophie suspend sa phrase, serre les lèvres. Des mots lui brûlent la langue, mais elle n'en dit pas plus. Elle a changé. Je l'observe plus attentivement ; elle paraît avoir dix ans de plus que l'an dernier. Son front est soucieux, ses yeux cachent quelque chose. Elle n'a pas l'air au meilleur de sa forme. Peu à peu, son expression se déride, ses épaules se détendent, ses longs doigts passent dans ses cheveux.

— Viens par ici, grande folle !

Quand ses bras s'ouvrent pour m'accueillir, je m'élance sans hésiter. Enfin, je retrouve ma Sophie. Nous sautillons sur place en criant de joie, je lui écrase les orteils, elle me casse un ongle. Je serre son cou à l'étouffer, contenant difficilement mon énervement. L'amitié avec Sophie, ce n'est jamais simple : elle m'aime autant que je peux la détester, je l'admire autant qu'elle peut me mépriser. Nos personnalités opposées ont souvent créé des étincelles par le passé. C'est probablement pour ces mêmes raisons que nous nous complétons bien. Une équipe à toute épreuve !

Plus jeunes, nous pouvions passer des semaines sans nous quitter d'une semelle, puis une querelle pourtant inoffensive d'un point de vue extérieur nous séparait pendant des jours. La plupart du temps, c'est moi qui devais faire les premiers pas. « Ça va, tu es toujours mon amie », écrivais-je sur un bout de papier plié en deux que je lui donnais en douce dans le cours de monsieur Trudel. Je me suis fait prendre une fois ; le professeur a confisqué le billet et l'a lu à haute voix devant toute la classe. C'est la dernière fois que Sophie et moi nous nous sommes disputées pour des conneries. En réalité, Sophie était l'indépendante, et j'étais celle qui passait ses soirées à attendre son appel. *Malheureusement, les messages textes, courriels et compagnie ne faisaient pas encore partie de notre quotidien à l'époque.* Chaque fois que mon amie avait le cœur gros, je changeais mes plans, oubliant ma propre peine d'amour pour sécher ses larmes. *Et Dieu sait qu'elle en a eu, des larmes d'amour, ma Sophie…*

De son côté, Sophie a toujours envié le téléviseur sur ma table de chevet et mes vêtements dernier cri – mes parents étant plus fortunés que les siens. Pourtant, elle a profité amplement de mes privilèges. Elle fouillait dans mes disques, m'empruntait une veste ou un chemisier pour nos soirées de danse à l'école le vendredi. Nous partagions tout. *Sauf David Leclerc, mais ça, c'est une autre histoire.*

Mon manque de maturité l'exaspère depuis que nous avons dix ans. Alors que le sort de Ken et Barbie était le centre de mon univers, Sophie s'intéressait déjà aux garçons. Elle volait le mascara de sa mère pour allonger maladroitement ses cils. Ce même été, je l'ai surprise à mettre sa main dans le pantalon de notre petit voisin Jules sous le balcon. L'image m'avait tourmentée pendant des semaines et j'avais juré sur la tête de mon chat de ne jamais faire ça. *Je m'excuse, Grisou, repose en paix.* Mon amie est une femme qui a un but précis dans la vie : être la meilleure. Elle aime quand les gens agissent selon son rythme, sa volonté. Tous les moyens sont permis pour atteindre ses objectifs, tous les coups bas aussi.

Je déteste les imprévus et les mauvaises surprises. Ça évite de s'ouvrir le front sur un mur de briques qui arrive trop vite. Sophie soupire littéralement lorsque j'hésite pendant quinze minutes entre un jus de fruits ou un jus de pomme, pour finalement opter pour un café. Elle est plutôt du genre à commander un jus de pamplemousse, pour se rendre compte à la première gorgée qu'elle n'aime pas le goût. Je prends mon temps, je ne veux pas décevoir, ce qui fait de moi un être ambivalent. Je dois avoir un ascendant Balance quelque part dans ce bas monde. *Ma mère est Balance, en tout cas.* Faire un choix, aussi banal soit-il, est une étape douloureuse. Je pèse le pour et le contre, fais presque un calcul mathématique pour comptabiliser le résultat. *Mon karma depuis que je vis avec un comptable.* Mais est-ce que je pense à ce que je désire vraiment, ou à ce que la personne à mes côtés souhaiterait ?

Je me rallie trop souvent à autrui, ce qui me place dans de drôles de situations lorsque je prends des décisions avec lesquelles je ne suis pas d'accord. Comme la fois où Sophie m'avait assurée que des mèches rouges dans mes cheveux étaient dans ma palette de couleurs. Incertaine mais voulant lui faire plaisir, je l'avais laissée appliquer le « rouge feu » de L'Oréal. Mon visage avait tourné à la même couleur en voyant le résultat. Mon premier réflexe avait été de camoufler l'horreur avec du brun. Désastre total, j'avais l'air d'une carotte brûlée au soleil.

À l'instant, c'est un tout autre sentiment qui m'enivre. Alors que je serre Sophie dans mes bras, que j'embrasse ses joues, une bouffée de bonheur réchauffe mon cœur. Malgré nos revers, je l'adore. C'est la beauté de l'amitié. Une force inexplicable nous a toujours poussées l'une vers l'autre. Le yin et le yang ! Chaque conflit, aussi laborieux fût-il, renforçait un peu plus notre lien particulier. N'importe qui serait blasé depuis longtemps ; moi, je ne peux tout simplement pas m'en passer.

Prises d'un fou rire, nous trébuchons sur ma valise. Nous échouons sur la montagne de coussins de couleur qui remplace normalement un divan au centre du salon. Ces énormes rectangles doux et moelleux constituent la seule fantaisie de Sophie. *Outre l'affiche sur le mur qui montre deux chatons au nez plat avec une boucle rose et qui semblent dire : « Vive vendredi ! »* Tout est d'un classique noir et blanc dans cet appartement. Ici, chaque meuble a sa raison d'être, la poussière n'existe pas et les cuillères à soupe sont bien alignées dans leur tiroir.

Sophie démêle ses membres des miens et se soulève sur un coude. Je repousse une mèche de cheveux derrière ses oreilles.

— C'était qui ce vieux monsieur qui ose faire travailler ma meilleure amie le samedi de notre sortie de filles ?

J'appuie sur le mot *travailler*, sachant très bien qu'ils avaient le nez dans tout, sauf la paperasse. J'ai la nausée quand j'imagine les images de ce que j'ai perçu tantôt. Sophie me pousse. Je m'enfonce un peu plus dans les coussins.

— Vieux ? Ma mère te tuerait si elle t'entendait. Il a à peine soixante ans.

Il avait l'air d'avoir beaucoup plus. Je replie mes genoux contre ma poitrine, ramenant mes boucles sur mon épaule droite, et lui sers mon sourire angélique. *Celui que je sors quand je sais pertinemment que j'obtiendrai ce que je veux.*

— C'était qui, alors, cette copie de Richard Gere avec quinze kilos en plus et une tonne de cheveux en moins ? Il doit être important pour que tu oublies de venir me chercher.

— Richard Gere ?

Sa bouche forme un rictus en forme de grimace. Elle se racle la gorge avant d'ajouter :

— Mon patron.

Évidemment ! Quel patron se déplace à l'appartement d'une simple employée un jour de congé... pour travailler ? Surtout lorsque ledit patron sort en trombe dès qu'il est surpris la cravate entre les omoplates. Il ne faut pas chercher midi à quatorze heures ! Le diplôme de Sophie, fraîchement imprimé, sert de décoration dans son bureau chez Dickins, une compagnie qui fait des logiciels 3D pour les industries aéronautiques, automobiles et autres. La présence de Richard Gere (version sexagénaire, on s'entend) chez elle un samedi après-midi confirme mes doutes quant à sa récente nomination au poste de directrice des ressources humaines. Je ne remets pas en question ses compétences, mais c'est un titre qui vient habituellement avec la notoriété accumulée au fil des années. Une employée modèle et dévouée grimpe cependant aisément les échelons. À ce que je peux voir, Sophie fait beaucoup d'heures supplémentaires.

Pour espérer atteindre un tel apogée dans leur carrière, les conseillers doivent normalement rouler leur bosse à faire des entrevues en boucle afin de trouver la perle rare qui saura combler les critères de sélection des têtes blanches dirigeant tout de leur grand bureau vitré. Un candidat après l'autre, à qui l'on pose les mêmes questions classiques. Tout ça sans rire lorsque, pour la énième fois de la journée, la personne au bout de la table dit que son principal défaut est d'être «trop perfectionniste». Malgré tout, je suis convaincue que mon amie possède les compétences nécessaires pour assumer ses nouvelles responsabilités. Elle est brillante, tellement que c'en était frustrant de la voir se plaindre de ses pauvres quatre-vingt-dix pour cent à l'école. Je devais travailler comme un forçat pour arriver à obtenir de tels résultats. Je passais des nuits blanches à étudier, alors qu'elle ronflait paisiblement.

Je regarde Sophie de haut. Sa paupière droite sautille, signe qu'elle ne veut pas s'étendre sur le sujet. Rien de nouveau, car elle n'est pas très bavarde sur sa vie privée. Même à titre de meilleure amie, je dois trop souvent lui mettre les mots dans la bouche. Je souris pour moi-même. Je n'insisterai pas davantage pour l'instant ; Claudia saura lui tirer les vers du nez.

— Un patron consciencieux, alors.

Elle hoche lentement la tête, comme si elle avait peur de trop en révéler.

— C'est un bon patron, prononce-t-elle prudemment avant d'étirer le bras pour sortir la bouteille de vin de son emballage. Je te sers un verre ?

J'écarquille les yeux. Je me sens dans une piètre reprise de *Surprise sur prise*. Les lumières vont clignoter sous peu, les gens vont jaillir des placards en riant. Sophie ne boit jamais dans la journée. Elle est la première à déplorer cette mauvaise habitude de Claudia de commencer ses beuveries trop tôt. «Il est midi quelque part dans ce bas monde», voilà la citation préférée de Claudia. Sophie est plutôt du genre à siroter l'apéritif pendant des heures. «Je ne veux pas de votre air de chatte en chaleur», critique-t-elle lorsque nous osons dépasser la limite permise d'alcool pour avoir encore de la grâce sur nos talons hauts. La voir se verser un verre de vin en plein après-midi relève donc de l'ironie. Pour Sophie, la vie, c'est du sérieux, et elle ne rit pas souvent. Toutefois, elle est la première à accourir pour nous sortir du pétrin. *Sauf quand son patron est là, à ce qu'il paraît.*

Je me débarrasse enfin de mes souliers qui ratatinent le bout de mes orteils, puis je secoue mes cheveux pour leur donner du corps. Trop tard: l'humidité a eu le dessus sur mes boucles. J'accepte la coupe de vin que Sophie me tend; je sais que ce liquide apaisera le stress de ma journée. Cette première gorgée est le coup d'envoi à une délicieuse soirée entre amies. L'atmosphère est maintenant détendue. Sophie pointe la télécommande vers la radio. La musique devient plus rythmée.

— Comment va David?

Le ton de Sophie est cinglant. Elle tolère aussi bien mon homme que ma grand-mère supporte les araignées. Ç'a toujours été ainsi. Est-ce parce que je l'ai un peu mise de côté aux premiers battements d'ailes de notre relation ou parce que David l'a ignorée pour se tourner vers moi ? Elle avait passé l'année à recopier les notes de physique à sa place ; elle n'avait reçu qu'un merci sans sourire en retour. Nous n'en avons jamais parlé, je ne savais même pas qu'elle l'avait dans la peau. Car David n'a pas manqué de s'en vanter quelques semaines plus tard. Depuis ce temps, selon Sophie, David est un primate sans classe. Ce n'est pas parce qu'il porte des bas dans ses sandales qu'il est archaïque pour autant. Non, mais… *OK! Elle a peut-être raison sur ce point.*

— Ça va, Sophie, pas besoin de te forcer.

David et Sophie prennent un plaisir vicieux à se détester. Entre eux, c'est devenu un sport olympique, un jeu. Je ne m'en préoccupe plus, je les laisse jouer sans m'interposer. Regards percutants et échanges salés se succèdent, mais au fond, ce n'est que de la comédie. Ils s'adorent, j'en suis sûre… du moins, je l'espère. Après tout, ils ont formé une bonne équipe pour organiser la fête-surprise pour mon vingt-cinquième anniversaire, il y a trois ans. « Ta chère amie voulait louer la salle communautaire », s'était plaint David. « Il a chialé sur le prix du gâteau », m'avait rapporté Sophie. Somme toute, ils avaient été souriants et polis l'un envers l'autre durant la soirée.

— Ton aspirateur fonctionne toujours bien ? demande-t-elle sur un ton ironique.

Je lui lance un coussin qui manque de renverser sa coupe pleine sur son beau tissu blanc.

— Il voulait me faciliter la vie. L'ancien appareil pesait mille tonnes et je devais tirer sur le fil comme avec un chien en laisse. Un aspirateur central, c'est le paradis.

*J'essaie de convaincre qui, là ?*

La vérité est que je ne suis plus capable d'entendre le mot *aspirateur* sans grincer des dents. Je déteste cet appareil ; je me réveille la nuit pour le haïr. J'ai passé le dernier mois à me plaindre qu'il était trop bruyant, que le tuyau était trop court, qu'il avait avalé mes bobettes préférées...

— Un geste romantique, alors ?

— Mais David est romantique ! réponds-je du tac au tac d'un air faussement outré.

*David, romantique ?*

Sophie s'étouffe avec sa gorgée, riant comme un cochon qui a le rhume des foins. Elle essuie du revers de la main quelques gouttes de vin dégoulinantes.

— David est plus pathétique que mon père.

— Il n'est pas si pire que ça.

— Non ? C'est quand la dernière fois qu'il t'a dit « je t'aime » en te regardant dans les yeux ?

Je lève un menton défiant, prête à faire croire l'impossible. *En réalité, mes neurones travaillent fort pour trouver une réponse.*

— Tout à l'heure, juste avant de partir.

Il avait la tête sous le capot de sa vieille Toyota Tercel, mais il l'a dit quand même. Sa première voiture, il la garde par sentimentalisme. *Ou pour son économie d'essence.* David ne sait pas seulement compter dans la vie, il a appris la mécanique de sa voiture par cœur. Il connaît chacun de ses petits bobos. Je crois que lorsqu'elle rendra définitivement l'âme – elle a bien failli y passer une fois ou deux –, il la conservera comme décoration dans la cour.

Sophie s'assied bien droit, prête à renchérir. C'est à son tour de lever le menton.

— La dernière fois où il t'a apporté le petit-déjeuner au lit ?

— Il y a deux semaines.

Je m'étais légèrement tordu la cheville la veille dans une partie de volley-ball pendant laquelle mon collègue croyait que les mises en échec étaient permises. Je m'étais écrasée au sol comme une pâte molle, incapable de bouger. Le collègue en question avait été très serviable. Il avait passé la fin de soirée à attendre à l'urgence avec moi, puis m'avait ramenée gentiment à la maison.

Sophie brandit son index sous mes yeux, certaine d'avoir trouvé la faille.

— La dernière fois où il t'a invitée à danser ?

Je cherche une réplique, mais c'est le néant dans mon esprit. David préfère cuver sa bière, assis au comptoir, en regardant les filles se trémousser. J'ai l'impression que la dernière fois que mes doigts se sont joints derrière le cou de David remonte au fameux soir de graduation. Ah non ! David a dansé une fois, au mariage de son cousin il y a deux ans. Ivre, il avait rejoint la troupe de retraités qui s'alignait pour lever la patte sur *Le ya ya* de Joël Denis. Il avait réussi à faire rire la galerie. Les planchers de danse lui donnent des boutons, car ni ses bras ni ses hanches ne suivent le rythme.

— OK, j'abandonne. Tu as raison : David n'est pas romantique.

C'est inutile d'argumenter avec Sophie : elle a toujours le dernier mot. J'ai appris depuis belle lurette à ne plus prendre personnellement les remarques sarcastiques de mon amie, même que celles-ci me manquent lorsque je ne la vois pas pendant quelque temps. C'est comme ça que je l'aime.

Je lui souris sincèrement.

— Il est où, ton beau footballeur dont tu me parles depuis des mois ? Je suis déçue, c'est lui que je m'attendais à trouver à moitié nu dans ton salon.

— Tristan ? Si ce n'est pas pour baiser ou se quêter un souper, tu ne le verras pas ici, répond-elle durement.

L'agressivité dans les propos de Sophie me surprend. Encore récemment, elle vantait Tristan avec une voix d'adolescente qui vient de rencontrer son premier amour. Elle m'a toujours parlé de lui comme étant un homme gentil, travailleur, fier de sa personne, doté d'un bon sens de l'humour. *Délectable au lit.* De ce que j'ai pu voir sur ses photos, il est exactement le genre de mon amie : grand, sportif, séducteur.

— Tu me casses les oreilles avec lui depuis des mois. C'est quoi le problème ?

Je devine que l'équation est plus compliquée qu'il n'y paraît à première vue, mais Sophie ne me fera pas croire qu'elle préfère Richard Gere à Tristan. *Quand même!* Elle s'enfonce un peu plus dans les coussins, son verre de vin appuyé contre son ventre. Elle étend lourdement ses longues jambes devant elle avant de les croiser. Je ne lis que la déception sur son visage. C'est inhabituel, car elle montre rarement ses sentiments.

— J'ai l'impression de fréquenter un adolescent, par moments. Tristan passe ici entre deux entraînements, il m'appelle quand sa mère n'est pas là pour faire le souper, il est disponible seulement lorsque ses coéquipiers ne le sont pas. Je ne suis qu'une oasis de plaisir dans son petit quotidien confortable. Au début, c'était mignon, mais après huit mois pendant lesquels il s'est promené entre mon lit et le sous-sol de ses parents, j'espère un peu plus.

*Et le plus, c'est Richard Gere?*

Sophie, c'est… Sophie. Elle n'a jamais eu de chance en amour. Tristan est probablement sa plus longue relation à vie. Toutes les autres ont tourné au vinaigre. Si ce n'était pas un sentiment à sens unique, les hommes qui s'intéressaient à elle avaient un penchant pour la manipulation, la dépression – ou même le sadomasochisme, une fois. L'art d'attirer l'âme en deuil d'une relation passée, de vouloir faire d'elle une petite femme au foyer docile, de lui mettre un fouet dans les mains. Autant elle est rigide en affaires, autant Sophie est une pâte molle en amour. Elle a beau clamer le contraire, elle ne sait pas distinguer les bons des crétins.

Je prends plusieurs gorgées en essayant de cerner ses attentes.

— Tu espères quoi? Une bague au doigt? Qu'il dépose son rasoir sur la tablette de ta salle de bain? Qu'il range ses bobettes à côté des tiennes dans le premier tiroir de ta commode?

Sophie tape si fort sur ma cuisse que j'étouffe un cri de douleur. Le liquide valse dans ma coupe; j'essuie rapidement les gouttes qui s'en sont échappées. Survoltée, mon amie se met à gesticuler, voulant tout dire en même temps.

— Oui, c'est ça!

— Vraiment?

Je hausse un sourcil consterné. Elle fait de même.

— Je croyais que tu prônais l'indépendance.

— On change en vieillissant... Mahée, je veux entendre un « bonsoir » quand je rentre de travailler le soir, sentir une odeur de macaronis au fromage collés au fond d'un chaudron, ramasser ses poils dans le lavabo...

— Ne plus avoir le contrôle de ta télévision? Collectionner ses bas sales à côté du lit? Contourner les bières vides sur le plancher de ton salon?

Ses épaules s'affaissent et sa tête s'incline légèrement sur la droite. *Oh non! Elle va me sortir une de ses grandes théories.*

— C'est ça, la vie avec David? C'est si ennuyant?

— Euh...

Ses mots résonnent en boucle dans ma tête. L'air interdit, je regarde Sophie, mon verre suspendu près de mes lèvres. Elle ne croyait pas si bien dire. Oui, la vie avec David est comme un long fleuve tranquille sans une vague à l'horizon. Est-ce que le quotidien avec lui a déjà été palpitant ? Oui, j'avoue, il y a eu un temps où il arrivait à me surprendre, où il me culbutait sans scrupule sur la sécheuse. Aujourd'hui, il ronfle devant la télévision.

— C'est un homme qui m'apporte la stabilité dont j'ai besoin.

*Pour ça, c'est vrai.*

Mes propres paroles me font honte parce que, finalement, je suis embarrassée de me contenter de si peu. En même temps, je me trouve bien ingrate. Ne devrais-je pas sauter sur le téléphone pour le prévenir que je suis arrivée ? J'ai omis de lui mentionner qu'il y a un reste de pâté chinois à réchauffer pour le souper...

Sophie aspire les dernières gouttes de son verre.

— C'est ce que je disais : il est ennuyant, fade, assommant...

— Non, ça veut dire que je n'ai pas envie de me poser la question, rétorqué-je sur la défensive.

— Bref, je voudrais bien d'une petite vie convenable avec mon quart-arrière s'il daignait oublier son savon dans ma douche sans paniquer.

De concert, nous soupirons en regardant le plafond. Sommes-nous en train de nous transformer en « Cendrillon qui espère le prince charmant » ? Jusqu'à quel point pouvons-nous séparer le rêve de la réalité ? David et Tristan sont comme ils sont, on ne peut les changer. *Il faut choisir nos batailles.*

Je remue doucement le contenu rose de mon verre comme si cela allait miraculeusement rehausser les arômes de ce vin bon marché.

— Il baise bien, ton Tristan ?

Un sourire comblé retrousse le coin de ses lèvres. L'éclair qui illumine les pupilles de Sophie suffit comme réponse ; c'est évident que le beau footballeur sait comment faire plaisir à une femme. Je me promets d'ailleurs de connaître tous les détails d'ici demain midi.

— C'est au moins ça.

Je manque de lui demander s'il en est de même pour Richard Gere. Mais je tourne ma langue sept fois et je mords l'intérieur de ma joue. *Ça n'avait pas l'air si mal tantôt !* Soudain, ses épaules sont secouées par un fou rire incontrôlable. Elle roule sur le dos en se tenant le ventre à deux mains.

— Quoi ? m'écrié-je.

— Et toi... articule-t-elle péniblement, incapable de cesser de rire.

Je la surprends en lui lançant un coussin en plein visage. Sophie l'attrape et l'envoie au bout de ses bras.

— Et David ? Est-ce qu'il...

Je m'apprête à bondir sur elle pour la faire taire, mais un vacarme dans l'escalier interrompt nos chamailleries. Du coup, nous nous exclamons en chœur :

— Claudia !

# 3
# Le phénomène Claudia

Je tiens la main de Sophie. Le brouhaha dans le couloir nous fait frissonner d'impatience. *Jamais deux sans trois!* Se retrouver est un tel soulagement que chaque fois, je me demande comment nous réussissons à passer tout ce temps éloignées les unes des autres. *Vive la webcam!* Mon cœur bat la chamade. J'attends avec excitation que la porte s'ouvre sur les jambes interminables de Claudia. J'ai hâte de voir sa couleur de cheveux. L'an dernier, ils étaient roses; la fois d'avant, roux. J'imagine déjà sa bouille enjouée, son petit nez retroussé, sa voix un peu trop aiguë.

La poignée tourne enfin. Sophie et moi reprenons notre souffle car nous voulons émettre le plus beau cri de bienvenue de l'histoire. Notre amie nous sautera dans les bras en criant à son tour. Sophie hoche la tête, ce qui ressemble à un signal de départ. Notre décompte muet s'interrompt soudainement lorsque la porte rebondit contre le mur. Cependant, aucun son ne sort de notre bouche. Nous restons figées comme des statues, les yeux en forme de vingt-cinq sous, la mâchoire au plancher.

Dos à nous, Claudia a le cellulaire collé à l'oreille. Une énorme valise sur roulettes est appuyée contre sa hanche. Finalement, ses cheveux sont blonds, parsemés de mèches rousses et brunes.

— Je t'aime, mon chéri… Je t'embrasse partout, partout… Je t'appelle tantôt… Oui, envoie-moi un message… Ah non ! petit coquin, tu sais que je garde ma culotte dans les endroits publics. Oh ! arrête ! Non, je te dis… Patience, tu ne perds rien pour attendre…

Sophie et moi sommes toujours plantées là et fixons Claudia. C'est étrange : son ton donne l'impression qu'elle s'adresse à un bébé de deux ans, mais ses propos semblent destinés à un vieux cochon. *C'est quoi, cette histoire de culotte ? Ça lui arrive vraiment de se promener les fesses à l'air ?* À bien y penser, Claudia est capable de n'importe quoi. *Je rêve ou elle vient de bécoter le téléphone ?* Elle semble avoir raccroché, mais ne se retourne pas. Elle serre l'appareil contre sa poitrine.

— Claudia ? risque Sophie.

Celle qui a davantage l'allure d'un mannequin que d'une étudiante en histoire de l'art pivote sur ses talons. Ses cheveux suivent la vague. Selon la température, ses yeux sont gris ou verts. Le gris domine en cette journée pluvieuse d'automne. Claudia s'élance dans mes bras et me soulève de terre dans son enthousiasme. J'attrape le coin d'un mur pour éviter que nous tombions toutes les deux à la renverse.

— Je suis tellement contente de te voir, boucles d'or !

— Comment ça va, grandes dents ?

Je serre son cou, hume son parfum fruité. Retrouver, ou devrais-je dire « redécouvrir » Claudia, c'est tout simplement recevoir une bouffée de fraîcheur en plein visage. Tout en elle exprime la beauté, la simplicité et la bonté. Elle marche sur un nuage. Pour elle, tout est possible, facile. Son aura est magnétique, on l'aime d'emblée. C'est le genre de personnes qui occupe tout l'air d'une pièce, qui accroche tous les regards. C'est un phénomène difficile à expliquer, mais on est automatiquement attiré par Claudia, on se sent bien en sa compagnie, apaisé. Quand nos yeux rencontrent les siens, on sait qu'elle nous regarde vraiment. Quand on s'adresse à elle, on ne peut faire autrement que de se sentir en confiance.

La première fois que je l'ai vue, c'était pendant le cauchemar de tout ce qu'implique une fin de session à l'université. Manger était secondaire, dormir... nous n'y pensions même pas. Finies les sorties et les rigolades sur les terrasses ; tout se jouait dans ce dernier sprint final. Le cerveau en ébullition, l'adrénaline dans le tapis, je n'avais rien vu d'autre que mes livres depuis des jours. Je m'étais traînée jusqu'au café étudiant où Claudia travaillait. Évidemment, je n'avais pas fermé l'œil de la nuit afin d'apprendre par cœur les principes de base de l'enseignement préscolaire. J'avais les yeux cernés et la nette impression d'avoir raté la moitié des questions de l'examen.

— Toi, tu as vraiment touché le fond, n'est-ce pas ?

J'avais lentement baissé les mains qui cachaient mon visage, puis levé mes yeux embrumés par la fatigue vers cette jeune femme. En un regard, elle avait compris mon état d'âme. Mes parents venaient de nous annoncer, à ma sœur et moi, leur divorce après trente ans de vie commune. Le démon du midi avait terrassé les grands principes de mon père sur la fidélité. Une poulette de vingt-huit ans l'avait embobiné autour de sa taille de guêpe. En plus de tout ça, j'accumulais les échecs scolaires sans voir l'ombre d'une lueur au bout du tunnel de ces quatre années passées sur un banc d'école à prendre des notes. Toutes écrites à la main. Les ordinateurs portables ne faisaient pas l'unanimité il n'y a pas si longtemps encore. *J'en ai noirci des pages dans ma vie.*

Claudia avait déposé une tasse fumante devant moi en me tapotant l'épaule.

— Tiens, bois ça, m'avait-elle soufflé à l'oreille. C'est ma tisane préférée, alors j'ai pensé qu'elle te plairait aussi.

Citron et framboise. J'avais reconnu l'odeur rapidement, puisque c'est aussi ma préférée. Je ne me souviens plus si je m'étais mise à pleurer – sûrement! –, mais lorsque j'avais quitté l'endroit ce jour-là, j'avais le sentiment de connaître Claudia depuis toujours. Elle avait été un rayon de soleil dans ma journée. J'avais tout de suite été charmée par son dynamisme, sa personnalité colorée. Je ne m'ennuie jamais avec elle : elle a toujours un plan de fou à réaliser, un homme à conquérir, un verre à boire…

Mes pieds se reposent sur le sol. J'essaie de ne pas marcher sur les orteils de Claudia. Celle-ci recule d'un pas, puis ouvre enfin notre étreinte pour y inclure Sophie qui, jusque-là, était restée à l'écart.

— Bonjour, ma belle Sophie!

Celle-ci s'avance pour poser un bras autour des épaules de Claudia, l'autre à ma taille. C'est réconfortant de voir notre petit cercle réuni. Enfin, l'énergie circule normalement. Les trois font la paire, et nous formons un trio du tonnerre.

— Salut Claudia !

Nous nous mettons à trois pour tirer la valise dans l'appartement. Claudia ne voyage pas léger.

— Qu'est-ce que tu trimballes là-dedans ? Emménages-tu pour deux semaines ?

— Non ! Je vous ai apporté quelques petites fantaisies, des... jouets, indique Claudia en roulant les hanches. Que j'ai tous testés à des fins scientifiques, évidemment. Vos hommes seront comblés.

Elle répond à mon air de vierge offensée par un clin d'œil. *Des jouets ?* Au lieu d'animer des soirées Tupperware, Claudia fait des démonstrations d'objets coquins dans les soirées de filles. Elle en voit de toutes les couleurs. Des jeunes de vingt-deux ans hystériques qui n'ont jamais tenu un pénis en silicone dans leur main ou encore des femmes de quarante-cinq ans qui souhaitent mettre du piquant dans leur chambre à coucher. Le sexe mène le monde depuis toujours, mais il mène aussi le portefeuille de Claudia. C'est payant, ces babioles !

Comme ses études s'étirent à la maîtrise, Claudia boucle ses fins de mois dans une boutique érotique de Québec. *Là aussi, elle en voit sûrement de toutes les couleurs.* Tantôt commis dans une librairie, tantôt réceptionniste dans un grand hôtel, elle change d'emploi au gré de ses humeurs et de ses sessions d'études. Je crois qu'elle a même déjà été pompiste. *Une pompiste très sexy.* Depuis quelque temps, elle

prend un réel plaisir à vendre des condoms à saveur de bonbon et à conseiller un vibrateur plutôt qu'un autre à une célibataire consciencieuse.

Sophie secoue la tête, les yeux levés vers le ciel.

— Tu nous as apporté des petites culottes mangeables ?

— Trois modèles ! annonce fièrement Claudia.

Je lance un regard de biais à Sophie, en étouffant un fou rire. Je connais un patron qui serait heureux. Elle me flanque une taloche dans le dos.

— Et toi, un bon coup de fouet dériderait ton David.

Je porte une main à ma bouche, amusée par l'image qui me vient à l'esprit. Mon homme ne saurait que faire de petites culottes mangeables à la fraise. David n'est pas le genre à mettre des menottes et à se laisser faire. Il a ses positions préférées ; je n'ai qu'à me soumettre. Je n'ose même pas imaginer sa tête si je me baladais sans sous-vêtements. De toute façon, entre nous, les rapprochements ne sont plus aussi fréquents qu'avant. Les soirs de sexe sont prévus les vendredis et les samedis. *S'il n'y a pas de hockey !*

Claudia n'ouvre pas sur-le-champ sa valise pleine d'obscénités comme je l'aurais cru. Elle croque plutôt dans une pomme cueillie à même un panier de fruits sur le comptoir. Sophie tique, car elle n'aime pas cette façon qu'a Claudia de se sentir chez elle partout. Cette dernière croise un bras sur sa poitrine, mastique lentement tout en pianotant sur la pomme verte à moitié mangée.

— Qu'est-ce que vous avez ? demande-t-elle, convaincue que quelque chose lui échappe.

Ses yeux passent rapidement de Sophie à moi. Elle n'a rien manqué de mon regard espiègle et de la claque de Sophie pour me faire taire.

— Vous avez l'air de deux petites filles qui se sont fait prendre à manger des bonbons en cachette, sourit Claudia, avide d'un potin. Qu'est-ce que vous complotez ?

Elle repousse ses lunettes sur son nez d'un geste naturel et familier. Sans elles, elle ne reconnaîtrait pas sa mère de l'autre côté de la rue à cause de sa myopie sévère. Claudia ne supporte pas les lentilles. Se préoccupant beaucoup de la mode, mon amie possède une panoplie de montures de toutes les couleurs pour être assortie avec ses vêtements. Aujourd'hui, le blanc est à l'honneur. Heureusement que son père est opticien d'ordonnances !

— Ce n'est pas important, répond nonchalamment Sophie.

— Je veux savoir ! s'impatiente Claudia. Tristan t'a trompée ? Non, il t'a demandée en mariage ? Pire... (ses yeux deviennent ronds) il t'a laissée ?

Je ris doucement pendant que Sophie se hisse sur la pointe des pieds pour attraper un verre en haut de l'armoire.

— Laisse tomber, veux-tu...

— Tu ne perds rien pour attendre, réplique Claudia en haussant les épaules.

Elle oublie Tristan à la vue de la bouteille de vin. Vivement, elle retire son manteau qui descend juste en bas des genoux, là où ses bottes épousent à merveille son mollet élancé. Il y a beaucoup d'années de travail et d'argent investis à la gym dans ces mollets-là. Je remarque cependant que ses hanches ont élargi depuis notre dernière sortie de filles. Ça m'étonne, car elle est une adepte d'escalade, d'équitation et de soccer d'intérieur. Claudia est toujours entre deux entraînements, quand on réussit à la joindre. Son corps bénéficie des meilleurs produits sur le marché : crème hydratante, antirides (soupir...), anticellulite, de jour, de nuit...

— Vous avez commencé à boire sans moi ? Alors, c'est encore plus grave que je le pensais... songe-t-elle à voix haute.

Sophie dépose entre ses mains une coupe pleine, puis empoigne la bouteille pour me resservir. Je prends de petites gorgées parce que mon estomac vide fait déjà valser l'alcool dans mes veines. À ce rythme, la soirée ne sera pas longue.

— La route a été bonne ?

Sophie reprend sa place à mes côtés sur les coussins au sol, tandis que Claudia s'assied sur la table et croise les jambes. Ça me rappelle nos éternelles nuits passées à potiner à propos de tout et de rien. *Surtout des hommes.* Nous nous installions exactement comme ça, les lumières tamisées. Le chocolat remplaçait le vin...

L'air exaspéré, Claudia se penche légèrement vers l'avant, et appuie un coude sur son genou. Elle grogne entre ses dents :

— Rien de plus ennuyant que l'autoroute 40 ! Un poteau après l'autre, des arbres, encore des arbres... Pouvez-vous m'expliquer comment le tunnel Louis-Hippolyte-La Fontaine peut être bloqué par le trafic un samedi après-midi ? Je déteste la ville.

Elle dépose sa coupe pour remonter ses cheveux en un chignon négligé pendant que Sophie étire le cou pour regarder par la fenêtre.

— Es-tu garée au bon endroit, au moins ? demande-t-elle en tentant d'apercevoir la voiture de Claudia.

— Aucune idée ! Il y avait tellement d'enseignes que je n'y comprenais rien, dit Claudia en haussant les épaules. Des dates, des heures, des côtés de rue... Bah ! tu sais, une contravention de plus ou de moins...

Avec Claudia, tout est beau, rien n'est grave. Vivre et laisser vivre. Elle collectionne les infractions, surtout lorsqu'il s'agit de se garer du bon côté de la rue, comme d'autres collectionnent les prescriptions chez le médecin. Ce ne sont pas des gobelets de café vides qui s'empilent au fond de sa voiture, mais des contraventions. Je parie qu'elle est connue des policiers. Cette nonchalance qu'elle dégage peut parfois être agaçante, surtout pour une fille comme Sophie.

— Tu devrais songer à utiliser les transports en commun, ce serait plus rentable, lui retourne Sophie sur un ton moralisateur.

Claudia accompagne son regard réprobateur d'une grimace de dégoût. Je ne l'ai jamais vue dépenser un sou dans un autobus de la ville.

— Me retrouver debout dans un espace clos où tous les passagers sont entassés, sentir la mauvaise haleine de mon voisin, savoir mon popotin collé contre le visage d'un vieux vicieux, très peu pour moi. Je préfère encore perdre deux heures de mon précieux temps dans la circulation plutôt que de toucher à la sueur d'un inconnu.

Ce n'est donc pas demain la veille que nous réussirons à la traîner jusqu'au métro. Sa position a toujours été claire sur le sujet. D'ailleurs, c'était une source de conflit inépuisable lorsque nous cohabitions toutes les trois. Lors de chaque sortie, nous entendions la même rengaine, les mêmes arguments. « Les stationnements sont à l'autre bout du monde, on en aura pour une demi-heure à marcher ! » « Je vous déposerai à la porte... » Aucun moyen d'échapper à une discussion interminable ! *Ce soir ne fera certainement pas exception à la règle.*

Je renchéris avec un commentaire qui, je l'avoue, manque de subtilité.

— Tu pourrais aussi faire du vélo.

Je reçois le coude de Sophie dans les côtes. Claudia fait l'innocente, mais elle sait que je parle de ses hanches.

— Et me faire renverser par un chauffard fou qui ne se préoccupe pas de ses angles morts ?

— Hé ! s'écrie Sophie. Ce sont les cyclistes qui coupent les voitures sans regarder ! Ça m'est arrivé encore cet après-midi.

Je soupire. Nous voici au cœur d'un nouveau procès opposant mes deux avocates improvisées préférées. Je prends habituellement plaisir à les écouter se chamailler, mais pas aujourd'hui. Nous avons une longue soirée devant nous. Je mets un terme à leur plaidoyer en agitant les bras.

— ASSEZ ! Peu importe qui perturbe qui, au moins le vélo permet de faire de l'exercice.

— C'est dangereux quand même, insiste Sophie.

Un bip résonne à la taille de Claudia, ce qui met fin à la discussion. Elle bondit sur son téléphone comme s'il s'agissait d'un message d'une urgence capitale. Son sourire se fait tendre, sa main se pose sur son cœur. Un peu plus et des petites étoiles scintilleraient dans ses yeux.

— Il est trop mignon.

— Qui ? demande-t-on à l'unisson, Sophie et moi.

— Il veut que je lui rapporte un souvenir significatif de mon voyage, poursuit Claudia sans répondre à notre question. J'ai une idée ! Il doit bien y avoir une boutique érotique au centre-ville ?

— Probablement…

— De qui tu parles ? répète Sophie.

Les yeux embrumés des vapeurs de l'amour qui rend l'être humain complètement idiot, Claudia laisse planer le suspense en prenant son temps pour répondre au message. Je consulte Sophie du coin de l'œil, les sourcils levés. Claudia n'a pas l'habitude de faire passer un homme avant ses copines. *Il doit être vraiment beau, celui-là !*

Elle redresse enfin la tête.

— Il s'appelle Patrick.

Prononcé dans la bouche de Claudia, le prénom sonne comme une mélodie. C'est doux, c'est tendre, sa voix est mielleuse… *Oui, il doit être vraiment beau !* Sophie se laisse choir sur les coussins à mes côtés.

— C'était lui, au téléphone, quand tu es arrivée ? Ta dernière victime ?

Pendant un instant, une ombre traverse le visage de Claudia. Elle veut mordre Sophie. Mais sa bonne humeur revient aussi vite qu'elle avait disparu.

— Cette fois, je vous l'assure, c'est le bon !

Sophie et moi échangeons un regard lourd de sens, signifiant « bien sûr ».

— Oui, c'est vrai ! se défend Claudia férocement. Je le sens.

Elle saute sur ses pieds, puis se met à circuler autour de la table en gesticulant. Elle est une boule de couleur dans le décor noir et blanc de Sophie. Elle s'emballe littéralement. Sa réaction est plutôt impressionnante. *Ça promet!*

— Patrick est militaire, vous imaginez le portrait? Grand, athlétique, cheveux bruns rasés, drôle, attentionné, il a des doigts habiles, un bassin d'enfer…

— OK, c'est bon, on a saisi le portrait, dis-je en levant la main pour mettre un terme à son délire avant qu'elle ne s'évanouisse.

— Il est beau? demande Sophie avec intérêt.

Claudia s'arrête, une expression rêveuse sur les traits. Elle n'est plus avec nous; elle plane quelque part entre la terre et la lune.

— Beau n'est pas le mot! Patrick est magnifique, surnaturel, extraordinaire…

Le coup de foudre en trois actes, selon Claudia Sanschagrin. Elle vit ce miracle tous les mois, ou plutôt toutes les semaines. Un clin d'œil bien placé, un physique de rêve, et voilà, elle vient de trouver l'homme de sa vie. S'il baise bien, elle le tolère un peu plus longtemps, mais généralement, nous n'avons pas le temps de connaître son nom qu'il a déjà été remisé aux jouets usagés.

— Il sort d'où, celui-là?

— Attendez que je vous raconte! rigole Claudia en s'approchant, excitée comme une petite fille.

Je me redresse sur les genoux, attendrie comme une grande sœur qui écoute patiemment les histoires enfantines de sa cadette.

— Il s'est présenté à la boutique un vendredi soir, cinq minutes avant la fermeture, pour acheter un vibrateur.

Sophie s'étouffe avec une gorgée de vin. Moi, j'arrondis les yeux.

— Ça commence drôlement, ton histoire, Claudia.

— Il avait perdu un pari. J'ai placé l'affiche « Fermé » sur la porte et j'ai passé l'heure suivante à lui expliquer le fonctionnement de l'appareil de long en large, si vous voyez ce que je veux dire.

Nous hochons bêtement la tête.

— Tu lui as fait une démonstration privée ? ose Sophie qui montre moins de réticence sur le sujet que je ne l'aurais cru.

Les joues de Claudia s'empourprent, ce qui ne lui ressemble vraiment pas.

— Il m'a demandé le mode d'emploi.

— Ah ! mais oui, c'est évident ! ricane Sophie.

— Il n'en aurait pas eu besoin, finalement, reprend Claudia en se remémorant de bons souvenirs. Il savait très bien ce qu'il faisait !

Elle se tourne vers moi.

— Et toi, Mahée, David est toujours aussi... stable ?

— Ne commence pas toi aussi !

Oui, David est stable, routinier et emmerdant à ses heures. La question a déjà été abordée maintes fois. Claudia tire sur le couvercle de sa valise. Dans un geste parfaitement calculé, Sophie et moi nous penchons au-dessus et lançons un oh ! de surprise. Des bijoux, des boîtes de condoms, de la lingerie... Nous regardons chaque objet sans oser toucher.

— Avec tout ça, ton David ne saura plus où donner de la tête. Ça va le déniaiser un peu.

Sophie se risque à tirer sur un bout de dentelle tandis que, sans avertissement, Claudia me met un faux pénis dans les mains. Je le tiens du bout des doigts. Il est gigantesque. *C'est possible, en vrai, d'en avoir un de cette grosseur-là ?* Je m'abstiens de tout commentaire, mais Claudia lit dans mes pensées.

— Qu'est-ce qu'il y a, Mahée ? Ce n'est pas représentatif de David ?

Je grimace en lui lançant le jouet qui atterrit sur ses cuisses. Elle éclate de rire en frappant joyeusement sa coupe contre les nôtres.

— C'est génial de vous revoir, les filles ! Nous allons passer une soirée d'enfer !

# 4
# Un sac à main à la dérive

— Trop sport !

Je reçois une camisole noire sur la tête. *Encore!* Je replie le vêtement en un carré impeccable. Sophie tire la langue avant de disparaître pour la cinquième fois dans sa garde-robe qui semble plus grande qu'elle ne l'est en réalité. Probablement parce qu'elle est peu garnie. Je crois que Sophie se satisfait de peu. Mon amie a ses tenues fétiches qu'elle porte selon un roulement calculé. Elle n'a pas de bijoux, de foulards ou autres accessoires qui donnent du piquant à un ensemble.

Les protestations de Sophie sont étouffées par l'espace clos dans lequel elle cherche les vêtements parfaits pour notre illustre sortie de filles. En fait, Sophie doit trouver la tenue que Claudia jugera parfaite. Celle qui fera dégouliner de bave la bouche de tous les hommes en rut, qui volera la vedette et fera grincer des dents toutes les femelles en chaleur sur le plancher de danse.

Pour ma part, pendant l'opération Vêtements, je me contente de hocher la tête.

— Trop court, trop long, trop sévère, trop décolleté, pas assez, alouette ! grogne Sophie qui se parle à elle-même.

Claudia est étendue sur le lit de Sophie. L'œil avisé, elle entortille encore et encore sa gomme à mâcher au bout de son index.

— Ce n'est pas compliqué, pourtant : ça ne doit ressembler à rien de ce que tu portes au bureau, s'impatiente-t-elle.

Je suis la préposée qui range patiemment les vêtements rejetés par le jury composé de Claudia et de moi. La tâche n'est pas facile. Notre comparse défile devant nous tel un mannequin se rendant à une séance de cire épilatoire chaude. Sa tête est basse, ses épaules sont courbées, sa démarche manque d'enthousiasme. Sophie n'aime pas la mode. Sa garde-robe n'est pratiquement constituée que d'une seule couleur : le noir.

— Ça donne un air sévère, le noir, dénonce Claudia en soufflant doucement sur les verres de ses lunettes pour en enlever la poussière.

— C'est classique et professionnel, dit Sophie. Regardez cette jupe. Je l'ai portée aux funérailles de ma tante Ginette, mais je l'ai aussi portée au dernier souper de Noël. Vous voyez, c'est une belle façon de récupérer et d'économiser ! De plus, ça camoufle mes hanches trop rondes.

— Tes hanches sont moins larges que les miennes ! m'exclamé-je d'un ton faussement offusqué.

— Et que les miennes, je sais !

Claudia soupire pendant que Sophie tourne au bout de la pièce vêtue d'un chandail dont le col remonte sur sa gorge. C'est joli, mais beaucoup plus approprié pour une réunion d'affaires que pour une sortie de filles. C'est écrit dans le guide de la séduction: quoi de mieux qu'un col roulé pour rendre folle de désir la gent masculine?

— Si un jour tu vas à la banque pour négocier un prêt hypothécaire, ce sera parfait, dit Claudia sans prendre de détour. En attendant, va te changer!

— Je l'aime, moi, ce chandail-là. Il me fait une belle taille.

— Sophie, veux-tu vraiment que les gens croient que tu es une bonne sœur en cavale? s'écrie Claudia. Tu n'as rien avec un peu de couleur, un peu d'éclat, qui dévoilerait un bout de peau? Le rouge t'irait bien. Savez-vous que Patrick adore le rouge? ajoute-t-elle, le regard dans les vapes.

— Ah!

— Tiens, je pourrais rapporter de la lingerie rouge pour Patrick...

Sophie ne l'écoute plus. Dans un seul mouvement, elle retire sans gêne son chandail qui atterrit entre mes mains, puis se précipite vers sa commode. *Il y a encore de l'espoir!* Ses petits seins nus me rappellent notre adolescence; ils n'ont pas changé. Les miens, c'est une autre histoire... Claudia m'envoie un sourire confiant tandis que Sophie fouille dans son dernier tiroir avec frénésie. Les vêtements pleuvent sur le parquet. Franchement, ça m'étonne, je ne savais pas qu'elle avait autant de linge. J'ai toujours l'impression de la voir avec les mêmes agencements, peut-être parce qu'ils sont tous dans les mêmes teintes.

— Le voilà!

Elle est fière d'exhiber au bout de ses doigts un pauvre chemisier beige qui aurait pu être acceptable il y a dix ans, mais qui doit prendre dès aujourd'hui le chemin d'une friperie. Il n'est pas seulement défraîchi, il irait bien à ma tante Lucille. Claudia secoue la tête, frimant un air désolé. Je l'appuie : on ne peut pas laisser sortir notre amie avec ça.

Irritée, Sophie baisse les bras.

— Non ?

— Non ! crions-nous en chœur avec un peu trop de conviction.

Sophie replie un pied sous ses fesses en s'asseyant lourdement sur le lit d'eau qui ondule de vagues successives. Elle passe ses bras dans le premier chandail qui lui tombe sous la main.

— Vous exagérez. Il y a sûrement quelque chose qui peut faire l'affaire.

Le silence qui suit lui donne mal à l'orgueil. L'air découragé, elle nous regarde.

— Vraiment pas, vous êtes certaines ?

Nous hochons la tête à nouveau dans une chorégraphie qui n'a pas eu besoin de répétitions puisque nous la renouvelons d'année en année.

— Il n'en est pas question, vous ne me ferez pas encore le coup du magasinage ! C'est toujours pareil !

Sophie n'a aucune idée de la manière de mettre ses atouts en valeur. Si j'avais son cou gracile, je ne le cacherais pas derrière un col de laine épais. Avec une silhouette aussi mince, je me permettrais de gros motifs farfelus qui ne me feraient pas paraître grassouillette pour autant. *Des fleurs ou des pois.* Sophie préfère les lignes droites, les jupes sans frange et les chemisiers traditionnels noirs. Même ses bijoux sont sobres : des carrés, des triangles… Si au moins elle laissait quelques boutons détachés pour attirer les yeux curieux sur la naissance de ses seins dans une ouverture coquette.

Les hommes ne s'intéressent pas à Sophie pour son corps provocant, mais plutôt pour l'image de riche femme d'affaires qu'elle dégage. Elle marche la tête haute, elle sait où elle va. Son assurance fait fuir une certaine catégorie de prétendants. Sophie ne ferait qu'une bouchée d'un grand timide prônant la simplicité volontaire. En revanche, elle attire ceux qui aiment l'autorité et les choses clairement dites. Sophie n'est pas le genre de femme à se laisser deviner par son homme. D'ailleurs, ils n'ont pas à chercher longtemps pour découvrir, sous cette carapace, une personne généreuse et dégourdie. Du moins, c'est ce que je crois, après l'avoir entendue rugir comme une lionne plus tôt cet après-midi. Dommage que ses histoires soient toujours aussi nébuleuses.

Une bulle rose au parfum de fraise éclate sur les lèvres de Claudia. Puis, cette dernière tape sur le lit en se redressant sur ses genoux.

— On n'a pas le choix : une séance de magasinage s'impose.

Je frotte mes mains l'une contre l'autre, car l'idée me plaît. Je ne suis pas une maniaque du magasinage, mais une fois l'an, j'aime dévaliser les boutiques de la rue Sainte-Catherine. Dévorer chaque vitrine, m'imprégner des nouvelles tendances, prendre le temps de choisir… Je n'ai alors pas assez d'yeux pour tout voir, pas assez de mains pour tout toucher, et surtout, pas assez d'argent pour tout acheter. Mon comptable d'amoureux a même voulu me confisquer ma carte de crédit avant mon départ, tellement j'avais gonflé le sous-total, la dernière fois. «Mahée, tu as dépensé la valeur d'un voyage dans le Sud!» avait-il pleurniché. «Justement, tu l'as annulé, notre voyage dans le Sud. Alors, aussi bien utiliser le budget», m'étais-je défendue.

Chez nous, ce ne sont pas les assiettes qui volent bas, mais les piques envoyées à tout propos qui nous hérissent le poil. Les paroles que nous appréhendions, qui arrivent toujours à point pour nous blesser. David maîtrise le concept à la perfection. Avec le temps, j'ai appris à me défendre, ce qui donne souvent des dialogues sucrés-salés. Voilà cinq ans que nous prévoyons passer une semaine au Mexique pour Noël, écouter *Jingle Bells* les deux pieds dans le sable avec une margarita à la main. Chaque fois, pour une raison ou une autre, il repousse notre projet. L'hôtel n'est pas assez bien, la compagnie aérienne pas assez fiable, sa mère est malade… Moi, je dis qu'il a peur de l'avion et refuse de l'avouer.

Magasiner avec Claudia, c'est aussi intense qu'une montagne russe à La Ronde. Il faut s'armer de patience et porter de bons souliers. Avec elle, on ne cherche pas les étiquettes à bas prix, mais la perle rare – ce qu'elle a toujours le don de dénicher, d'ailleurs. Sophie est cependant moins enchantée.

— Ce n'est pas vrai, vous ne me ferez pas ça! Pitié! s'époumone-t-elle en cachant son visage dans ses mains.

— C'est essentiel, Sophie.

Sophie est l'une des rares filles que je connaisse qui évitent les centres commerciaux comme d'autres fuient les dentistes. Elle ne trouve aucun plaisir à essayer toutes les robes d'une boutique, à tourner devant le grand miroir en rêvassant, puis à repartir avec LA plus belle robe. Celle qui nous va comme un gant, qui est faite pour nous. *Peu importe le prix.* Elle n'aime pas défaire ses cheveux, mettre sur sa peau des vêtements portés par des étrangères, ne serait-ce que pendant quelques malheureuses secondes.

Par chance, Claudia est là pour pousser Sophie à cesser de s'en faire avec ces conneries. Avec elle, on ne s'arrête pas à la jupette. Tout y passe: chandail, camisole, pantalon, souliers et, bien sûr, les sous-vêtements. *Le moment préféré de Claudia.* Trouver la culotte qui cache les hanches et le ventre, mais qui met le derrière en valeur. Dénicher le bonnet qui saura faire paraître plus volumineux les petits seins ou atténuer les plus abondants. Chaque fois, Sophie clame haut et fort combien il est aberrant de débourser autant pour un si minuscule bout de tissu. Elle se rallie à la cause des petits orphelins d'Asie qui travaillent douze heures par jour pour recevoir si peu. Elle n'a pas tort. Je réfléchirai à sa théorie lorsque la caissière me demandera de sa voix envoûtante: «Carte de crédit ou de débit?»

— On va casser la baraque! sourit Claudia.

— On va s'amuser, renchéris-je.

— On va geler sous la pluie, capitule Sophie. Il y a une alerte météo. Il tombe des clous et la rue est une rivière. Ce n'est pas la tenue du siècle que l'on va rapporter, mais une pneumonie.

Claudia ignore son pleurnichage. Elle martèle le corridor de ses talons, plus enthousiaste que jamais.

— Allez, les *girls*, en voiture !

En désespoir de cause, Sophie se tourne vers moi. Je serre les lèvres afin de retenir un fou rire. *Elle fait pitié.*

— Tu pourrais être de mon côté, pour une fois ? me dit-elle avec ses grands yeux noirs qui ont toujours l'air un peu tristes.

Je ricane dans son dos et appuie mes mains sur ses épaules pour l'entraîner à la suite de Claudia. Sophie n'offre aucune résistance, mais elle veut clairement avoir le dernier mot.

— D'accord, mais on prend le métro.

La voix de Claudia nous provient de la salle de bain, à travers le bruit de l'eau qui coule dans le lavabo.

— Hé ! je vous entends !

— Tant mieux, affirme Sophie, fière de son coup.

— Il n'en est pas question. On prend ma voiture et rien d'autre !

— Inutile de t'obstiner, Sophie ; tu ne gagneras pas, dis-je en cherchant mon sac à main des yeux.

— Avec Claudia, le temps de se rendre et de trouver un stationnement, les boutiques seront fermées lorsqu'on arrivera.

— J'ai entendu Sophie ! crie Claudia.

— Mais non, nous avons amplement le temps, réponds-je distraitement.

Sophie se renfrogne pendant que je réfléchis. Où ai-je déposé mon sac ? J'étais certaine de l'avoir laissé dans l'entrée. Je tourne sur moi-même. Il n'est pas à côté de ma valise. Claudia déboule dans le salon en brandissant les clés de sa New Beetle vert fluo. Elle passe devant moi, mais je ne lui accorde aucune attention.

— C'est un départ !

Sophie recommence ses protestations, mais je suis peu réceptive à ses enfantillages. Je masse énergiquement mon front. La panique me gagne comme un raz-de-marée. Où est mon sac à main de cent euros rapporté de Paris par une collègue ? *J'y tiens vraiment !* Je soulève ma veste qui traîne sur le fauteuil, mais je ne trouve sous elle que deux numéros de la revue *L'actualité*. « Économisez pour votre retraite. » Je secoue la tête. Il n'y a pas de romans d'amour dans la bibliothèque de Sophie, seulement des biographies et des livres d'épanouissement personnel du genre *Les vertus du thé vert* ou encore *Le yoga pour la santé*.

— Mahée, tu viens ?

Je lève les yeux, toujours aussi troublée. Les filles, qui ont cessé leurs taquineries, m'observent curieusement.

— Ça va ?

— As-tu perdu quelque chose ?

Je ne sais plus si un son a vraiment franchi mes lèvres ou si Claudia et Sophie ont soudainement développé un don de voyance, mais elles se regardent en soupirant.

— Ton sac à main ? devine Sophie en déposant sa veste sur le dossier d'une chaise.

— Pas encore… bougonne Claudia.

Visiblement, elles ne sont pas surprises – moi non plus, d'ailleurs. J'égare parfois mes affaires… pour ne pas dire souvent. Boucles d'oreilles, carte de guichet… David soupire chaque fois que je lui fais retourner la maison à l'envers. *Une fois sur deux, c'est mon horrible aspirateur ultrapuissant le coupable.* Monsieur Côté de chez Rona m'appelle dorénavant par mon petit nom. « On refait ta clé, ma belle Mahée ? » me lance-t-il avec un clin d'œil dès que je mets les pieds dans son commerce. L'autre jour, il m'a suggéré une de ces serrures à numéros. J'y songe.

Claudia et Sophie relèvent leurs manches, prêtes à fouiller l'appartement. Je leur adresse un regard reconnaissant. Le plan d'intervention a été durement mis à l'épreuve par le passé ; mes amies ont l'habitude de jouer les détectives. Sophie ouvre la garde-robe de l'entrée pendant que Claudia s'abat de tout son long sur le plancher du salon pour vérifier sous les fauteuils.

— Tu es certaine que tu l'avais quand tu es entrée ici ?

Est-ce que je l'avais quand je suis entrée? *Bonne question!*

Je n'arrive pas à me rappeler ce que j'ai mangé la veille, alors je mise sur Sophie et sa mémoire d'éléphant. Elle est imbattable. Cette fille est capable de me dire exactement les vêtements que je portais en troisième secondaire quand le gros Dubé m'a bousculée dans l'escalier, donc elle sait sûrement si j'avais un sac à l'épaule il y a quelques heures.

— Sophie, te souviens-tu si je l'avais quand je suis arrivée? demandé-je en pianotant mon impatience sur la table.

— Comment veux-tu que j'aie remarqué? Je travaillais quand tu t'es pointée, grogne-t-elle en ouvrant ma valise pour voir si mon sac s'y trouve.

*Oui, c'est vrai, elle «travaillait».*

Je passe la tête dans le couloir pour vérifier si mon sac ne m'y attendrait pas. Je l'ai peut-être laissé tomber pendant que j'espionnais le voisin d'en face. Un souvenir qui m'arrache une grimace de honte. Évidemment, j'imagine que si je l'avais oublié là, quelqu'un se serait occupé de lui.

— Je dois le retrouver, c'est mon sac préféré. Il vaut cher, en plus.

— Pourtant, s'il était ici, nous l'aurions déjà repéré, déclare Sophie d'une voix lasse. Ce n'est pas le Manoir Richelieu mon appartement, il n'a pas quarante-huit pièces.

Elle a raison. Mon sac est grand et coloré, il attire l'œil. S'il était ici, nous le verrions.

— Bordel, mes billets pour le prochain spectacle de Sacha Cartier sont dedans !

— Mahée, on ne laisse pas des billets de spectacle dans un sac à main…

— Qu'en as-tu à faire de Sacha Cartier ? Tu devrais plutôt te préoccuper de tes cartes de crédit.

Sophie revient de la chambre les mains vides. Je soulève violemment les coussins au sol qui servent de sofa. Décidément, mon sac en cuirette de la dernière mode de Paris n'est nulle part.

— Je l'aime, moi, Sacha Cartier !

Aimer, le mot est faible : je connais ses chansons par cœur. Je m'incline, je suis une *groupie* dans l'âme. Au bord de l'overdose, David a caché son dernier disque. *Pas grave, je l'ai sur mon iPod.* C'est le chanteur de l'heure ; il a une voix unique, un corps de rêve. Dans ma tête, j'ai quinze ans. Je remuerais ciel et terre pour ne pas rater son passage à Québec.

Alors que j'ai des sueurs froides, Claudia s'arrête un instant devant la fenêtre.

— J'avoue qu'il est beau…

— Il est bipolaire, dit Sophie, à quatre pattes sous la table.

— Ça ne l'empêche pas de chanter ! s'écrie Claudia. Les vrais artistes sont des incompris, c'est bien connu. Bon... Mahée, ton sac à main n'est pas ici, conclut-elle. J'imagine que ta médication pour tes allergies y était aussi ?

— Oui, mais je garde toujours un double dans ma valise. Je me connais !

Je porte mes index à mes tempes et fais de légères rotations pour activer mes neurones, ou ma mémoire. Je repasse ma journée en boucle en tentant d'en retracer chaque détail. Il n'y a pas de doute, j'avais mon sac dans l'autobus, car je me suis maquillée en route. Une bosse, un coup de crayon, un peu de gloss... À la gare aussi, je l'avais, puisque tout son contenu s'est étalé sur le trottoir pendant ma crise de nerfs. La moitié de la ville connaît maintenant la marque de tampons que j'utilise. C'est Vincent qui a eu la bonté de tout remettre en place.

*MERDE ! Vincent !*

Mon cœur s'arrête, mes paumes plaquent mes joues. Je secoue la tête en maugréant.

— Il est probablement resté sur le banc du camion.

*Oui, c'est ça !*

Trop excitée d'être enfin arrivée, j'ai arraché ma valise des mains de Vincent pour me précipiter vers l'escalier sans vérifier si j'avais tous mes bagages. *Le plus important !* Sophie se retourne, heureuse de mon illumination.

— Quel camion ? m'interroge Claudia en se relevant.

— Le camion de l'homme qui m'a conduite jusqu'ici.

— Je pensais que tu avais pris un taxi… souffle Sophie, mal à l'aise.

Je la regarde avec une once d'animosité dans les yeux. Au fond, tout ceci est sa faute. Il faut bien que ce soit la faute de quelqu'un, non ?

— Sophie n'est pas venue me chercher tel que prévu…

— Tu devais appeler ! se défend-elle violemment.

— Bref, tu n'étais pas là. Je séchais sur le quai comme un ver de terre au soleil, ou plutôt je me noyais comme une souris qui ne sait pas nager avec ce déluge.

— Une souris ?

— Un ver de terre ?

Les sourcils en accents circonflexes, Sophie et Claudia sont perplexes. Elles ignorent où je veux en venir avec mes métaphores ridicules.

— J'ai essayé d'appeler Claudia, mais pas de réponse, dis-je en haussant les épaules.

— Alors c'est sa faute à elle aussi, grimace Sophie, l'air sarcastique.

Contrairement à son habitude, Claudia ignore l'attaque. Elle m'enveloppe de son regard maternel qui m'apaise aussitôt.

— Désolée, j'étais probablement déjà au téléphone. Avec qui es-tu venue ici, Mahée ?

— Un être tout à fait grandiose m'a proposé de m'amener.

Ce n'est pas exactement comme ça que c'est arrivé, j'ai dû insister un peu, mais il n'y a rien de mal à déformer légèrement la vérité à mon avantage. Sophie se rembrunit tandis que Claudia brandit son index pour me sermonner.

— Tu es montée avec un étranger ?

— Euh... oui.

— Mahée, nous ne sommes pas au Saguenay ici !

— Claudia, combien de fois faudra-t-il te dire que le Saguenay et le Lac-Saint-Jean, ce sont deux continents différents ? grogne Sophie, les yeux au ciel.

— Peu importe ! À Montréal, Mahée, tu ne tombes pas sur tes cousins ou le fils d'untel que tu connais à tous les coins de rue, mais sur des maniaques sexuels prêts à te violer à un feu de circulation.

— Tu exagères, Claudia ! riposte Sophie. Ce n'est pas parce que nous sommes en ville que tous les hommes sont des détraqués. La preuve, notre amie est devant nous, bien vivante. Le bonhomme ne t'a pas violée, Mahée, à ce que je sache ?

« Le bonhomme » ? Sophie a vraiment surnommé Vincent « le bonhomme » ? J'en suis encore à cette réflexion absurde lorsqu'elle fait la synthèse de la situation. Elle dresse l'éventail complet des solutions qui s'offrent à nous. Mon amie voit des mathématiques partout ; sa façon de raisonner s'apparente au développement d'une résolution de problème dans un cours universitaire. Par chance, elle n'a pas de tableau vert ni de craie sous la main, sinon elle nous dessinerait le schéma en trois dimensions.

— C'est simple, il faut le retrouver, déduit-elle après avoir dressé un résumé détaillé de mes trois dernières heures en sol montréalais.

Je me retiens de lui préciser qu'elle a sauté l'étape de mon attente dans le couloir pendant laquelle je l'ai entendue crier comme une sirène, puis le moment où Richard Gere est parti comme un voleur. *Je lui réserve ça pour plus tard.*

— Qui dit qu'il n'a pas volontairement gardé le sac à main ? émet Claudia.

Je réfléchis quelques secondes, mais envisager cette option est complètement irréaliste.

— Il n'avait pas la tête d'un voleur, dis-je avec certitude.

Ni l'allure. Bien que je ne sache vraiment pas à quoi ressemble un voleur.

— N'importe qui peut être un arnaqueur, Mahée.

— Il n'a pas écrit son numéro de téléphone sur ton soutien-gorge? As-tu son nom, au moins? demande Claudia, pleine d'espoir, son regard gris m'observant au-dessus de ses lunettes.

— Je connais son nom...

Je fais mine d'hésiter, même si son prénom résonne constamment dans ma tête et que je me repasse en boucle l'image saisissante de ses yeux.

— Vincent Grandbois.

Le visage de Sophie rougit instantanément. Je ne m'attendais pas à une telle réaction ; j'ai presque peur d'en connaître la cause. Elle agrippe mon avant-bras et y enfonce ses ongles par mégarde.

— Sophie, tu me fais mal...

Elle me serre encore plus fort.

— Tu as bien dit Vincent Grandbois? demande-t-elle dans un souffle qui jette un froid dans la pièce.

Sa voix se fait chevrotante. Vincent est-il un tueur en série recherché par les autorités? Aucune chance de revoir un jour la couleur de mon sac, dans ce cas.

— Oui, pourquoi? Qu'est-ce qu'il y a? Tu le connais?

— Tu veux vraiment dire LE Vincent Grandbois?

Je m'inquiète de plus en plus. Il a fraudé le gouvernement? Volé une voiture? Piraté des cartes de crédit? Je saisis les poignets de mon amie sans m'en rendre compte. Mes mains moites glissent sur sa peau.

— Sophie, parle ! s'impatiente Claudia à mes côtés.

Les yeux arrondis, nous fixons Sophie. Mon sac à main est soudainement loin de nos préoccupations. Quel est le problème avec Vincent Grandbois ? Claudia et moi sommes pendues à ses lèvres. Mais notre amie prend tout son temps : elle s'assied doucement sur les coussins au sol et croise les jambes. Nous nous empressons de la rejoindre. Une fois de plus, nous nous retrouvons en mode confidence.

Sophie retire délicatement du bout des doigts une mousse sur son chandail.

— Sophie !

*Parle ou je te saute à la gorge et je serai accusée de meurtre prémédité !*

Elle inspire un bon coup en posant ses mains sur ses genoux.

— Je le connais de nom, mais surtout de réputation.

Je déglutis et un frisson secoue mes épaules. Est-ce que je veux vraiment en apprendre plus sur cet homme qui m'a gentiment raccompagnée ?

— Je n'ai jamais su ce qu'il faisait dans la vie, mais il habite l'immeuble à côté, annonce Sophie en pointant son pouce vers la droite.

Elle prend une pause, ce qui ne manque pas de nous irriter. Elle veut nous épargner ou quoi ? *Allez, Sophie, lâche le morceau.* Ce que je viens d'apprendre constitue une bonne nouvelle. Mon sac sera peut-être plus facile à retracer que je ne le croyais.

— C'est un Amérindien, poursuit Sophie d'une voix un peu rauque. Il ne parle à personne, sauf si c'est absolument nécessaire. Pourtant, tout le monde semble le connaître. Je l'ai vu quelques fois avec mon voisin d'en bas, le beau Dan. Certains ont été témoins de choses étranges ; on raconte que Vincent Grandbois a des pouvoirs.

— Il guérit les malades avec des plantes ?

Claudia est émerveillée ; moi, je plisse le nez, sceptique. Tout ce qui est surnaturel me fait paniquer.

— Je ne sais pas, mais il est une légende vivante dans le quartier. Il intrigue tout le monde.

— Un sorcier ? rit Claudia qui montre plus d'enthousiasme que nécessaire.

*Peut-il aussi réduire en cendres un sac à main ?*

— Mahée, avoue que sa beauté n'est pas humaine, dit Sophie en posant un œil avisé sur moi. Ses yeux sont trop noirs, ses cheveux trop luisants. On est irrésistiblement attiré par son charme. Pourtant, il dégage une aura terrifiante.

J'incline la tête pour réfléchir. Qu'ai-je ressenti en présence de Vincent Grandbois ? J'ai été impressionnée par sa contenance et déstabilisée par son regard profond, par sa grandeur d'âme. Mais terrifiée, ça non. *Pas une seconde !* Au contraire, je ne m'étais jamais sentie autant en sécurité qu'au moment où il a refermé sur moi la porte de son camion rouge. Curieuse, je laisse Sophie terminer son histoire.

— Il paraît qu'un oiseau empaillé est accroché au plafond de sa cuisine pour chasser les mauvais esprits, ajoute-t-elle à voix basse, comme si elle s'adressait à des enfants de maternelle. On dit qu'il a déjà été marié, mais que sa femme a disparu sans que personne retrouve sa trace.

Je m'agite sur mon coussin, prends une longue gorgée de mon vin maintenant chaud. Le récit de mon amie commence à me troubler. Tout s'explique : le calme dérangeant de Vincent, ses traits prononcés, ses yeux de jais. En effet, son physique a quelque chose de déstabilisant. De plus, j'ai une phobie des fantômes. Ma mère y croyait dur comme fer, alors j'ai passé mon enfance à l'observer converser avec l'au-delà. Encore aujourd'hui, j'ai peur de croiser un fantôme la nuit dans le couloir. Il est vrai que Vincent est un homme particulier, différent. L'énergie qui émane de lui est réconfortante et troublante à la fois. Ce n'était toutefois pas si désagréable. Les propos de Sophie ne font qu'attiser le mystère qui l'entourait déjà.

Claudia sourit de toutes ses dents et ses yeux pétillent de malice. Je devine ses intentions avant qu'elle ne prononce le moindre mot.

— Alors, Mahée, on va frapper à sa porte pour récupérer ton dû ?

Au même moment, trois coups secs retentissent à nos oreilles. Surprises, nous fixons quelques secondes l'entrée puis, comme s'il s'agissait d'un geste courageux, Sophie s'avance sur la pointe des pieds pour regarder à travers le judas de la porte. Un sursaut la secoue, ce qui ramène quelques mèches de cheveux devant son visage.

— C'est lui ! mime-t-elle sur ses lèvres.

Sophie lisse les plis de son chandail en se balançant d'une jambe sur l'autre.

— Qu'est-ce que tu attends ? Ouvre ! ordonne Claudia, rongée par la curiosité.

Pour ma part, peut-être parce que le hasard voulait que nous parlions justement de lui, je suis trop interloquée pour dire quoi que ce soit. J'ajuste rapidement mon bustier sous mon chemisier, secoue mes cheveux pour leur donner un semblant de volume. Vincent émerge sur le seuil. Il me paraît plus grand, posté dans le cadre de la porte. Il se retrouve devant trois filles à la bouche ouverte de stupéfaction... ou plutôt d'admiration.

Sophie fait un pas derrière ; Claudia, un pas devant. Vincent a troqué son complet pour un chandail rouge et un jean délavé qui épouse parfaitement ses cuisses musclées. Une tenue qui colle davantage à la personnalité qu'il dégage. Il ne porte pas de veste, malgré le temps de chien qui sévit sur la ville. Mon sac turquoise avec une fleur jaune au centre pend au bout de ses doigts. Un petit sourire en coin rehausse mes lèvres. La coquetterie de mon sac contraste avec son apparence très masculine.

Son regard tombe sur Sophie, puis sur Claudia.

— Mahée a laissé ça sur mon siège avant.

Il se souvient de mon prénom ! Une douce chaleur me titille le bas-ventre lorsqu'il penche lentement la tête pour me repérer au fond de la pièce. Le temps s'arrête quand mes yeux croisent les siens. Mais Claudia brise le moment en pointant ma poitrine. Je mets quelques secondes à déchiffrer ce qu'elle essaie de me dire.

— Ton chemisier ! chuchote-t-elle.

*Zut ! Mon chemisier !*

Timidement, et d'une façon plus ou moins discrète, je rattache le bouton maudit. Le règne de ce chemisier blanc est terminé ; il finira à l'Armée du Salut avant la fin de la journée. *Ou dans les tiroirs de Sophie.* Une lueur espiègle brille dans la pupille de Vincent. Il a clairement une impression de déjà-vu. *Eh misère !*

Claudia bondit devant lui dans un geste exubérant, mais poli. Il ne bronche pas.

— Merci pour le sac, on le cherchait partout ! s'exclame-t-elle joyeusement.

— De rien, répond-il simplement. J'ai mis longtemps à le découvrir, car il était tombé au fond de la cabine.

Tandis que Vincent n'aspire qu'à déposer l'objet trop féminin pour ses larges mains, Claudia attrape son bras pour l'inciter à entrer. Il est forcé d'avancer de quelques pas. Mon amie tourbillonne autour de lui telle une abeille attirée par un pot de miel.

— Sophie nous a appris que tu habites l'immeuble d'à côté ?

Gênée par la question de Claudia, Sophie reste à l'écart, même si elle semble complètement éberluée de voir cet homme dans sa cuisine. J'aurais voulu me lever, prendre mon sac et remercier

Vincent ; cependant, mes pieds picotent d'un engourdissement soudain.

Vincent pose les yeux sur Sophie.

— C'est ça, dit-il.

— Depuis longtemps ? demande Claudia qui cherche à retenir son attention.

— Non, pas tellement.

Je ris pour moi-même, reconnaissant les répliques courtes et vagues de Vincent. Claudia l'accapare avec son babillage. Il lui répond poliment, ramenant sans cesse son regard sur moi. Je reste muette, prisonnière d'une léthargie inquiétante. M'a-t-il déjà ensorcelée ?

— Tu veux une bière ? s'enquiert Claudia. Sophie, tu as sûrement quelque chose à lui servir ?

— Euh... un verre de rosé ? propose Sophie, la bouche en cœur.

La suite m'échappe. Tout se passe rapidement, je n'arrive pas à détacher mes yeux du visage de Vincent. Il décline l'invitation. J'entends Claudia lui proposer de nous rejoindre au bar Chez Félix où nous avions prévu nous rendre en soirée. Quand il me regarde, nous échangeons un accord silencieux. *Oh ! j'ai une chance de le revoir.* Il étire le bras pour déposer mon sac sur le fauteuil près de l'entrée. Dans mon esprit, je vois mon sac tomber au ralenti, rebondir sous l'impact, puis basculer sur le côté. Ouf ! il est bien là, il est vraiment là ! Je suis soulagée de l'avoir retrouvé. Ça m'évitera d'appeler pour annuler mes cartes de crédit, de reprendre la photo pour mon permis de conduire…

— Merci.

Vincent a déjà un pied à l'extérieur. Il freine son élan au son de ma voix.

— À ce soir ! s'écrie-t-il par-dessus son épaule.

# 5

# Ça fera neuf cent huit dollars et quinze sous, s'il vous plaît!

Claudia arrache sèchement sous son essuie-glace le papier blanc détrempé par la pluie, qui s'est encore intensifiée.

— Quel policier est suffisamment zélé pour donner une contravention par un temps pareil ? bougonne-t-elle.

— Je t'avais dit de te garer au bon endroit.

Nos sacs à main au-dessus de nos têtes pour nous protéger de l'eau qui tombe, nous patientons à côté de la voiture pendant que Claudia déverrouille les portières.

— Claudia, je suis déjà tout humide, se plaint Sophie.

— Je fais ce que je peux…

Elle fouille dans son sac. *Aïe ! Elle cherche ses clés ?*

— Tu devrais traîner un peu moins de jouets coquins, tu t'y retrouverais plus facilement, se moque Sophie.

Le bruit d'un moteur au loin nous fait tourner la tête. Un camion de livraison roule plus vite que la limite permise, éclaboussant tout sur son passage. La rue est un lac, alors nous serons littéralement douchées par une vague lorsque le véhicule arrivera à notre hauteur. Claudia, qui est du côté de la rue, sent l'urgence de la situation. Sophie et moi comptons sur la voiture pour nous protéger. *Un peu.*

— Dépêche, Claudia !

Le chauffeur ne semble pas avoir pitié de trois jolies demoiselles sur le trottoir, puisqu'il ne ralentit pas.

— Je les ai ! crie Claudia pour contrer le bruit qui approche.

Elle active enfin le bouton qui déverrouille les portes à distance et s'engouffre à l'intérieur au moment où le camion asperge sa New Beetle. Accroupies près de la voiture, Sophie et moi évitons la catastrophe.

— Connard ! beugle Sophie.

Puisque mes cinq pieds six pouces ne font pas compétition avec la taille de la grande Sophie, j'hérite de la place arrière. Cette dernière rabat le siège afin que je me faufile à travers l'espace restreint entre la ceinture et la carrosserie. Il faut que je pousse la collection de contraventions de Claudia pour réussir à m'asseoir. La dernière de la série atterrit sur mes genoux. Elle est tellement mouillée que je dois la saisir avec précaution pour ne pas la déchirer.

Claudia essuie minutieusement les verres de ses lunettes, puis elle démarre après avoir poussé le bouton de la chaleur au maximum pour contrer l'humidité. Je serre mon sac à main contre ma poitrine. Le vent chaud nous soutire un soupir de satisfaction.

— J'aime bien ma petite voiture. Mais après avoir conduit la Camaro de Patrick, je la trouve un peu « lambineuse ».

Et moi, je trouve que ses idées ne se résument qu'à un mot depuis qu'elle est arrivée : Patrick. « Patrick a fait ci, Patrick a fait ça, Patrick aime ceci... »

— La Honda Civic de Tristan n'est pas mal non plus, fait savoir Sophie.

— Ton patron conduit quoi ? demandé-je d'un ton innocent.

— Ta gueule, les lunettes !

— Hé ! Je ne porte plus de lunettes depuis notre cinquième secondaire.

— Je viens de me rappeler que David se promène en Tercel...

*C'est un doigt d'honneur qu'elle me fait, là ?*

Qui a dit que les filles parlaient uniquement de maquillage et de cinéma ? La conversation débouche sur la comparaison des performances de certaines voitures ; je n'écoute plus mes amies. *La Tercel de David ne soutient pas la comparaison.* Je me surprends à chercher le camion rouge de Vincent dans le décor. S'il habite tout près, il ne doit pas être loin. En effet, le véhicule est garé devant son immeuble. Nous le dépassons lentement. Je me donne presque un torticolis pour tenter d'apercevoir Vincent. Il est assis derrière son volant, mais les gouttes d'eau qui glissent le long de sa fenêtre m'empêchent de bien le voir. Sa tête est baissée, et il semble en train d'écrire.

— Donc, David refuse toujours de se débarrasser de sa bagnole ? questionne Claudia pour me ramener à la réalité.

Je ne vois que ses yeux dans le rétroviseur, mais je sais qu'elle sourit. Claudia n'a rien contre David, elle le trouve simplement un peu « formule de base », comme elle se plaît à dire.

— Il est aux petits soins avec son auto, alors elle roule encore.

C'est la seconde fois de la journée que je m'arrête vraiment pour penser à l'homme que je présente sous le titre de conjoint à mes connaissances. À l'heure qu'il est, il doit être étalé de tout son long sur le sofa, une bière entre les jambes, en train de regarder une partie de football américain. *Eh oui ! En plus du hockey, il y a le football, le golf, le curling…* Je soupire malgré moi. Je n'ai jamais compris l'intérêt de balayer la glace pour faire avancer une bouilloire.

Je remonte mes pieds sur le siège pour resserrer mes bras autour de mes genoux. Ma tête s'appuie d'elle-même contre la fenêtre. La fraîcheur qui s'en dégage m'éclaircira peut-être les idées.

— Ça va, Mahée ?

Sophie est tournée vers moi. Je me rends alors compte qu'elle est silencieuse depuis quelques minutes.

— Oui, oui… réponds-je vaguement.

J'ai beau fouiller dans mon for intérieur, David ne me manque pas. Pas même un petit peu. Les amoureux se meurent d'ennui lorsqu'ils sont séparés plus de quelques heures. *Je n'ai qu'à regarder Claudia pour le savoir.* Si l'absence de David me laisse indifférente, cela signifie-t-il que je ne suis plus amoureuse de lui ? Comment le voir s'exclamer devant quelques verges gagnées, pendant que je me tape les corvées ménagères, pourrait-il me manquer ? Je me sens même joyeuse, libre. Cette escapade me fait du bien.

— Attention !

La voiture freine brusquement. Sophie s'agrippe au tableau de bord. Ma tête ballotte et mon front va frapper contre la fenêtre.

— Ouch !

— Pas de panique ! J'avais vu que le feu de circulation tournait au rouge, tente de nous rassurer Claudia en sortant un gloss de sa poche.

Elle applique calmement le produit sur ses lèvres qu'elle presse ensuite l'une contre l'autre pour uniformiser la couleur. Elle replace minutieusement quelques mèches soyeuses que je lui envie. Elle peut faire n'importe quoi avec ses cheveux. Un klaxon crie dans mon dos. Au lieu d'avancer, Claudia baisse sa fenêtre pour sortir sa main.

*C'est bien un deuxième doigt d'honneur que je vois, là ?*

— Idiot ! hurle-t-elle à l'intention du jeune homme à la casquette inclinée sur le côté qui gesticule de rage dans sa Honda Civic.

— Dégage, Claudia ! insisté-je. Il va sortir son bâton de baseball si tu le niaises trop longtemps.

Claudia enfonce l'accélérateur et zigzague entre les voitures. *La Honda Civic ne nous suit pas.*

— Pas si vite ! On est dans le centre-ville ici, pas sur l'autoroute, reproche Sophie, toujours soudée au coffre à gants.

Le ciel est sombre, les essuie-glaces balaient la vitre à grande vitesse pour pallier l'averse, les feuilles mortes volent au vent. Une vraie température d'automne. Moi qui espérais l'été des Indiens pour notre virée en ville. *C'est ma tuque et des mitaines que j'aurais dû apporter.* J'ai hâte d'arriver à destination, car les secousses me donnent la nausée.

Une mélodie rythmée enterre la radio où joue un vieux succès de Marjo. Le cellulaire de Claudia sonne. Elle répond sans hésiter pendant que Sophie la toise, horrifiée.

— Claudia, c'est interdit de parler au cellulaire en conduisant. Tu vas encore te faire arrêter. Concentre-toi, il y a des voitures partout… Eh merde !

Un klaxon retentit derrière nous. *C'est la même Honda Civic que tantôt !* Cette idée aussi d'avoir une New Beetle verte visible à des kilomètres à la ronde. Impossible de se fondre dans la masse. Je me retourne. Le jeune à l'allure « yo » me montre ses dents dans un sourire sarcastique. *Il a envie de s'amuser.*

J'étire le bras pour tapoter l'épaule de Sophie, qui fulmine littéralement. Elle ne défie pas les lois et méprise ouvertement ceux qui le font. Ça coûte trop d'argent à la société. Néanmoins, la présence de Richard Gere à son appartement plus tôt me fait douter des célèbres principes de mon amie, mais ça, c'est une autre histoire.

D'après la voix chaude de Claudia, nous déduisons facilement que le fameux Patrick est au bout du fil. Elle ne se préoccupe pas de la Honda Civic qui nous colle au cul en freinant brusquement à chaque coup de volant de Claudia. *Elle peut bien détester la ville, elle ne sait pas mettre un clignotant.*

— Toi aussi, tu me manques... Moi encore plus... Oui... moi aussi... OK, à tantôt, Minou.

Sophie roule les yeux, et moi, j'étouffe un fou rire. Claudia n'a pas de demi-mesure en amour : c'est tout ou rien, à prendre ou à laisser. Elle aime l'excitation des premiers papillons d'une idylle, elle aime séduire, se faire charmer.

— Claudia, que fais-tu ? Tu devais tourner ici ! crie Sophie, à bout de nerfs.

— Oups !

Claudia jette un bref regard par-dessus son épaule puis, dans une manœuvre probablement dangereuse, elle exécute un demi-tour complet sur Peel. Je dis « probablement », parce que j'ai fermé les yeux pour éviter de voir ma propre mort.

— Voyons, les filles, faites-moi confiance un peu ! proclame Claudia en changeant de chaîne de radio.

J'entrouvre un œil. Mon cœur cogne fort dans ma poitrine. Sophie écarte les doigts qui cachaient son visage. *Je crois que nous avons semé la Honda Civic.*

— C'est la dernière fois que je monte avec toi.

L'orage s'anime un peu lorsque Claudia gare enfin son engin devant le Simons de la rue Sainte-Catherine, non sans avoir accroché au passage la chaîne de trottoir. *Elle n'est vraiment pas une fille de ville.* Nous courons jusqu'à la porte sous la pluie froide. Malgré moi, je regarde autour pour m'assurer qu'une Honda Civic bleue ne surgit pas de nulle part pour nous faucher. Nous nous battons avec le tourniquet pour savoir qui entrera la première. *Finalement, c'est moi.* Essoufflée, je secoue ma veste qui dégouline sur le plancher fraîchement ciré.

— Tu parles d'un temps de canard !

— Je vous l'avais dit, aussi, que ce n'était pas une température pour sortir magasiner, blâme Sophie.

Un sourire illumine le visage de la jeune vendeuse qui bondit aussitôt sur nous. Elle flaire rapidement le potentiel d'une vente fructueuse. La place est déserte, elle est heureuse d'avoir de la compagnie.

— Bonjour, est-ce que je peux vous aider ?

Ses cils en éventail papillonnent, de grandes boucles d'oreilles rondes se balancent de chaque côté de son visage. J'ouvre la bouche pour lui répondre, mais Claudia me devance.

— Non, merci.

— Je vous laisse regarder, dit la jeune fille avec un sourire forcé.

La musique est forte et rythmée, je ne sais où donner de la tête, par quoi commencer. Tellement de choix s'offrent à nous. Sophie se plaint déjà que c'est trop long pendant que Claudia examine chacune des tenues sur les mannequins en démonstration. Même s'ils sont faits d'un vulgaire plastique, les vêtements me paraissent toujours plus beaux sur ces derniers que sur moi. Leur poitrine est plus ferme, leurs hanches, parfaites, leurs jambes, longues et interminables. *Après, on se demande pourquoi l'anorexie gagne du terrain.*

En autant de temps qu'il m'en faut pour cligner des yeux devant le prix exorbitant affiché sur l'étiquette qui pend au collet d'une jolie robe blanche, Claudia revient vers nous les bras chargés de pantalons et de chandails. La vendeuse suit de près ; elle tient des cintres qui supportent plusieurs jupes et chemisiers.

— Venez, les filles, j'ai ce qu'il nous faut !

— On ne va pas essayer tout ça ? boude Sophie, le front plissé.

— Ce n'est qu'un début !

Claudia gambade jusqu'aux cabines d'essayage. Sophie et moi la suivons docilement. Nous nous installons l'une à côté de l'autre. Une jupe avec un chemisier, l'autre jupe avec l'autre chemisier, le chandail avec la jupe, l'autre chandail avec un pantalon. Tous ces changements de vêtements m'étourdissent, tout en me procurant un étrange sentiment d'euphorie. Sophie et moi, nous nous passons les morceaux au-dessus du mur qui sépare les deux cabines, puis nous sortons à tour de rôle pour nous pavaner devant le grand miroir.

— Ça vous fait une très belle silhouette, m'annonce fièrement la vendeuse.

Claudia est confortablement installée dans un fauteuil, les bras croisés. Moi, je veux tout acheter. Cependant, chaque fois, sa tête balance de gauche à droite et Sophie et moi retournons nous changer.

— J'en ai marre, siffle Sophie, qui se débat probablement avec un chandail trop petit pour elle si je me fie au bruit de ses coudes cognant contre le mur.

J'enfile une camisole verte, une veste marron pour couvrir mes épaules, une jupe kaki. J'ai l'impression de retourner en enfance lorsque je passais mes samedis matin dans le bois avec les jeannettes. *Il ne manque que le petit foulard à mon cou.* Je sors de mon cloître en imitant, un peu maladroitement quand même, la danse de l'Indien qui souhaite faire tomber la pluie d'un ciel trop bleu. Claudia réprime un fou rire avant de s'adresser sérieusement à la vendeuse, qui espère sans doute ne pas avoir à ranger tous les vêtements.

— Vous trouvez aussi que ça lui fait une belle silhouette ? lui demande-t-elle malicieusement.

La jeune fille sans expérience se vautre dans le silence, faisant nerveusement tourner le piercing qui orne sa lèvre supérieure.

— Bon, merci, ce sera tout, déclare Claudia.

Le visage de la vendeuse se décompose. Non seulement elle devra tout replacer, mais elle n'aura pas fait un sou de commission aujourd'hui avec nous. Je la prends en pitié.

— Je vais acheter la veste…

Trente-cinq dollars et vingt sous. *Abordable.* Je me change en vitesse, car Sophie est déjà prête.

— Et toi, Claudia, tu n'essaies rien ?

Je prends le sac que la vendeuse me tend en nous disant au revoir du bout des lèvres. Claudia encercle nos épaules de ses bras pour nous entraîner vers la sortie.

— Non. Ce n'est pas ici qu'on trouvera ce qu'il nous faut pour ce soir. Suivez-moi.

Nous foulons la rue Sainte-Catherine de long en large. Le manège recommence de boutique en boutique. Le temps passe. Sophie est sérieusement au bord de l'hystérie, et moi, de l'hypoglycémie. Claudia a une image précise en tête ; elle ne s'arrêtera que lorsque la merveille aura été trouvée. Nous ne sommes pas que détrempées, je pourrais tordre ma veste. C'est une vitrine à l'extrémité ouest de la rue, à l'opposé d'où nous avons abandonné la voiture, qui a l'effet d'une révélation pour Claudia. Elle plaque ses paumes contre la vitre, hausse les épaules en souriant.

— Entrons ici !

Je tire sa manche, car la gouttière au-dessus de nos têtes menace de céder. Sophie nous pousse carrément à l'intérieur. La lumière tamisée nous surprend, et nous restons toutes les trois immobiles dans l'entrée. Une odeur parfumée de cendre me chatouille les narines, une musique au rythme asiatique rend l'endroit un peu inquiétant. Le rideau en billes de bois remue à notre droite. Je m'attends à voir apparaître un Chinois avec une longue tunique rouge et des lunettes.

L'homme qui vient vers nous doit se pencher pour ne pas cogner sa tête sur le montant. Ses cheveux bruns semblent avoir été coiffés avec soin pour avoir l'air ébouriffés. Son teint est pâle, son nez démesurément long et un «*fuck U.S.A.*» est tracé en grosses lettres blanches sur son tee-shirt. Les bottines de travail à ses pieds sont à moitié délacées. Il ne pourrait pas être plus Québécois.

— Je peux vous aider, mesdames? Je m'appelle Patrick.

Un sourire en coin fait remonter doucement ses lèvres, ses yeux affamés de bonne chair s'attardent sur Claudia. Celle-ci est déjà conquise par le prénom, quoique le jeune homme qui le porte n'ait pas un physique accrocheur. En tout cas, il n'a aucunement la tête d'un vendeur.

Claudia enlève son manteau d'un mouvement trop sensuel pour l'endroit.

— J'aimerais essayer la robe qui est sur le mannequin dans la vitrine.

L'homme étire le cou, puis essuie nonchalamment ses mains sur son jean usé. Du bran de scie tombe sur ses bottines.

— Euh… OK. Je vais voir ce que je peux faire. C'est la boutique de ma tante; elle est sortie faire des courses.

Nous nous écartons sur son passage alors qu'il se dirige d'un pas assuré vers un présentoir. Un tournevis sort de sa poche arrière. D'une main de fer, il extrait une robe du lot.

— Celle-ci doit faire votre taille, dit-il en regardant posément Claudia.

Le tissu délicat qui pend sur le cintre qu'il tient contraste avec son accoutrement du gars qui sciait un bout de bois dans l'entrepôt juste avant qu'on le dérange. D'un signe de tête, il invite Claudia à le suivre jusqu'à la cabine, où un simple drap retenu par un fil sert de porte. Elle le suit d'une démarche confiante. Il se tourne ensuite vers Sophie et moi.

— Voulez-vous essayer quelque chose ?

Son regard passe la pièce en revue, un sourire éclaire son visage. Ça lui donne l'air du bon gars qu'on aimerait avoir comme meilleur ami. Il décroche du mur une robe noire qu'il place devant moi. Sa réaction est fascinante. Les sourcils froncés, il réfléchit à voix haute.

— Hum ! Des hanches bien dessinées, un mollet effilé... Oui, cette robe est parfaite.

Le tissu est fin, presque soyeux ; le vêtement vaut assurément très cher. Notre vendeur improvisé prend ma main pour y déposer le cintre avant de revenir aussitôt avec un châle blanc qu'il glisse sur l'imprimé noir pour voir le résultat. L'effet est surprenant. Décidément, il connaît la place plus qu'il n'en a l'air au premier abord.

— Essaie ça.

Je n'ai rien à dire, car il m'entraîne aussitôt au fond de la boutique. Je croise Claudia, époustouflante dans une robe rouge feu. C'est la couleur idéale pour rehausser l'éclat du blond de sa chevelure. Je manque de trébucher sur Patrick qui s'est arrêté pour la contempler d'un œil satisfait.

— C'est à couper le souffle…

Claudia lui lance un regard invitant de par le miroir. Il se fige.

— J'aurais maintenant besoin d'un soutien-gorge.

Il hausse un sourcil, celui qui est percé d'un subtil diamant. Sa langue glisse sur sa lèvre supérieure.

— Avec ou sans dentelle ? propose-t-il d'une voix suave.

Comment Claudia peut-elle se prêter à ce jeu alors qu'elle se dit folle de son Patrick ? *Si, au moins, le gars en question était beau à faire plier les genoux.*

— Avec de la dentelle… beaucoup de dentelle.

Il ouvre la bouche, mais n'a pas le temps d'ajouter quoi que ce soit qu'elle précise :

— Un noir, et j'aurai besoin d'aide pour l'ajuster.

*Eurk…*

— Une minute ! Et moi, personne ne m'aide ? s'impatiente Sophie qui est aussi à l'aise dans une boutique de vêtements que moi dans une quincaillerie.

Le vendeur ne réprime pas son ricanement, ce qui irrite davantage Sophie. Il lève un index pour prier Claudia d'attendre un moment. Il n'y a qu'une cabine d'essayage, je me faufile donc dans la même que Claudia.

J'enlève mes vêtements un à un, envahie d'une frénésie inhabituelle. Je me débarrasse de cette image trop sage, trop rangée de moi. Je passe mon temps à faire les choses comme il se doit, à être raisonnable, à plaire à tout un chacun. Changer de *look* a un effet enivrant. Je délaisse ma petite vie sans vagues. Le brin de folie enfoui au fond de moi se réveille aussitôt que je lève les bras pour y faire passer l'encolure de la robe. Celle-ci descend sur mon corps dans un mouvement souple. Non seulement je suis transportée par une nouvelle énergie, mais je suis impressionnée de voir à quel point le vêtement choisi par monsieur Bricole me va à merveille. Je dépose lentement, dans un geste solennel, le châle sur mes épaules. Je tire le drap avec la hâte d'aller tourner pieds nus devant le miroir. Il y a longtemps que je n'ai pas été aussi excitée par une tenue. Je me sens femme, séduisante.

L'air bête de Sophie – qui tape du pied, les bras croisés – tempère mon enthousiasme. Elle est seule dans la pièce.

— Où est Claudia ?

— Devine ! grimace Sophie en désignant l'entrepôt.

J'entends des murmures, des rires étouffés… Sacrée Claudia ! Sophie passe une main dans mon collet pour trouver l'étiquette qui me pique le milieu du dos. Elle arrondit les yeux.

— Tu es folle, Mahée ? Tu ne vas pas acheter ça pour vrai ?

Je me donne une crampe en me tournant pour essayer de lire les chiffres. Je ne comprends pas son affolement, car j'avais remarqué le collant rouge. Deux cent quatre-vingt-dix-neuf dollars et cinquante-deux sous. *En solde !* Ma respiration devient saccadée, puisque je sais pertinemment que le châle doit valoir son pesant d'or lui aussi. Tant pis ! Oui, je suis folle, mais je veux ces vêtements dans ma garde-robe. Je suis une petite fille devant le présentoir de poupées chez Toys "R" Us.

David va me tuer… Pire, il va bouder pendant deux semaines.

Il calcule nos dépenses et nos revenus dans un tableau Excel comme s'il gérait une multinationale. Tout est en ordre, et nos factures sont rangées dans des dossiers. Je dois rapporter chacune de mes dépenses : si j'achète un paquet de gomme à mâcher au dépanneur ou si je glisse des vingt-cinq sous dans une distributrice à café, par exemple. *Sinon, ça bousille ses calculs.* Une fois, il m'a fait une crise parce que j'avais omis de lui dire que je m'étais procuré une nouvelle paire de souliers. *J'en entends encore parler.* Cette pensée me donne le vertige. Il y a belle lurette que mon chèque de paie se mélange au sien dans un compte unique. « Mon argent, ton argent, c'est du pareil au même », m'avait convaincue mon comptable. *David.*

Je sors de ma léthargie et entreprend d'habiller Sophie. Je la dirige vivement vers le fond de la pièce. Puisque nous sommes laissées à nous-mêmes, je joue à la vendeuse, et même à la styliste. Ma copine en a besoin. Son regard impassible balaie le présentoir de sous-vêtements.

— Ce n'est pas nécessaire. Personne ne verra ça, ce soir, déclare-t-elle en soupirant.

— Tu sais bien que pour Claudia, sortir en boîte de nuit avec un soutien-gorge blanc parfait pour faire du sport, c'est un crime.

Elle soupire encore en repoussant le modèle que je lui tends.

— Dans ce cas, pas d'exubérance. Je ne tiens pas à débourser cinquante dollars pour de la dentelle.

Ce n'était pas exubérant, seulement un peu... rouge.

— Désolée, Sophie, mais je ne crois pas qu'il y ait un morceau dans cette boutique à moins de cinquante dollars !

Je déniche un soutien-gorge sans dentelle, mais avec un joli motif qui camoufle son petit « B » pour lui donner l'apparence d'un « C » bien rempli. *Quarante-neuf et quatre-vingt-dix-neuf !* Elle essaie ensuite une robe blanche qui se marie bien avec ses cheveux foncés. Le miroir devant lequel elle marche lentement me montre son dos nu et le délicat cordon noué à son cou. Elle est superbe. Étrangement, elle accepte tout ce que je lui propose sans trop rouspéter. Elle semble satisfaite, ce qui est un exploit. Sophie est de celles qui, une fois à la maison, ne trouve plus ses achats aussi attrayants. Dans quatre-vingt-dix pour cent des cas, elle retourne au magasin pour échanger les vêtements ou demander un remboursement. *Tout à fait mon genre...*

Sophie dépose sa nouvelle tenue sur le comptoir. Elle a déjà sa carte de crédit à la main.

— Une bonne chose de faite ! Mais ça va me coûter la peau des fesses.

Je ne suis pas vraiment inquiète pour sa limite de crédit, car Sophie a les moyens. Elle est prévoyante et connaît bien les chiffres. Elle fait déjà des placements en prévision d'une retraite paisible au soleil.

— Tu feras des heures supplémentaires, dis-je avec un sourire en coin, sans la regarder.

— Ouais, c'est ça, grimace-t-elle.

Nous patientons une dizaine de minutes avant que Claudia et Patrick numéro deux sortent de l'entrepôt, légèrement échevelés.

*Je me demande si elle a encore sa petite culotte…*

— Une minute de plus et je partais sans payer, déclare Sophie.

Claudia échange avec l'homme un sourire niais pendant que Sophie signe son reçu à la façon d'une vraie femme d'affaires. C'est mon tour. Le vendeur qui n'en est pas vraiment un emballe minutieusement ma robe dans un papier de soie bleu. Il y met un temps fou. *J'espère qu'il s'est lavé les mains !*

Les jambes flageolantes, je franchis avec un soudain goût de métal dans la bouche la courte distance qui me sépare du comptoir. Mes oreilles bourdonnent, je ne veux pas entendre le bip du laser qui scanne chaque étiquette. Il appuie sur la dernière touche dans un geste théâtral.

— Ça fera neuf cent huit dollars et quinze sous, s'il vous plaît, m'annonce-t-il en tendant une main, la paume levée vers le ciel.

Il ose même sourire ! Je lui remets à contrecœur la petite carte de plastique qui souffre en silence. Une idée saugrenue traverse mon esprit au moment de la signature. Je pourrais oublier mon nom, inscrire celui d'une autre. *Celui de Sophie ?*

— Je mets la facture dans votre sac ?

*Non, dans ton c…*

Je lui arrache le bout de papier avant de rejoindre Sophie qui a déjà une main sur la poignée de la porte.

— Te sens-tu plus légère avec mille dollars en moins ? me demande-t-elle en souriant.

Pas vraiment. J'ai l'impression de peser deux tonnes.

— J'espère au moins que David appréciera ma nouvelle tenue.

— Tu peux toujours rêver !

Mes épaules s'affaissent un peu plus, mon sac tombe entre mes jambes. Il y a un siècle qu'il remarque davantage le prix sur mes factures que les vêtements dans ma garde-robe. *Quoique je ne renouvelle pas ma garde-robe toutes les saisons.* Il me faudrait beaucoup de plumes et de paillettes pour qu'il lève les yeux de son hockey. Parfois, je songe à porter une coquille et des jambières de gardien…

— Qu'est-ce qu'elle fait, Claudia, c'est bien long ? s'impatiente Sophie avant de se retourner.

Claudia met du temps à payer. Elle fouille dans son sac à main, tandis que l'homme de l'autre côté du comptoir ne sourit plus. Il pianote sur la surface vitrée. Claudia pivote alors dans notre direction.

— Je ne comprends pas, ma carte de fonctionne pas, dit-elle d'un ton innocent.

*Je croyais qu'elle avait payé sa facture en nature.*

La voix de Patrick se fait pressante, son irritation est palpable.

— La transaction est refusée.

— Bref, ta limite de crédit est atteinte, Choupinette, annoncé-je.

Je devine rapidement qu'il ne s'agit pas d'un scoop. Sa limite est toujours atteinte. Elle se rabat sur Sophie lorsque mon expression traduit clairement un « ne compte pas sur moi ». Prêter de l'argent à Claudia est plus risqué que de jouer à la Bourse. Elle dépense comme s'il n'y avait pas de lendemain. Elle me doit déjà quelques semaines de salaire depuis l'université.

Sophie soupire, parée à faire œuvre de charité, mais Claudia lève la main. Elle se penche vers l'inconnu, déployant tous ses charmes. Le jeune homme pose ses coudes sur le comptoir, soudainement intéressé, puis étire ses grands bras.

— Patrick, peut-être pourrions-nous trouver un arrangement pour la facture, si je te montre mes jouets ?

J'écarquille les yeux. Elle n'a quand même pas caché un faux pénis en silicone dans son sac à main ? On dirait qu'elle parle d'un piètre G.I. Joe. Pourtant, même Patrick déduit de quels jouets il s'agit. Claudia a été rapide sur les confidences, comme d'habitude.

— Dis-moi qu'elle ne va pas faire ça, siffle Sophie entre ses dents.

— Oh ! que oui, elle va le faire ! À moins que tu tiennes à payer sa facture ?

Claudia décoche un clin d'œil à Patrick qui se redresse. Mission accomplie, il est intrigué. *Et probablement déjà bandé.*

— Les filles, attendez-moi au café à côté, je reviens.

Bonne idée. Une tisane bouillante nous fera ravaler notre après-midi mouvementé. J'éprouve une certaine réserve à abandonner Claudia aux mains perverses du vendeur, mais Sophie m'entraîne sur le trottoir. Après tout, notre amie nous a prouvé maintes fois qu'elle savait embobiner les hommes.

L'averse se déchaîne toujours à l'extérieur, et rebondit sur le parquet lorsque la porte s'ouvre. Nous retenons notre souffle en fonçant dans le rideau de pluie. Nos visages cachés sous nos bras, nous passons en courant sous le nez d'un vieillard à la barbe longue qui nous observe, l'air amusé. J'imagine que nous avons de la classe.

Il fait chaud à l'intérieur du café. L'odeur de brioches fraîchement sorties du four est réconfortante ; les pâtisseries s'étalent par dizaines sur le comptoir. Chocolat, vanille, fraise… j'en ai l'eau à la bouche. Dommage que je ne puisse pas me délecter ! Je tire ma chaise, dépose précieusement mes achats et mon sac à main à mes pieds en évitant de poser les yeux sur mon voisin de table qui dévore un croissant au beurre qui lui dégouline entre les doigts. Sophie a la même réaction que moi, mais pas pour les mêmes raisons.

— Tristan ne mange que du *fast food*, me confie-t-elle. J'ai pris au moins cinq kilos depuis que je sors avec lui.

Sophie était si mince que ces kilos en plus lui donnent l'air en santé. Ses joues ne sont plus aussi creuses, ses hanches se démarquent enfin de son long corps filiforme. Je souffle doucement sur la vapeur qui s'échappe de ma tasse.

— Alors, tu n'as qu'à faire un peu plus d'exercice, lui conseillé-je. Ce que tu sembles faire, d'ailleurs…

— Quoi ?

Elle est occupée à vider une crème et trois sachets de sucre dans son café. Je n'ose pas lui dire le nombre de calories qu'il y a là-dedans.

— Claudia aussi devrait faire du sport. Tu as vu ses hanches ?

— Il faut croire qu'avec son Patrick, elle ne vit pas que d'amour et d'eau fraîche, rigolé-je sans méchanceté.

— Pourtant, ce n'est sûrement pas avec lui que l'exercice manque ! sourit malicieusement Sophie.

Elle semble toutefois soulagée de ne pas être la seule à avoir dû changer sa taille de pantalon. Je pousse du pied mon sac à main pour m'assurer qu'il est toujours là.

— Je me demandais... commencé-je. Crois-tu que Claudia avait vraiment des jouets de bonne femme sur elle ?

L'image de menottes et de petites culottes mangeables me vient en tête. J'imagine l'expression d'un vendeur si elle sortait l'un de ces objets par mégarde à la place de son portefeuille une fois à la caisse. *Finalement, c'est peut-être sa tactique pour ne pas payer ses factures.*

Sophie acquiesce en faisant tourner sa cuillère dans sa tasse. À la vitesse à laquelle le liquide tourbillonne, son café sera froid avant longtemps.

— Tu sais bien que oui. Ça t'étonne vraiment ?

— Non, pas du tout.

Il y a peu de choses qui m'étonnent quand il est question de Claudia. De plus, son sac à main est aussi grand que le sac à dos que j'utilisais à l'université pour transporter mon fardeau. *J'exagère à peine.*

L'homme à côté, qui essuie ses lèvres avec une serviette après avoir terminé son croissant, jette un œil inquisiteur au fond de la pièce. Je suis son regard. Une femme attire alors mon attention. Elle est assise à une table ronde près des toilettes. *Elle attend quelqu'un.* Son corps ne semble pas faire l'âge de son visage plissé de rides. Ses cheveux gris sont négligemment retenus par une pince, ses vêtements sont défraîchis. Elle irait bien avec l'homme au pot de yogourt qui m'a soutiré de l'argent cet après-midi à la gare. Une feuille se trouve devant elle. Je fronce les yeux pour réussir à déchiffrer le message. C'est tellement mal écrit que je dois relire plusieurs fois pour comprendre.

«J'li les ligne de vot'main pour 10$.»

Mon cœur d'enseignante fait un saut en bungee. Les doigts de la femme sont croisés sous son menton; elle attend son prochain poisson. Un jeune homme dans la trentaine s'arrête devant sa table tout en retirant son portefeuille de sa poche arrière. *Les poissons sont moins difficiles à attraper que je ne le croyais.* Ses petites mains usées recouvrent celles plus fortes et solides de l'homme. Elle s'entretient un instant avec lui, puis il poursuit son chemin d'un air satisfait.

La folie de cette journée complètement absurde m'enflamme à nouveau. *Pourquoi pas?* Ça ne pourrait qu'être hilarant. Que pourrait inventer l'inconnue? *Peut-être aura-t-elle la réponse à ma question existentielle? David est-il l'homme de ma vie, oui ou non?* J'empoigne la main de Sophie qui me suit sans comprendre.

— Hé! attention! J'ai failli renverser mon café.

Nous zigzaguons entre les tables. J'entends Sophie s'excuser derrière moi chaque fois qu'elle accroche le coude d'un client qui sirote tranquillement un chocolat chaud. Elle recule d'un pas, prête à se sauver lorsque nous arrivons à la hauteur de la femme.

— Non, je ne fais pas ça.

— Allez, c'est juste pour rire!

Elle n'a pas le temps de faire un mouvement de plus que la diseuse de bonne aventure emprisonne la main de Sophie entre les siennes. Cela nous surprend toutes les deux. Mon amie se raidit à ce contact, mais ne cherche pas à se soustraire de l'emprise. Sophie n'aime pas être touchée par les étrangers ; son espace vital est immense. Impassible, la femme passe doucement ses doigts sur la paume de Sophie.

— C'est une vie bien sérieuse que tu as là, ma petite.

Elle s'incline pour examiner les détails de la main. Visiblement, elle cherche comment lui annoncer quelque chose.

— Oui, voilà...

*Ah ! Je le savais !* Malgré l'absurdité de la situation, nous sommes pendues à ses lèvres.

— Il y a tout de même quelques étourderies. C'est bien, mais sois prudente. Tout n'est pas gratuit dans la vie.

*C'est tout ?*

Le temps est suspendu. Sophie et moi regardons intensément la femme. Nous attendons la révélation de l'année.

*Non, rien.*

Elle laisse tomber la main de Sophie qui rebondit mollement sur sa hanche. C'est maintenant ma main qui est en observation. La peau de la femme est froide et sèche. Soudain, la vieille folle bondit de sa chaise.

— Oh mon Dieu ! Il y a du changement qui se prépare ici.

Elle inspire un bon coup. Je me demande pendant une seconde si elle n'est pas victime d'un malaise. Elle ne bouge plus. *Est-ce qu'elle respire encore ?*

*Il y a un médecin dans la salle ?*

— Ta vie ne te satisfait pas en ce moment, tu n'es pas heureuse. Je peux t'affirmer que ce soir, tu embrasseras l'homme qui te mérite.

Qu'est-ce que ça veut dire, au juste ? Je m'apprête à le lui demander lorsque je réalise le ridicule de ses propos. Cette femme déraille complètement, puisque David est à des kilomètres d'ici. À moins que…

Elle se rassoit posément.

— Une dernière chose : cours au dépanneur à côté acheter un billet de loterie. Tu as la main chanceuse. Ça fera vingt dollars, conclut-elle d'une voix neutre.

Davantage abasourdie par son attitude que par ses révélations, Sophie lui lance l'argent avant de faire demi-tour.

— Tu parles d'une arnaque !

Mais moi, je veux croire l'arnaqueuse. Notre prochain arrêt sera à la tabagie. Je veux un petit bout de papier bleu et blanc au creux de ma poche arrière. *Elle l'a dit, je serai riche.* C'est bien ça qu'elle a dit ? Il n'y avait pas que du faux dans ses paroles. J'ai réellement besoin de changement, d'une étincelle de motivation dans mon quotidien monotone. J'ai toujours aimé la routine, les choses précises, déterminées à l'avance. Je ne me doutais pas qu'un jour, ce côté rassurant de mon existence me pèserait autant.

Je détourne brusquement la tête en direction de notre table. Le bleu de mon sac à main reluit sur le parquet. Je l'ai laissé sans surveillance, ainsi que mon investissement de mille dollars en vêtements. Dans mon champ de vision, je vois un homme s'approcher et soulever avec insouciance la courroie de mon sac à main. En une fraction de seconde, je pense à lui sauter à la gorge, à crier «Au voleur!», à l'ébouillanter avec le chocolat chaud du bambin qui gazouille à ma droite. Puis, j'aperçois le balai à sa main. Il ramasse quelques graines de muffin avant de replacer mon sac exactement où il était. Pourquoi ai-je pris le risque d'apporter ici ce sac auquel je tiens tant? Pourquoi n'ai-je pas laissé mes billets de spectacle en sûreté dans mon tiroir à lingerie? *Pourquoi ai-je acheté pour mille dollars de guenilles?*

Claudia fait sonner le carillon au-dessus de la porte. Plusieurs têtes se retournent sur son passage. Elle vole littéralement jusqu'à nous.

— Mission accomplie, les filles!

Elle prend la chaise libre à la table voisine et s'installe à mes côtés.

— Il a apprécié ta démonstration, le grand Patrick?

Claudia lève un sourcil moqueur.

— Probablement, puisque nos trois factures ont été annulées.

6

# Le fils à maman

Les fesses sur le bout d'un fauteuil, un pied remonté sur la table du salon, je me concentre à appliquer le rouge sur mes ongles d'orteils sans trembler. Personne ne les verra vraiment, mais ça fait partie du rituel de la préparation pour une soirée de filles réussie. Le contact de mes cheveux encore humides sur ma nuque me fait frissonner. Après un après-midi sous la pluie à empester le chat mouillé, nous nous sommes carrément disputées pour savoir qui irait sous la douche en premier. Pour une fois, j'ai gagné ! Je crois que je me serais battue à mort pour sentir le doux jet d'eau chaude sur tout mon corps.

Claudia, qui est assise sur le sol de l'autre côté de la table, lime ses ongles avec application. J'essaie de l'ignorer, mais ce bruit agaçant me fait grincer des dents. Ça semble être une tâche interminable… Elle suspend soudainement son geste.

— Tu es belle, Mahée. Tes seins sont parfaits.

Je donne un coup de pinceau. Mon petit orteil devient entièrement rouge.

— Zut !

Je prends une ouate pour enlever le surplus de vernis tandis que le regard de Claudia fixe ma poitrine. J'ai laissé mon chemisier ouvert pour me pavaner avec mon nouveau soutien-gorge. *Avec de la dentelle.* Son compliment me surprend, car elle n'a rien à envier à personne sur ce plan.

— Tu veux rire ? Ton soutien-gorge déborde ! Tu as des seins pulpeux, une craque aguichante. Tous les hommes les admirent en se mordant les doigts.

Il y a longtemps que j'ai remarqué que les hommes deviennent idiots devant son décolleté. Maladresse ou éloges, bégaiement ou sourire en coin, aucun ne demeure indifférent. Il faut dire qu'elle ne se gêne pas pour en mettre plein la vue à la gent masculine.

— Les miens sont trop volumineux, tandis que les tiens sont parfaits. Tu fais quoi, du « B » ?

*Ça dépend des modèles…*

Sans vraiment attendre la réponse, elle reprend le va-et-vient sur son index, souffle dessus comme on le ferait sur une pierre précieuse. Je m'attarde sur le bout de tissu noir qui soutient sa poitrine généreuse, sur son ventre plat. La jalousie me ronge.

— Tu crois que Vincent viendra ce soir ? demandé-je sans réfléchir.

Claudia lève sur moi ses yeux espiègles sans cesser de faire grincer la lime sur ses ongles.

— Tu aimerais ça, hein ?

Je me pose silencieusement la question, faisant mine de me concentrer sur mon gros orteil. J'ai peur de la réponse. Pourquoi suis-je incapable de penser à autre chose qu'au dernier regard que Vincent Grandbois a fixé sur moi avant de franchir le pas de la porte ? Pourquoi, malgré mes efforts, son visage surgit-il dans mon esprit toutes les trente secondes ? Mes doigts en éventail, je fais maintenant du vent à mes orteils pour les sécher. Ensuite, je collerai sur mes ongles de minuscules imprimés fleuris.

— Oui, j'aimerais ça. Mais je ne sais pas trop pourquoi.

— Tu as vraiment besoin d'un dessin ? dit Claudia, la lime en l'air.

J'ai l'impression que l'on peut voir mon cœur battre à travers ma poitrine, que mes joues sont rouges de honte. J'ai peur de ce que je ressens ; la culpabilité me tord l'estomac. Je n'ai pas le droit de penser à un autre homme de cette façon. Claudia devine mon malaise. Elle pose une main rassurante sur mon genou.

— Mahée, il n'y a pas de mal à fantasmer un peu. Le beau Vincent t'a regardée avec ses yeux d'homme. Tu t'es sentie belle et séduisante. Il y a tellement longtemps que tu es avec David que tu as oublié ce que c'est de se laisser dévisager par un mâle.

C'est à son tour de colorer ses doigts de pied. Elle s'exécute avec une précision remarquable. *Elle a l'habitude !* Je prends une gorgée du vin rosé à la température de la pièce, le fais tourner dans ma bouche.

— Tu as une façon si primitive de voir les hommes. Ce ne sont pas tous des brutes.

En tout cas, ce n'est pas ce que j'ai senti chez Vincent. Il a pris soin de moi et, pendant un instant, j'ai été sa priorité. Il a changé ses projets de la journée pour ma petite personne, je me suis sentie importante. Oui, voilà, importante… Intéressante ? Oh !

Claudia éclate de rire.

— C'est la première chose que l'on apprend en sixième année dans nos cours d'épanouissement personnel : les mâles sont menés par leurs hormones. Tu enseignes, tu devrais savoir ça !

La musique monte d'un cran. Nous nous tournons aussitôt vers la cuisine, où Sophie se prend pour Lady Gaga avec la bouteille de vin vide depuis longtemps.

— Dis donc, qu'est-ce qu'elle a ? s'étonne Claudia. Elle est en amour ou quoi ?

— Elle est soûle, je dirais.

Les cheveux de Sophie virevoltent de gauche à droite, de haut en bas au gré de ses mouvements. Un pied posé sur une chaise, son bassin ne fait qu'un avec le rythme, les doigts de sa main gauche détachent lentement les boutons de son chemisier. Un vrai strip-tease. Je comprends pourquoi Richard Gere se traîne à genoux devant elle si elle lui sert ce genre de performance.

Sous le choc, Claudia et moi demeurons immobiles. Nous ignorons s'il est préférable de rire ou de nous inquiéter. *Moi, je m'inquiète...*

— Quoi ? Ce n'est pas permis de déconner, ici ? proclame notre amie en retrouvant son air sérieux habituel.

— Où as-tu appris à faire ça ?

— Avec qui, tu veux dire ? réplique Sophie, amusée.

— Avec qui ? lançons Claudia et moi dans un même cri de surprise.

Ce sont ses yeux futés qui nous répondent : « Si vous pensez que je vais cracher le morceau aussi facilement. » Elle s'approche avec deux assiettes. Dans l'une, une montagne de croustilles de maïs accompagnées de salsa ; dans l'autre, des carottes et quelques bouts de céleri fripés. *Sans sauce.*

— Désolée, Mahée, mais à cause de tes allergies, c'est tout ce que tu peux manger.

Je la regarde engouffrer une énorme pelletée avec envie, puis essuyer doucement les coins de sa bouche avec sa langue.

— Dis-toi au moins qu'avec tous ces légumes que tu ingurgites, tes hanches ne courent aucun danger.

— Qui a des problèmes avec ses hanches ? demande Claudia en pesant ses mots.

Sophie avale sa bouchée tout rond.

— Euh… moi, voyons !

Les filles gobent les croustilles comme deux poules qui n'auraient pas mangé depuis trois jours. Je croque mon céleri mou.

— Finiras-tu par nous dire ce que tu as fait au grand Patrick numéro deux pour qu'il annule nos factures ?

Claudia lèche sensuellement le bout de ses doigts.

— Je lui ai donné quelques petits cours de base. Pauvre lui, il est encore jeune et innocent.

— Claudia, qu'est-ce que tu as fait ? s'indigne Sophie, la bouche pleine.

— Pas certaine que ton Patrick « numéro un » aimerait savoir que tu donnes des cours particuliers.

— Ne vous inquiétez pas, je n'ai rien fait de si immoral. Je me suis amusée, c'est tout, répond-elle piteusement.

*Et sa petite séance dans l'arrière-boutique ? C'était seulement pour ajuster son nouveau soutien-gorge ?*

— Et ton Patrick, il a eu besoin que tu lui montres comment faire ?

Le menton de Claudia tombe au creux de sa main et elle lève les yeux au ciel. Ces derniers ont retrouvé leur éclat.

— Oui, mais il a vite appris.

Nos rires enterrent Lady Gaga. C'est maintenant Claudia qui danse sur la musique qui fait vibrer le plancher. Sophie porte l'assiette de croustilles à sa bouche pour y faire descendre les dernières miettes. La plupart glissent dans son décolleté.

— Tu crois que c'est sérieux avec lui ? demandé-je à Claudia, un fil de céleri pris entre les dents.

Sophie se lève pour rapporter les plats vides à la cuisine. Elle me tapote le dessus de la tête en passant.

— Voyons, Mahée, il n'y a jamais rien eu de sérieux dans la vie de Claudia ! Quelle question !

Claudia inspire profondément. Je sais que la remarque de Sophie l'a froissée, mais elle décide de l'ignorer. Elle examine ses doigts sous tous les angles.

— Elle a raison, souffle-t-elle à voix basse.

Je souris en la couvrant d'un regard maternel. Claudia a toujours préféré vivre le moment présent plutôt que de penser à l'avenir. Elle croit encore qu'elle a dix-huit ans et qu'elle a la vie devant elle pour s'amuser, se laisser porter au gré du vent. Mon amie entreprend beaucoup de choses, beaucoup de projets – ah ! ça oui ! –, mais elle abandonne à la première difficulté. C'est la même mascarade au sujet des hommes.

— La trentaine frappe à ma porte, poursuit-elle. Je n'ai pas de diplôme, pas de mari, pas de maison, pas d'enfants.

— Tu avais presque terminé ta thèse, il me semble, non ?

— Ça fait des mois que je n'ai pas écrit une ligne. Et même si j'en venais à bout, on fait quoi avec une formation en histoire de l'art, hein ?

— Un diplôme reste un diplôme. Pour les employeurs, ce papier est synonyme de sérieux et de persévérance. Et puis, tu pourrais enseigner.

— Ou travailler dans un musée ou une galerie d'art, propose Sophie.

Claudia s'empare du fer plat qui chauffe près d'elle et commence à étirer une de ses mèches.

— C'est vrai, ma vie ne mène nulle part. Toi, Sophie, tu as un poste de rêve, tu es propriétaire d'un condo, tes dettes d'études sont payées depuis plusieurs années. Toi, Mahée, tu as un emploi stable.

Je sourcille. Faire des remplacements ici et là est loin d'être un emploi stable, à mon avis.

— En plus, tu es en couple. Tu auras probablement un bébé dans les bras avant longtemps…

Je ne l'écoute plus, car je suis hypnotisée par ses mèches blondes qui glissent sous le fer plat. Mes vingt-huit ans bien sonnés commencent à titiller mes ovaires. Partout où je regarde, je ne vois que des poussettes, des bébés et des gros ventres de femmes enceintes. C'est une épidémie ! Tout dans ma vie me prédispose à la maternité : mon âge, mon emploi, ma relation sérieuse – aussi ennuyante soit-elle. Un enfant apporterait un peu de couleur dans mon quotidien mais, en même temps, il m'attacherait à David pour toujours. Le simple fait de penser à un lien éternel avec lui comme étant une condition négative me décourage. Cependant, quitter David voudrait dire mettre encore des années avant d'atteindre mon rêve. Je n'ai pas en moi la patience d'attendre le prince charmant ; cela demanderait beaucoup trop de courage et de foi en l'avenir. Le temps de trouver un autre homme, en espérant qu'il soit le bon et qu'il souhaite fonder une famille, j'aurai au moins trente-cinq ans.

S'agit-il donc d'une bonne chose que David fasse la sourde oreille chaque fois que j'ose prononcer le mot *bébé* ? Il en fait de l'urticaire ; il doit imaginer le nombre d'onglets qu'il devra rajouter à son fichier Excel. Cela ne me surprendrait pas qu'il vérifie tous les jours que je n'omets pas d'avaler le minuscule comprimé d'anovulant. Il faut dire que j'aborde le sujet régulièrement. OK, d'accord, compulsivement. Mais comment me lancer dans un célibat déséquilibrant lorsque le confort d'une relation sans heurt me rassure autant ? David est responsable, gentil et doté d'un excellent potentiel génétique...

Le verre que Sophie dépose sous mes yeux me ramène au moment présent. Une bonne limonade diluera le niveau d'alcool déjà trop élevé dans mon sang. J'agite doucement le jus avec la paille et entreprends ensuite une course sans fin avec la cerise. Finalement, je plonge mes doigts tout au fond pour la coincer. Je vois que Claudia a délaissé le fer plat pour les rouleaux. Alors qu'elle cherche à créer une vague dans sa chevelure raide, je m'empare du fer pour étirer mes boucles naturelles. *C'est le monde à l'envers.*

— Il y a plus d'une heure que Patrick n'a pas appelé. C'est inquiétant ! se moque Sophie, avachie dans les coussins qui jonchent le sol.

Claudia jette un regard de biais à son iPhone silencieux.

— Il allait manger chez sa mère.

— Tu connais son horaire par cœur ? lui soufflé-je avec un clin d'œil.

— Pas un autre fils à maman ? déclare Sophie en se frappant le front.

Claudia demeure incrédule, les bras tirés vers l'arrière pour fixer un rouleau à sa nuque.

— Que veux-tu dire ?

Sophie place ses mains autour de ses genoux repliés.

— Méfie-toi d'un type qui va manger chez sa mère le samedi soir. Je suis aux prises avec un mec de ce genre-là et ce n'est vraiment pas drôle. Elle fait son lavage ?

— Eh non !

— As-tu vérifié ? marmonne Sophie, songeuse.

— Un gars a bien le droit d'aller rendre visite à sa mère, il n'y a pas de mal à ça, intervins-je, concentrée sur ma frange qui refuse de suivre la courbe de mon visage.

— C'est l'anniversaire de son père, précise Claudia, exaspérée par la tournure que prend la conversation.

Elle roule encore quelques mèches, un pic serré entre ses lèvres. La dernière fois que j'ai vu quelqu'un avec un truc pareil sur la tête, c'était ma grand-mère, dans les années 1980.

— Patrick n'a rien d'un fils à maman, je vous l'assure. Personne ne lave ses bobettes, il fait des sushis dignes d'un grand restaurant. Il a son appartement, qu'il partage encore avec son ex.

— Quoi ? Tu as bien dit « son ex » ?

— Une jolie blondinette qui pourrait facilement se faire passer pour Taylor Swift.

Elle enfonce sèchement le pic dans le rouleau sur son front. Mon « oh ! » résonne en écho derrière celui de Sophie.

— Mais vous êtes ensemble depuis combien de temps ? l'interroge cette dernière.

— Deux semaines… répond Claudia en baissant la tête.

Ce ne sont plus des « oh ! » qui sortent de notre bouche, mais des « ah ! ». Bien sûr, après deux semaines de fréquentations, on peut affirmer avoir trouvé l'homme de sa vie, vouloir une maison, des enfants…

— Il est séparé depuis quand ? pousse Sophie avant qu'une illumination éclaire son regard. À moins qu'il ne soit pas encore complètement libre ?

Claudia soupire et tarde à répondre. Ça n'augure rien de bon cette histoire. Je sens qu'elle hésite entre inventer un mensonge sympathique ou nous dire la vérité.

— Il est séparé… depuis deux semaines.

Nos « ah ! » passent aux « hiiii ! ». Claudia lève les mains dans le but de calmer notre panique.

— Ne faites pas cette tête-là, je sais ce que je fais ! D'ailleurs, il emménage chez moi le mois prochain.

— Claudia ! Tu ne trouves pas que tu vas un peu vite ?

Cette dernière s'écroule sur la montagne de coussins près de Sophie.

— Je vous le dis depuis le début : c'est un coup de foudre total. Rien ne nous arrêtera !

Je l'observe en silence. Son enthousiasme est inquiétant. Je crois beaucoup plus à un coup de tête qu'à un coup de foudre. Je sais pertinemment qu'il est inutile d'insister davantage, mais Sophie en juge autrement.

— Ça veut dire qu'il laisse sa starlette pour toi ! déclare-t-elle, les baguettes en l'air. Tu es une lumière dans sa vie de couple plate, il dort probablement encore dans le lit conjugal. Tu as déjà oublié l'épisode de monsieur gros bras au tatouage de tête de mort ?

Claudia n'en est pas à son premier épisode du genre. L'an dernier, elle s'était entichée d'un motard à belle gueule. Après un mois de sexe brut dans les motels qu'on loue à l'heure sur le boulevard

Hamel, il avait déposé son sac à dos chez elle. Le lendemain, il était parti avec le téléviseur, la chaîne stéréo, l'ordinateur... sans compter le reste.

— Non, je ne l'ai pas oublié, répond Claudia en haussant le ton. Mais avec Patrick, c'est différent. On s'aime vraiment.

— Ouais... on verra bien, conclut Sophie pour avoir le dernier mot, encore une fois.

— En tout cas, moi, je peux affirmer que David n'est pas un fils à maman, dis-je pour tempérer l'atmosphère.

Sophie croque dans un glaçon laissé dans son verre vide.

— Non, c'est sûr. C'est toi qui joues le rôle de la mère avec lui.

Claudia ose un sourire en coin. Je foudroie Sophie d'un regard sombre. Ce n'est pas parce que je fais son lavage que je suis sa mère.

— Et toi, tu peux bien te moquer avec ton grand-père.

Claudia bondit.

— Quel grand-père ?

Je reçois un coussin sur la tête, ce qui annule du coup le travail de moine que je venais de faire avec mes cheveux. Sophie fait signe à Claudia de laisser tomber, mais celle-ci tape sur la table basse du salon, faisant sauter la bouteille de vernis et son cellulaire.

— C'est quoi ces cachotteries, bordel ?

Son téléphone s'allume. Elle retrouve aussitôt le sourire en se penchant sur l'appareil. Elle répond d'une voix mielleuse et tient son cellulaire du bout des doigts pour ne pas abîmer ses ongles. Sophie serre un coussin contre sa poitrine. Je m'excuse du regard. Je n'ai pas à révéler au grand jour ce qui ne me concerne pas. En revanche, ses dernières paroles ont blessé mon orgueil.

— Je joue vraiment à la mère avec David?

Les sourcils de Sophie s'arquent de surprise.

— Mahée, tu lui dis quoi porter le matin!

C'est vrai, et ça m'épuise. Je dois lui rappeler ses rendez-vous, le prochain changement d'huile sur les voitures, lui dire si c'est le bac bleu ou le bac vert que l'on doit sortir cette semaine-là. Parfois, c'est moins compliqué de tout faire moi-même. Finalement, David a peut-être raison: nous n'avons pas besoin d'enfants. Il n'y a que de ses factures dont je ne me mêle pas. Ça, et la chaîne de sport dont il connaît la programmation par cœur.

— Il y a quelque chose que je dois vous dire, les filles, commencé-je doucement, encouragée par l'atmosphère de confidence qui règne.

Sophie et Claudia, qui vient de déposer son cellulaire, me regardent avec intérêt. J'hésite…

— Rien de grave au moins? s'inquiète Claudia devant mon silence prolongé.

*Non, rien de grave. J'ai seulement envie de foutre ma vie en l'air.*

— En fait, j'ai…

On pourrait croire que la Providence se manifeste car, au même moment, des coups à la porte nous font sursauter. Toutes les trois, nous tournons la tête. *Ce n'est que partie remise pour les confidences!* D'instinct, je lève une main afin de refermer mon chemisier et Claudia s'étire pour attraper son chandail. Mais Sophie n'a pas le temps d'atteindre la porte que celle-ci s'ouvre. Tristan, l'amoureux «officiel» de Sophie – depuis l'épisode de jambes en l'air avec Richard Gere, je ne sais plus –, s'appuie contre le battant, un sourire narquois sur les lèvres.

— Tiens, voici le fils à maman! marmonne Claudia.

Tristan pose aussitôt les yeux sur le spectacle alléchant que lui offre la poitrine de Claudia dans son soutien-gorge en dentelle noire. Sans lui accorder une quelconque attention, celle-ci enfile son chandail rapidement, puis étend sans gêne ses jambes nues sous la table basse du salon. Elle applique la deuxième couche de rouge sur ses ongles comme s'il n'était pas là, comme si aucun regard curieux ne pesait sur elle. Tristan demeure figé, ébloui par tant de féminité. Finalement, ce sont peut-être les rouleaux qu'elle a sur sa tête qui l'impressionnent le plus. Pour ma part, je suis un peu déçue: étant donné que Tristan est un quart-arrière, je l'imaginais plus grand, plus costaud aussi. J'attache mon chemisier tout en faisant glisser sur mes cuisses une couverture abandonnée sur un fauteuil.

— Tristan, qu'est-ce que tu fais là?

Sophie ne s'avance pas vers lui, elle ne cherche même pas à l'embrasser. *Lui non plus, d'ailleurs.* Il se détourne enfin pour la regarder en passant une main dans ses longs cheveux blonds, puis il ouvre le frigo pour en sortir un Pepsi. Il s'installe sur une chaise, se balançant nonchalamment sur les pattes arrière du siège. Il ressemble à un petit garçon devant une montagne de bonbons.

— J'avais oublié ma veste.

*Tu voulais surtout voir trois pitounes à moitié nues…*

Ses doigts montent et descendent sur la canette givrée. Son sourire niais lui donne un air arrogant. Il dégage une telle froideur…

— Alors, les filles, c'est quoi votre plan pour ce soir ?

— Manger, danser, boire, faire l'amour, dit Claudia sans détacher ses yeux de ses ongles.

Il ramène brusquement sa chaise à plat sur le sol, croise ses bras sur la table devant lui. Plus je le regarde, moins je le trouve beau. Son front est trop large, son menton, trop pointu. Il ne rend pas justice aux nombreux clichés que Sophie m'a montrés de lui.

— Intéressant, répond-il d'une voix rauque. Si je peux vous aider, mesdames…

Les mains sur les hanches, mon amie fulmine. Je me demande comment elle fait pour tolérer quelqu'un d'aussi immature. Elle est si intransigeante avec nous. Sophie la sérieuse qui sort avec un adolescent attardé qui préfère se la couler douce sous le toit de ses parents… Il doit avoir des talents cachés.

— Tristan !

— Quoi ?

Comme réponse, il ne reçoit qu'un silence lourd de sens.

— OK, je dérange là, hein ?

Il finit sa boisson gazeuse en une longue gorgée. Il se lève sans repousser sa chaise.

— Je vous laisse, car vos potinages ne m'intéressent pas, capitule-t-il en s'inclinant à la hauteur de Sophie pour déposer un baiser futile sur ses lèvres. Bonne soirée, ma noire. Ne parlez pas trop de moi, là !

Sophie le pousse vers la sortie. Tristan n'a d'autre choix que d'abdiquer ; il recule jusqu'à la porte à contrecœur. Il nous envoie un ridicule signe de la main, accompagné d'un regard se voulant charmeur mais qui ne l'est pas vraiment. Un regard que seuls les méchants dans les films savent mettre à profit. Il ne récolte que la foudre de notre amie, l'indifférence totale de Claudia et mon air blasé. Sophie va refermer, mais à la dernière seconde, une poigne masculine l'attrape par le poignet. Lâchant un cri de surprise, elle se retrouve plaquée contre le torse musclé du footballeur. Les lèvres de celui-ci enveloppent sa bouche. Pendant un instant, ils échangent un baiser passionné. Claudia et moi, nous n'existons plus. Tristan se métamorphose en héros de comédie romantique. Il glisse doucement ses doigts dans les cheveux de Sophie.

— Appelle-moi demain.

— D'accord, souffle Sophie, les jambes molles.

*Je savais qu'il avait des talents cachés.* Tristan embrasse le dessus de la main de mon amie, puis s'éclipse sans nous regarder.

— Wow ! Tout un phénomène, ton homme ! s'exclame Claudia.

— Oui, tout un phénomène, dit Sophie en levant les yeux au ciel. C'est mon tour de passer sous la douche. M'avez-vous laissé de l'eau chaude ?

# 7
# Le pompier

La voix de Sophie qui chante sous la douche nous parvient au salon en écho. Un filet de buée s'échappe par l'ouverture de la porte. L'humidité sature l'air de l'appartement. Mes boucles durement étirées une à une menacent de reprendre leur pli naturel. Je branche le fer plat, par précaution.

Je tourbillonne devant la glace pour la énième fois avec une grâce que je ne me connaissais pas. On dirait que je m'apprête à assister à un mariage, pas à sortir en boîte de nuit. Le tissu noir vole autour de mes chevilles remontées sur des escarpins de la même couleur. La soirée sera longue; j'ai déjà une ampoule sous le pied. N'empêche, le résultat est parfait et saisissant, tout en étant discret. Comme je n'ai pas de poche, j'ai subtilement camouflé dans mon soutien-gorge le billet de loterie acheté un peu plus tôt. La vieille chipie l'a dit: je serai riche. *Enfin… je crois que c'est ce qu'elle a dit.* Pour compléter ma tenue, il ne manque plus que le pendentif argenté qui descend jusqu'à la naissance de mes seins.

— Viens m'aider, me demande Claudia en tenant sa robe à deux mains pour éviter qu'elle ne glisse sur ses hanches.

Elle ajuste minutieusement ses dessous pendant que j'attache avec précision les agrafes dans son dos.

— Nous allons faire fureur, ricane-t-elle en étirant le bras pour me donner une tape sur la fesse gauche.

Un coup de tonnerre à l'extérieur nous fait sursauter. *C'est possible, le tonnerre en octobre?* Nous nous rendons vite compte que ce n'est pas l'orage qui se déchaîne, mais bien quelqu'un qui monte les marches deux par deux. Le bruit se rapproche… Nous n'avons pas le temps de réagir que la porte s'ouvre en trombe. *Encore une fois!*

— Sophie! Ta douche recommence à faire des siennes. Mon salon est inondé.

L'homme qui vient d'entrer comme dans un moulin se calme en voyant nos têtes.

— Oh! Désolé… Est-ce que Sophie est là?

— Sous la douche, bafouille Claudia, la gorge sèche.

Je me suspends à son bras pour ne pas chanceler. Claudia, si dégourdie en temps normal, demeure inerte, presque sans réaction. Nous avons devant nous le genre d'homme devant lequel toute femme s'arrête instinctivement afin de le contempler. Il faut dire qu'au premier abord, il est impressionnant: un visage carré, des cheveux noirs qui retombent sur le front, des yeux bleu ciel qui me font plier les genoux un peu plus. Un mannequin dans un calendrier de pompiers! J'ai envie de le toucher pour voir s'il est bien réel. Il n'y a qu'un pan de sa chemise de rentré dans son jean marine. Une ouverture discrète au niveau du col laisse paraître un torse lisse. Tout sur lui sent le neuf, les étiquettes de magasin ne doivent même pas avoir encore été enlevées. *Je me demande ce qu'il ferait, lui, avec les jouets coquins de Claudia.*

Je cherche ma salive. J'imagine que Claudia aussi, puisqu'elle est muette comme une carpe. Chose qui ne lui arrive pas souvent, surtout devant un homme. Le type est toujours dans l'entrée ; il passe une main dans ses cheveux sans vraiment les déplacer. On n'en rencontre pas à tous les coins de rue, par chez nous, des modèles comme ça. Certes, il y a mon deuxième cousin du côté de ma mère, mais lui, il se prend pour une vedette d'Hollywood. Et ses sujets de conversation sont très limités. Cela ressemble à « Tu es belle » et « Le Canadien a gagné hier soir. » Il a développé un tic à force de faire des clins d'œil.

Le cri de Sophie me sort de ma contemplation. Nous tournons la tête tous les trois lorsqu'elle apparaît quelques secondes plus tard dans le couloir, une serviette enroulée autour du buste et les cheveux ruisselant sur les épaules.

— Il n'y a plus d'eau chaude !

Elle s'immobilise à la vue de la merveille qui tape du pied dans son entrée.

— Elle tombe de mon plafond, ton eau chaude.

— Dan !

Sophie nous avait bien caché que son voisin d'en bas était une réplique améliorée de Robert Pattinson. Et elle perd son temps avec un grand-père ? Dan s'élance vers la salle de bain, passe devant Sophie sans la regarder. Claudia et moi le suivons des yeux.

Nous l'entendons tirer le rideau de douche, ouvrir puis fermer les armoires. Il n'est pas très délicat. Sophie mime le mot *pompier* sur ses lèvres. *Ah ! je le savais !*

— Le problème est encore sous la baignoire, lance-t-il en réapparaissant dans le couloir. Je m'occupe de prévenir le concierge.

— Donne-moi deux minutes pour m'habiller, et je vais aller t'aider à essuyer les dégâts, dit-elle en se dirigeant vers sa chambre.

— Nous aussi, on peut aider, s'invite Claudia, sortant enfin de sa léthargie.

Elle s'avance de quelques pas ; je la suis dans son ombre. Le séduisant pompier s'appuie sur le comptoir, nous analysant tour à tour. J'ai plutôt l'impression qu'il nous déshabille littéralement des yeux. C'est flatteur pour l'égo, mais dépourvu de profondeur. Si, plus tôt, Vincent a détourné le regard sur mon chemisier entrouvert, Dan en aurait probablement profité pour le reboutonner lui-même.

— Toi, dit-il, osant pointer son index vers moi.

*Moi ? Pour essuyer son plancher ?*

Même si Claudia s'écarte pour me laisser passer, je suis trop abasourdie pour bouger. Mes jambes sont vissées au sol. D'une tape qui se voulait sûrement subtile, Claudia me pousse vers l'avant pour me forcer à réagir. Je n'y étais pas préparée, mes pieds s'emmêlent, elle m'empoigne par le coude pour m'aider à garder l'équilibre – afin que je ne perde pas complètement la face devant Dan le pompier aux gros bras. *Il aurait pu m'attraper, ça aurait été romantique. Voilà une mise en scène qui a de la classe.*

Il est déjà dans le couloir. Je le suis avec la confiance que me procure mon nouvel accoutrement, même si je ne sais trop à quoi m'attendre. Il ne pouvait pas me voir davantage à mon meilleur qu'en ce moment.

— Si tu n'es pas remontée dans une heure, je vais te chercher, crie Sophie de sa chambre.

— Vous êtes certains de ne pas avoir besoin d'aide ?

La porte se referme sur la voix étouffée de Claudia. La main bouillante de Dan dans mon dos me guide vers l'escalier. Une jeune fille qui monte en sens inverse nous admire comme si nous étions le couple de l'année. Mes doigts se crispent sur la rampe. Je me concentre pour mettre un pied devant l'autre afin de ne pas trébucher.

— Quel est ton nom ?

— Mahée.

— Enchanté, Mahée.

Il repousse une mèche de cheveux pour mieux voir mon visage avant de poursuivre :

— Tu as de beaux yeux.

*Toi aussi.* Évidemment, il ne gagne pas de points pour l'originalité, mais est-ce que je m'attendais vraiment à autre chose ? Il serait une belle gueule dans une tête vide ? Peu importe, je suis excitée de me retrouver seule avec lui. Son compliment, aussi usé soit-il, a eu l'effet d'une décharge électrique sur mon égo.

La porte de son appartement étant restée grande ouverte, il me laisse passer devant lui. *On peut dire qu'il a de la classe.* Un lac gît littéralement au centre de son salon. Il retire sa chemise dans un geste qui ne manque pas de m'éblouir. Son torse est si luisant que j'ai l'impression qu'il s'est enduit d'huile avant de monter. Il disparaît un instant dans une pièce, puis revient les bras chargés de serviettes, de linges à vaisselle, et même de draps, qu'il lance sur la mare d'eau.

Je m'accroupis en prenant soin de relever ma robe. Trop tard, le bord en est déjà trempé. Décidément, l'eau tient un rôle important aujourd'hui dans ma vie. Mes doigts s'emparent de la plus belle serviette, la jaune et bleu ; je la promène maladroitement sur le plancher. Dan me sourit, un genou dans l'eau, pendant qu'il tapisse le sol d'un drap contour.

— Tu n'es pas obligée de m'aider. Je voulais seulement t'avoir juste pour moi un peu. Le dégât n'était qu'un prétexte.

— Quoi ?

Ma réaction est puérile, comme si je ne comprenais pas le message. Je n'aime pas ce genre de flirt direct ; je n'ai jamais su comment y réagir. Je suis plutôt du genre « montée lente, des mois durant, vers l'amour inconditionnel » plutôt que du style à rire à coups de clins d'œil grivois – même s'il n'y a pas deux minutes, j'ai miaulé comme une sotte.

Quoi qu'il en soit, je m'approche du seau avec ma serviette imbibée. Dan se penche sur moi pour m'aider à la tordre. Je suis juste assez près pour sentir son parfum, et mon coude effleure son avant-bras. Je respire par petits coups, tentant de me concentrer sur ma tâche. Les mots me manquent pour faire la conversation. Peut-être que je n'en ai tout simplement pas envie.

— Alors, tu es une amie de Sophie ? dit-il finalement en se baissant pour ramasser les serviettes mouillées.

— Depuis l'enfance…

Il se rendra vite compte que je lui réponds distraitement, car mon regard est fixé sur les muscles de ses omoplates en pleine action.

— Tu as un drôle d'accent. Tu viens d'où ?

— Du Lac-Saint-Jean.

— Ah ! dit-il simplement, sans grand intérêt. J'ai un oncle qui habite Chicoutimi. Donc tu es une « Bleuet » ?

— Ouais, si on veut.

— Il y a des bizarres d'expressions là-bas, fait-il d'un ton moqueur. À cause…

— … là là, complété-je. Oui, je sais.

Dan comprend rapidement que le sujet ne m'enthousiasme pas. Je suis fière de mes origines, alors elles ne sont pas un sujet de plaisanterie. Surtout pas avec un inconnu. Il lance les serviettes détrempées dans la chaudière qu'il soulève sans effort. J'en déduis qu'il se dirige vers la salle de bain. Je reste debout au milieu du salon, les pieds mouillés. *Encore une fois.* Je n'ose pas m'asseoir sur le canapé de cuir, il y aurait trop de choses à déplacer. Qu'il soit hors de portée pendant un instant me permet d'observer le décor. Plancher flottant – c'est le cas de le dire ! –, murs verts, longs rideaux bourgogne. Un appartement qui a de la classe même s'il est typiquement masculin. Bien qu'il soit identique à celui de Sophie, il me paraît plus petit. Peut-être à cause du désordre. La poussière roule dans les coins, et je passe à un cheveu de trébucher sur une caisse de bières vides. Le calendrier de femmes nues au mur est le seul élément qui m'agace vraiment.

— Veux-tu quelque chose à boire ?

Je tressaille en me retournant. Je ne l'avais pas entendu approcher. Il a une pile de serviettes propres entre les mains. Décidément, pour un célibataire qui vit seul, il a un trousseau que ma grand-mère envierait.

— Non, merci.

J'ai suffisamment la tête qui tourne comme ça. Je reporte mon attention sur le sol encore humide. Quelques gouttes d'eau s'échappent toujours du plafond. Nos trois douches de suite ont créé un dégât monstre. En silence, Dan et moi nous affairons à tout essuyer. Ses regards et ses doigts qui touchent les miens à la moindre occasion rendent l'exercice presque plaisant. Je me surprends à répondre à ses sourires, à passer une main aguichante dans mes cheveux, à m'incliner légèrement devant lui pour multiplier les frôlements.

Cet homme a assurément un charme particulier pour m'inciter à agir ainsi. Il m'attire dans ses filets ; je ne me reconnais pas. J'ai toujours déploré ce genre de jeu de séduction si cliché entre deux inconnus. Celle qui n'a qu'un homme en tête, qui ne se permet même pas un sourire en coin à son voisin de bureau de peur qu'il soit mal interprété, c'est moi. Même si David m'offre un aspirateur pour mon anniversaire, même s'il préfère arracher les pissenlits sur la pelouse un à un sous un soleil d'été accablant plutôt que de m'accompagner au spa, même s'il ronfle à me garder éveillée plusieurs heures par nuit, il est mon compagnon. Je suis fidèle. *Non ?* Je ne sais pas, je ne sais plus... Me trémousser le haut du corps sous les yeux hardis de Dan me fait éprouver un agréable vertige.

*Je ne veux que m'amuser un peu.*

Comme l'eau semble s'être infiltrée sous les meubles, je prends courageusement l'initiative de déplacer l'étagère qui supporte un immense écran plat. Mais c'est plus lourd que je ne le croyais. Je ne réussis qu'à faire dégringoler quelques cadres, et le téléviseur ballotte sans reculer d'un centimètre. Soudain, Dan bondit à mes côtés. Je pense qu'il veut simplement m'aider, mais ses deux bras agrippent la tablette au-dessus de ma tête. Je retiens mon souffle en voyant l'étagère de bois qui est dangereusement inclinée vers moi. Je n'ose plus bouger, je ferme les yeux. Dan repousse le tout sans trop d'effort.

— Ouf ! Tu as failli faire une rencontre pas très joyeuse avec ma télé !

J'ai suffisamment dépensé aujourd'hui sans avoir l'achat d'un téléviseur haut de gamme sur la conscience. Une grimace de douleur remplace soudainement le sourire de Dan. Quand il étreint sa main droite, du sang gicle sur son pantalon. Je n'aime pas le sang, mais à force d'enseigner à des petits bouts de chou qui se cognent la tête partout, je m'y suis faite. M'étant rapprochée, je déduis rapidement qu'il s'est coupé sur un clou. Dan ne réagit pas. Il est figé, silencieux.

J'attrape une serviette restée au sol.

— Tiens, fais une pression sur ton doigt.

Il n'a aucune réaction. Il tangue un peu vers la droite. Pour la première fois, je m'inquiète.

— Dan, ça va? dis-je en passant une main devant son visage inerte.

La couleur de sa peau tourne au blanc et ses yeux sont vides. Il ne semble pas me voir.

— Je ne me sens pas très bien, murmure-t-il difficilement.

Il vacille d'un pas. Son pied bute contre la chaudière au milieu de la pièce. Je passe son bras autour de mes épaules et le traîne jusqu'au divan. Dan s'y effondre comme une crêpe. Ma main est maculée de sang. Je prends l'initiative de soulever légèrement ses jambes à l'aide d'un coussin, puis je cours chercher une serviette mouillée et l'applique sur son front. Il est en sueur.

Dan me paraît tout à coup beaucoup moins attirant. Ce bel homme viril panique pour quelques gouttes de sang!

— Quel idiot je fais! clame-t-il en reprenant ses esprits. J'ai peur du sang.

Je m'installe à ses côtés. Je dégage son doigt de la serviette avec délicatesse pour essuyer la plaie. L'entaille est profonde.

— Tu as peur du sang et tu es pompier ?

Il tourne lentement la tête dans ma direction.

— C'est Sophie qui t'a dit que j'étais pompier ? demande-t-il avec une once de surprise dans la voix.

— Oui, réponds-je timidement.

— Je n'ai pas de problème à voir les blessures des autres, soupire-t-il. Mais sur moi, c'est une autre histoire.

Son doigt est coupé sur toute la longueur.

— Tu devrais aller à l'urgence. Tu auras probablement besoin de quelques points de suture.

Il blêmit encore un peu plus, si cela est possible. Il a l'air d'un petit garçon perdu qui cherche sa mère.

— Je peux t'accompagner, si tu veux.

Dans quoi suis-je en train de m'embarquer ? Je manquerais notre sortie de filles pour passer une soirée à l'hôpital avec un inconnu qui a peur de son sang ? Je me sens mal, car c'est à cause de moi qu'il est dans cet état. Je pourrais au moins le conduire ? *Oui mais, avec quoi ? Un autobus de la ville ?*

Dan me tape le genou. Mes yeux s'agrandissent d'horreur en voyant un accroc dans ma robe. Comment est-ce arrivé ? On dirait qu'un chien l'a mordue. Je pourrais la recoudre, mais je n'y connais rien en couture. Est-ce que Sophie a une aiguille et du fil ? Claudia doit savoir comment faire. Au pire, peut-être qu'un bout de ruban adhésif me dépannerait ? *Ma robe noire de trois cents dollars !*

Dan me ramène à ses problèmes, qui sont, selon moi, beaucoup moins dramatiques que le mien.

— Non, ça va, je suis un grand garçon. Tu peux aller à ta soirée de filles. Mon cellulaire est dans ma poche arrière, peux-tu m'aider à l'attraper ? Je vais tenter de joindre ma mère.

*Ah ! Un autre fils à maman !* Je songe à lui offrir l'option du taxi pour sauver sa réputation.

Si c'était une ruse pour que je me rapproche de lui, c'est réussi. Je suis pratiquement à califourchon sur Dan, et je tâte son derrière à l'aveuglette pour trouver son téléphone. *Je vais agrandir la déchirure de ma robe.* Il ne cache pas son amusement. Je me demande pendant une seconde s'il ne se moque pas carrément de moi. J'extirpe difficilement l'appareil de sous son corps. Il m'offre un sourire faiblard en guise de remerciement. Décidément, il est un peu pathétique.

— As-tu une trousse de premiers soins ?

Sa main retombe mollement dans le vide, et il ferme les yeux.

— Dans le placard en face de ma chambre.

Après ce vague renseignement, je me lance à la recherche du placard en question. Je croise la salle de bain, un bureau où un ordinateur portable trône seul au centre de la surface de travail. Évidemment, la beauté bien roulée qui déguise son écran ne m'étonne pas. En arrivant au bout du couloir, je ne peux m'empêcher de jeter un œil dans sa chambre. Le lit est à moitié défait, des bas et des caleçons Calvin Klein forment un petit tas à côté, et une pile de vêtements désordonnés a été abandonnée sur une chaise. Il doit y en avoir des filles qui passent dans ce lit-là !

Je fais un tour sur moi-même, tire prudemment sur la poignée d'un placard, en espérant que ce soit le bon. Un balai me saute dessus. Je saisis rapidement la petite trousse blanche marquée d'une croix rouge.

Je me presse dans le couloir, mais une ombre coupe mon élan. Un homme immense, sombre et d'une immobilité irréelle est appuyé contre le cadre de porte. Surprise, je porte une main à mon cœur non sans échapper un cri strident. Finalement, je pousse un soupir de soulagement silencieux. L'homme qui me regarde avec un sourire en coin n'est nul autre que Vincent Grandbois.

Je comprends pourquoi tant de ragots circulent à son sujet : il est si déstabilisant. Ses bras sont croisés sur sa poitrine de colosse, son pied droit repose nonchalamment contre le gauche et il observe la scène avec amusement. Dan lève la tête.

— Vince ! Vieux ! Qu'est-ce que tu fais là ?

— Ce serait plutôt à moi de te demander ça.

Il s'approche de sa démarche assurée.

— Tu t'es fait une égratignure ? dit-il en se penchant sur Dan.

— Je me suis carrément scié le doigt, tu veux dire.

Autant mon malaise que ma surprise de voir Vincent font trembler ma voix.

— C'est ma faute…

L'Amérindien ne tourne que les yeux dans ma direction.

— Vous avez joué dur.

Vincent s'accroupit près de Dan sans quitter mon regard. Il se demande clairement ce que je fais là. Alors qu'il retourne sèchement la main de Dan vers le haut, ce dernier émet une plainte semblable à celle d'un enfant.

— Hé ! Fais attention, bâtard !

— Tu as besoin de points de suture.

— Je sais, grogne Dan. Je ne peux pas conduire, alors je vais appeler maman.

— Maman ? Inutile de la déranger pour si peu, je vais te conduire à l'hôpital. Va te mettre quelque chose sur le dos.

Dan s'assied prudemment en se tenant la main. On dirait qu'il va mieux, mais son teint est encore trop pâle pour le confirmer. Avec ses cheveux noirs, il a l'air d'un vampire. Il sursaute quand je nettoie la plaie à l'aide d'une compresse humide et stérile. Vincent entoure le doigt blessé d'un pansement comme s'il avait fait ça toute sa vie. Dan se charge de stabiliser le tout avec ce qui ressemble à du papier collant, puis il se redresse d'un pas incertain. Il titube jusqu'à la chaise où il a laissé sa chemise plus tôt.

Vincent se relève, les poings enfoncés au fond de ses poches. Je piétine bêtement devant lui, cherchant quelque chose à dire.

— Merci pour mon sac à main.

— De rien, dit-il en levant la tête.

C'est alors qu'il voit le dégât d'eau. « Oh ! Encore ! » s'exclame-t-il.

Il tend la main vers le plafond. Il s'étire à peine pour le toucher du bout des doigts. D'un coup sec, il enfonce son poing dans le lambris ; celui-ci se brise sous l'impact.

— Hé ! Mon plafond ! s'écrie Dan.

— L'eau doit s'écouler. On a besoin de voir d'où elle provient exactement.

Dan glisse ses pieds dans des souliers sport en ronchonnant.

— Foutue plomberie !

Il oublie sa blessure pendant un instant, palpe la tuile à son tour de sa main intacte. Soit les plafonds sont vraiment bas, soit je suis vraiment petite. Les deux hommes échangent un charabia au sujet de tuyaux, de valves et de robinets. « Il n'avait pas remplacé le drain la dernière fois ? » demande Vincent. « Non, seulement débloqué... » répond Dan dans un jargon de construction. L'air songeur, l'Amérindien se gratte le menton. « Il aurait dû le faire. Maintenant, ça coûtera le double du prix à réparer. » L'aisance avec laquelle ils discutent ensemble évoque une belle amitié. D'ailleurs, Vincent est plus volubile en compagnie de Dan. Que je sois témoin de cette scène est complètement absurde. Je devrais être à l'étage

en train de saupoudrer mes cheveux de brillants multicolores ou mieux, de recoudre l'accroc dans ma robe.

Je reste en retrait. Je les écoute parler d'une ligne imaginaire de la tuyauterie.

— Ah ! ces ingénieurs... lancé-je à brûle-pourpoint, plus pour moi-même que pour eux, tout en tirant sur un fil qui dépasse sous mes aisselles.

*Il y avait une garantie sur cette robe ?* Je ne l'ai sur le dos que depuis cinq minutes et déjà, elle tombe en lambeaux.

Vincent et Dan se taisent sur-le-champ. Pour eux, je viens d'apparaître dans le décor. Leur beauté me frappe. Dan est physiquement parfait. Des lèvres pleines, des yeux vifs, des bras musclés mais pas trop, des fesses... *Oh ! des fesses !* Était-il sur le calendrier de l'an dernier ? Celui qui circulait dans la salle des profs...

Non, celui qui devrait être sur la couverture d'une publication quelconque, c'est Vincent. Il serait parfait sous un titre du genre « Romance dans les Adirondacks ». Il est plus grand, plus impressionnant, plus mystérieux. Il est impossible de ne pas le contempler, bouche ouverte, cerveau sur le pilote automatique. La fossette qui se creuse sur sa joue lorsqu'il sourit est rassurante. Il donne envie de se blottir dans ses bras protecteurs, de laisser un frisson nous transporter au contact de sa peau chaude et basanée. Il a l'étoffe d'un héros dans un film à gros budget. Il pourrait facilement avoir le rôle de l'inspecteur de police respecté. Ou du grand manitou aux immenses pouvoirs magiques, si je me fie aux dires de Sophie.

— As-tu quelque chose contre les ingénieurs ? s'enquiert Dan pendant que Vincent sourit malicieusement.

— Euh... non, pas vraiment.

— Tant mieux !

Je sens que je me suis mis les pieds dans les plats. J'essaie de rassembler mes idées, mais malheureusement, les deux paires d'yeux rivées sur moi m'enlèvent tous mes moyens.

— Je me disais seulement que, trop souvent, les ingénieurs adhèrent à de grands concepts sans avoir expérimenté l'efficacité d'un produit, expliqué-je avant de me racler la gorge.

C'est vrai, combien de fois le plan ne concorde-t-il pas avec les résultats escomptés ? *Essayez d'assembler un meuble Ikea sans qu'il vous reste des morceaux à la fin !* Je me fais toute petite devant leur silence, l'expression coquine de leur visage, leurs épaules qui sautent. Je saisis que ce n'est probablement pas un ingénieur qui a élaboré le plan de la simple tuyauterie d'un immeuble à logements.

— C'est que... je suis ingénieur, m'annonce Vincent.

Dan éclate d'un rire franc. *Il a repris des couleurs, celui-là !* Vincent plante son regard dans le mien. Je veux fermer les yeux et me téléporter chez Sophie pour y retrouver ma fierté. Je ne devrais même pas être ici. D'ailleurs, un bruit de talons agités martèle le plancher au-dessus de nos têtes. Je cache bien mal mon envie de prendre mes jambes à mon cou ; je m'efforce de faire un pas convaincant. Mon but est de rester de marbre, de passer devant eux le menton haut. Ils arborent toujours leur bouille de petits garçons complices dans un mauvais coup. Dieu qu'ils sont adorables !

Malheureusement, une flaque d'eau oubliée sur le plancher a raison de mes talons hauts. J'essaie de m'accrocher au dossier d'une chaise. Je vois déjà dans ma tête les images qui s'ensuivront. Je m'écroule au sol comme une pâte molle, refoulant la douleur lancinante à mon genou. Ma robe retroussée jusqu'à la taille laisse paraître la dentelle noire de ma culotte. Décidément, Vincent aura vu tous mes dessous avant la fin de la soirée.

Il me tend la main pour m'aider à me relever. J'ai l'impression d'avoir des patins à la place de mes escarpins tellement je suis instable.

— Bon, allons-y avant qu'un autre accident n'arrive, déclare Vincent qui ne délaisse ma main qu'une fois que j'ai retrouvé mon équilibre. Jamais deux sans trois !

Dan soupire en enfilant sa veste à la hâte.

— Toi et tes superstitions stupides !

— Avoue que je me trompe rarement, indique Vincent très sérieusement.

Dan se penche vers moi. Je ne vois que son visage ; ses yeux bleus ont repris vie.

— Merci pour ton aide, Mahée. On remet ça, si tu veux, mais dans de meilleures circonstances.

Je toussote, éprouvant une certaine gêne. J'ai apprécié sa compagnie, c'était un délicieux spectacle pour les yeux, mais c'est tout. Dan se retourne vers Vincent qui patiente toujours.

— Mon malaise est passé. Je peux aller seul à l'hôpital.

— Amène-toi, fainéant ! clame Vincent en lui tapant sur l'épaule. S'il fallait que tu voies une goutte de sang sur ton volant ! Je ne voudrais pas avoir ta mort sur la conscience.

Il le laisse passer devant. J'attends que Dan soit hors de portée, puis je me rapproche de Vincent à la limite du raisonnable.

— Bonne chance avec lui, chuchoté-je en souriant malgré moi.

— Je lui donnerai quelques Advil supplémentaires s'il est trop tannant.

— Ta soirée est perdue, on dirait, dis-je, visiblement déçue.

— Tu penses vraiment que je vais moisir avec lui tout ce temps en lui tenant la main ? On se voit plus tard.

L'idée de le revoir dans la soirée fait grimper mon rythme cardiaque tout comme la température de mes joues. Je croise nerveusement les doigts pour reprendre contenance. Rien à faire, je m'imagine déjà danser un *slow* langoureux dans ses bras au petit matin. Ce moment où ceux qui ont trop bu roulent sur le plancher, tandis que les autres se tripotent en se trouvant beaux à la lueur des projecteurs. Son bassin contre le mien, ses grandes mains sur mes fesses, mes mains autour de son cou... J'essaie de chasser les pensées peu chastes qui me traversent l'esprit lorsqu'il dévale l'escalier pour rejoindre Dan qui est déjà dehors.

*David, David, David…*

Je remonte en vitesse chez Sophie. Je dois téléphoner à David, entendre sa voix rauque, revenir à ma réalité. J'espère que son traditionnel « C'est toi, chérie ? » résonnera dans l'acoustique, que son « Bonne soirée, je t'aime » me fera vibrer comme il le faisait à une époque pas si lointaine. La journée a été tellement mouvementée et David est si loin que j'ai la désagréable impression qu'il n'existe pas, qu'il fait partie d'une vie parallèle.

Le portrait qui s'offre à moi quand je franchis le seuil de chez Sophie me catapulte dans un autre univers.

— Il était temps ! crie Sophie, hystérique.

— Qu'est-ce qui se passe ?

Un coup d'œil sur ma gauche me permet de voir Claudia assise au salon, les jambes croisées avec classe, son cellulaire à l'oreille. Rien d'anormal jusqu'à ce que Sophie place son pied sur une chaise.

— Regarde.

— Oh !

On dirait qu'elle a laissé tomber la bouteille de ketchup sur sa robe blanche.

— Le maudit vernis.

Claudia choisit ce moment pour abandonner son téléphone. Son regard passe de ma tenue déchirée à la hauteur du genou à la robe souillée de Sophie. Si je ne sais trop comment réagir, Sophie, elle, est rouge de colère.

— Eh bien, les filles, les hommes nous verront au naturel ce soir. Allez vous changer, on remet nos vieilleries ! déclare Claudia sur un ton décontracté qui ne colle pas avec la situation.

Elle enlève aussitôt sa robe. Ça, c'est de la solidarité féminine. Pourquoi pas ? Même si j'ai un coup au cœur en retirant ma tenue de soirée, je me console un peu en songeant que nous n'avons pas dépensé un sou pour tout ça. Nous lançons nos vêtements sur le plancher du salon dans un fou rire. Sophie nous imite avec moins de conviction.

Quand Claudia s'élance dans la chambre, je lui emboîte le pas. J'oublie David.

# 8
# Patron?

Nous sommes toutes les trois entassées sur la banquette arrière d'un taxi. Le chauffeur nous retourne sa fumée de cigarette sans se soucier de nos petits poumons roses.

— Je vous l'avais dit qu'on aurait dû prendre ma voiture, grogne Claudia entre ses dents. On va empester la boucane pour le reste de la soirée.

— C'est interdit par la loi, monsieur, dit Sophie à haute voix à l'intention du vieux bougon qui tient le volant.

L'homme dans la soixantaine nous regarde suffisamment longtemps pour que je m'inquiète du feu de circulation qui tourne au rouge et qu'il ne semble pas voir.

— Je n'en ai rien à foutre de la loi. Prenez le bus la prochaine fois, mes petites dames.

C'est l'appel du vin et de la sangria qui a convaincu Claudia qu'il était plus sage de prendre un taxi. Et en plus, cela ne faisait pas trop « transport en commun ». Disons que notre promenade n'aura rien pour la convaincre de renouveler l'expérience. C'est irrespirable ! Sophie baisse sa fenêtre pour nous donner un peu d'air frais. Nous aurions pu faire le trajet à pied, car le restaurant n'est qu'à quelques rues de chez Sophie. Cependant, le vent qui s'est levé, mêlé à la pluie, et la hauteur de nos talons nous en ont enlevé toute envie. Nous options pour le taxi ou il nous fallait renoncer à nos mises en plis !

Nous arrivons saines et sauves au restaurant.

— OK, les filles, à *go*. Un, deux, trois… *go* ! s'écrie Sophie, accrochée à la poignée.

La portière s'ouvre sur une bourrasque de vent. Claudia me pousse sur le trottoir. Je cours sur la pointe des pieds pour ne pas éclabousser mon pantalon. Les gouttes de pluie s'épaississent pour se mélanger à de gros flocons de neige qui collent à nos cheveux. Finalement, une chance que je ne porte pas ma robe noire à… combien déjà ? Elle aurait été fichue de toute façon.

Cette fois, j'ai laissé mon sac à main bien à l'abri sous le lit de Sophie. Même un voleur ne le trouverait pas. Ma carte de crédit et mon permis de conduire sont dans ma poche. C'est tout ce dont j'ai réellement besoin. J'aurai donc seulement ma veste à surveiller ; c'est déjà bien assez dans une sortie où l'alcool coule à flots. *Quoique l'an dernier, nous sommes toutes rentrées au petit matin en chandail sans manches.* Quant à mon billet de loterie, il repose toujours au chaud contre mon buste. Le tirage est en fin de soirée ; je devrai penser à vérifier les résultats. J'ai confiance. Ce billet sera peut-être la réponse à tous mes questionnements. Tiens, si je gagne, je ne retourne pas au Lac-Saint-Jean, je quitte David pour m'installer à Montréal dans un château. *N'importe quoi.*

Un jeune serveur portant un nœud papillon noir nous regarde entrer avec un demi-sourire. Son tablier trop serré à la taille nous étale toute sa maigreur ; on dirait qu'il va se casser en deux. Je me demande s'il a dix-sept ans, car il a encore une peau de bébé et de petites rides juvéniles au coin des yeux. Nous avons probablement l'air de trois sœurs volantes qui viennent d'atterrir dans une tempête de vent. La mise en plis de Sophie est à l'eau, les cheveux de Claudia pointent dans tous les sens et les miens sont… eh bien, je ne veux pas le savoir.

J'évite la glace qui longe le mur d'en face. Je retire ma veste tout en me concentrant sur les petites fesses étroites de Victor. Comment peut-on s'appeler Victor à dix-sept ans ? C'est le prénom d'un gros bébé joufflu ou d'un retraité qui perd son temps sur un terrain de golf. Un cégépien encore imberbe ne se prénomme pas Victor… M'enfin !

Nous ne portons peut-être pas nos tenues à mille dollars, mais quelques têtes se retournent sur notre passage. À moins que ce ne soit à cause de nos chevelures hirsutes. Malgré la mauvaise température, nous ne sommes pas les seules à avoir eu l'idée d'un bon steak grillé, car la place est bondée. La musique trop forte oblige les gens à élever la voix pour se parler, les écrans sur tous les murs diffusent un match des Canadiens contre Toronto. Une troupe d'hommes autour du comptoir se lèvent en criant à l'injustice : Pacioretty vient de prendre une pénalité pour avoir fait trébucher un adversaire. La rencontre est amorcée depuis à peine cinq minutes et le légendaire CH tire de l'arrière par deux points. *Ça augure mal.*

Je n'aime pas particulièrement le hockey. Perdre soixante minutes à regarder une dizaine de mâles courir après un morceau de caoutchouc a quelque chose d'un peu loufoque. *Si, au moins, on pouvait admirer leurs corps d'athlètes à travers leurs uniformes.* Cependant, puisque vivre avec David implique de voir mon téléviseur bloqué sur une seule chaîne, soit le Réseau des sports, je connais mon hockey.

Chaque règlement m'a été expliqué en détail; j'apprends la rotation des joueurs sur le banc durant les commerciaux, un chandail avec le logo de toutes les équipes fait œuvre de décoration au-dessus de notre tête de lit. Ça donne un certain style. Au fond, je suis chanceuse. David aurait pu développer une passion pour le football, et là, ça aurait été plus compliqué. *Il y a combien de quarts dans une partie déjà?* David vendrait son bras pour son hockey du samedi soir. J'ai cru qu'il allait faire une dépression lors du dernier *lock-out.* C'est la NHL sur sa Xbox qui l'a sauvé! Notre salon s'est alors transformé en garderie pour hommes en deuil de leur sport fétiche. Il n'y avait pas plus heureux sur la terre que David lorsque je lui ai offert une paire de billets pour un match au Centre Bell, dans les rouges, pour Noël. Étrangement, il ne m'a jamais demandé combien ils avaient coûté.

Victor nous indique une banquette à l'arrière. Sophie et Claudia se chamaillent pour savoir qui s'installera au fond, collée sur la grande vitre froide. Finalement, ce sera moi. Le vent qui se déchaîne à l'extérieur fait vibrer la fenêtre, tandis que la fausse plante verte et poussiéreuse qui sépare les deux banquettes me chatouille la nuque.

— Je vous sers un apéritif, mesdames ? demande Victor d'une voix trop rauque pour son apparence.

— Une sangria ! s'exclame Claudia.

— Une Smirnoff, dit Sophie.

— Un verre de...

Je suspends ma phrase. Mes yeux sont attirés par un homme en mouvement au loin. Je rêve ou je viens de voir Vincent Grandbois passer au fond de la pièce ? Je plisse le front. Les serveurs qui circulent dans tous les sens m'empêchent d'observer à ma guise. Ce serait étonnant que ce soit lui. À l'heure qu'il est, il est probablement assis sur une chaise droite à l'urgence et parle de drains avec Dan. Pourtant, je pourrais jurer que c'était lui. L'homme aux cheveux noirs dépassait tout le monde d'une bonne tête, et portait le même chandail rouge que Vincent...

— Que désirez-vous boire, madame ? insiste Victor en s'inclinant légèrement au-dessus de moi.

Je ramène mon regard sur l'adolescent. Le sourire sur son visage ne rejoint pas ses yeux. Son regard dit clairement : « Je n'ai pas que vous à servir. »

— Un verre de blanc. Ah oui, autre chose...

Il arrête son élan, revient sur ses pas, visiblement agacé. Notre voisin de table, un vieil homme chauve à la barbe blanche, grogne d'impatience. Il attend son tour pour commander son quart de cuisse avec une purée de pommes de terre à la place des frites. Je lui lance un regard innocent tout en m'adressant à Victor.

— Le restaurant a-t-il une politique sur les allergies ?

— Une politique sur les allergies? répète-t-il en détachant chaque syllabe comme si j'étais attardée.

*Il n'a aucune idée de quoi je parle.*

— Oui, un document comportant la liste des plats et leurs ingrédients, ainsi que vos procédures de cuisson.

Il me laisse en plan sans répondre à ma question. En fait, il se sauve littéralement. Un autre serveur, plus âgé, plus expérimenté aussi, se pointe. Je dois recommencer mon baratin en mentionnant mes allergies. Le serveur est impressionné par mon énumération et ne comprend pas la moitié des termes. Finalement, on me dit de choisir mon plat ; ils verront ensuite à s'assurer que celui-ci convienne à ma condition. *Rien de rassurant.* Je meurs ce soir, c'est sûr.

Claudia laisse enfin son cellulaire de côté pour lever son verre. Au nombre de messages textes que son Patrick lui envoie dans une minute, je leur souhaite sincèrement d'avoir le forfait illimité.

— À notre sortie de filles ! déclare-t-elle pendant que je cherche toujours des yeux le colosse au chandail rouge.

— À la belle soirée qui s'annonce ! relance Sophie en frappant sa coupe contre la mienne.

J'arrête mon regard sur un couple installé quelques tables plus loin. Jeunes et amoureux, ils se touchent les mains au-dessus de leurs couverts. Je souris. Ils sont dans une bulle de verre que rien ne pourrait atteindre. Je me souviens de ma première sortie au restaurant avec David : un hot dog partagé à la cantine du coin. Nous n'avions pas les moyens de nous acheter un Pepsi. Maintenant, nous allons au restaurant deux fois par année. À la Saint-Valentin, pour la forme, et le jour de notre premier baiser, pour se convaincre que cette date est importante. Nous échangeons alors quelques phrases d'usage, puis je regarde le canal météo sur l'écran fixé au plafond au-dessus de la porte d'entrée du McDonald's pendant que David épluche les nouvelles du sport dans le *Journal de Québec*.

— Qui commence ? demande Sophie avec enthousiasme.

Instinctivement, je me tasse contre Claudia. Nous nous penchons ensuite toutes les trois vers le centre de la table avec fébrilité. C'est un moment que nous affectionnons beaucoup. C'est pratiquement la raison d'être de nos sorties de filles, une tradition qui traverse le temps. À tour de rôle, chacune fait le bilan de sa dernière année, puis doit y aller d'un aveu, d'une confession. Une révélation jusqu'alors inconnue des autres, un peu embarrassante et qui mine sa conscience.

Sophie toussote pour annoncer qu'elle veut prendre la parole. Je ramène mes poings sous mon menton pour l'écouter attentivement. Claudia m'imite. Si Sophie se lance volontairement dans les confidences, c'est qu'il y a quelque chose de sérieux. Le chant des serveurs qui se regroupent pour souhaiter joyeux anniversaire à un client nous parvient en sourdine ; nous sommes seules sur une île de Cancún – le sable et le soleil en moins.

— Comment vous résumer les douze derniers mois ? soupire Sophie.

— Moi, je veux tous les détails sur les performances de Tristan au lit ! s'enflamme Claudia.

*Et moi, sur celles de Richard Gere…*

— Laisse-moi parler ! Ce fut une année de changement : un nouvel appartement, un nouvel amoureux, puis récemment, un nouveau titre au travail.

Claudia et moi échangeons un regard de biais ; nous attendons la suite avec impatience. Sophie aiguise notre curiosité en nous racontant chaque étape de son déménagement, du transport des boîtes à la pizza servie à la fin de la journée. « Mon frère conduisait le camion. Mon père s'est foulé un pouce en déplaçant un fauteuil… » Mon pied gauche sautille d'irritation en apprenant que son Tristan n'a pas levé le petit doigt pour monter le réfrigérateur à l'étage, parce qu'il avait peur de se blesser et de ne pouvoir participer à son match de football le lendemain. En plus, Sophie paie sa part lorsqu'ils sortent au restaurant et il refuse de la présenter à ses amis, car elle les trouverait « ennuyants ». *Elle voudrait vraiment qu'il dépose sa brosse* à *dents à côté de la sienne dans la salle de bain ?*

— Il est beau, il me divertit et il baise bien.

— Ah ! ça explique tout alors ! glousse Claudia.

Sophie est la seule à ne pas rire. La sévérité qui brille au fond de sa pupille nous ramène vite à l'ordre.

— La vérité est que, malgré tout ça, je l'aime, je crois. C'est possible, non ? Même s'il n'est qu'un enfant gâté, même si sa mère plie son linge, même s'il préfère une partie de soccer à une soirée avec moi.

Claudia tend la main pour caresser doucement son avant-bras. Je serre les lèvres.

— Mais oui, c'est possible, ma chérie.

Sur le moment, elle me fait pitié, puis finalement, je la trouve chanceuse d'éprouver des sentiments aussi sincères pour quelqu'un, même si Tristan possède tous les défauts du monde. Ce n'est pas demain la veille qu'elle verra son amoureux aligner ses pantoufles près de son lit, elle le sait, mais au moins, une étincelle l'anime. Pour ma part, je n'ai pas de problème à cibler les défauts de David ; je ne sais juste plus si je peux affirmer que je l'aime toujours. Comment pourrais-je m'en assurer ? Me poser la question est doublement troublant.

Sophie regarde le fond de son verre, l'air un peu perdu.

— Je me montre donc patiente avec lui... Peut-être se rendra-t-il compte un jour que j'en vaux la peine.

Les malheurs de Sophie en trois actes. Pauvre amie, je lui souhaite vraiment de rencontrer la bonne personne qui saura la rendre heureuse. Elle le mérite.

— Parle-nous de ton nouveau poste, alors, Miss directrice des ressources humaines ! s'exclame Claudia. Il paraît que tu fais beaucoup d'heures supplémentaires ?

Sophie inspire profondément. Nous sommes pendues à ses lèvres, car ça sent l'aveu. Enfin, on arrive au bout de l'histoire qui m'intéresse vraiment! Victor doit percevoir le malaise ou il attend lui aussi la suite, parce qu'il reste planté à côté de la table et demeure muet.

— C'est pour prendre notre commande? ose Claudia à son intention sur un ton désagréable.

Il relève vivement son carnet de notes à la hauteur de sa poitrine comme s'il avait été surpris à faire un mauvais coup.

— Vous avez fait votre choix?

La façon dont il tient son crayon manque franchement de masculinité. Les filles dictent leur commande aussi simplement que possible: entrée, plat principal, boisson. Pour moi, c'est toujours un casse-tête chinois en trois dimensions même si je finis immanquablement par prendre une grillade et une salade sans vinaigrette.

— J'ai couché avec mon patron pour avoir ce nouveau poste, indique Sophie dans un moment plus ou moins approprié.

Victor sursaute et Claudia renverse la moitié de sa sangria sur mes cuisses. Je sens le liquide froid couler le long de mes mollets.

— Hé! Je suis toute mouillée maintenant!

Sophie pousse un petit cri sourd. C'est soudainement le brouhaha autour de moi. Victor éponge le liquide sur la table, Claudia me donne une pile de serviettes en papier, le gros monsieur d'en face se retourne difficilement pour voir ce qui se passe. Il n'est pas déçu par le spectacle.

— Je suis désolée, s'excuse Sophie.

Je me sens aussi envahie que Kate Williams lors de ses sorties publiques. «Je peux remplacer votre verre?» «Attends, je vais t'aider à essuyer ça.» «Veux-tu aller chez moi pour te changer?» Irritée, je repousse sèchement toutes ces propositions. Claudia s'extirpe de la banquette pour me laisser sortir.

— Ça va, ça va! Je reviens.

Je fonce vers les toilettes en camouflant tant bien que mal mon pantalon mouillé, état qui semble davantage résulter d'une incontinence urinaire que d'une sangria renversée. Quand je pousse la lourde porte, c'est le silence qui m'accueille. Mon regard tombe alors sur un pied inerte au sol, puis un mollet musclé suivi d'un genou. Un homme est allongé sur le plancher. Mon premier réflexe: refermer la porte pour vérifier que je suis bien dans les toilettes des dames.

Je regarde l'enseigne deux fois plutôt qu'une. Sans aucun doute, c'est bien l'image d'une petite fille assise sur un bol de toilette qui se balance sur le crochet.

Mon sang ne fait qu'un tour. J'imagine déjà une histoire d'horreur. Je veux reculer d'un pas, refusant d'être témoin d'une scène de crime, d'un infarctus. Je me vois alors au poste de police en train de raconter aux agents pourquoi je n'ai pas porté assistance à la pauvre victime. *J'avais la trouille!* J'entrouvre à nouveau la porte, les yeux mi-clos pour ne pas voir le pire. L'homme semble toujours immobile. Un juron monte dans l'air, un bruit de métal qui tombe me fait sursauter. J'étire le cou.

L'homme se glisse pour sortir de sous l'évier. Je croise ses yeux. Il cesse tout mouvement. Nous nous toisons quelques secondes, puis je reviens de ma surprise.

— Tu es passé d'ingénieur à plombier ?

— Oui, ça m'arrive, répond Vincent en souriant.

Il s'appuie au comptoir pour se relever, me surplombant de toute sa grandeur. Je l'observe timidement pendant qu'il vérifie la fluidité du robinet comme s'il était dans sa propre salle de bain. Je m'approche doucement, tire un bout de papier brun qui se déchire aussitôt. Une jeune fille entre dans la pièce ; un pli d'incertitude traverse son front en voyant Vincent adossé contre le lavabo. Elle s'enferme dans une cabine en vitesse.

— Tu n'es sûrement pas ici pour manger ? dis-je en frottant mon pantalon.

Vincent ne répond pas. Il semble écouter le son de l'eau dans les tuyaux. *Décidément, les tuyaux, ça le connaît !* Il n'est aucunement mal à l'aise de se retrouver dans un endroit exclusivement réservé aux femmes. Je remarque un étrange collier autour de son cou. Un cercle auquel trois plumes sont accrochées. Vincent suit mon regard par le miroir.

— C'est un porte-bonheur. Un truc qui traverse les générations.

Ce bijou, typique de son peuple, je l'ai souvent vu dans les vieux films de mon père. On sent qu'il est riche de tradition. Vincent s'est légèrement tourné vers moi. Lorsque je soulève prudemment l'objet entre mes doigts, il ne bouge pas et sa respiration est tranquille. La mienne, c'est une tout autre histoire !

— Une légende de sorcier, alors ? soufflé-je pour moi-même en me rappelant les paroles de Sophie.

J'ai réussi à capter son attention. L'air perplexe, il glisse les mains dans ses poches.

— Sorcier ?

— Euh... je veux dire, une légende d'Indien ?

— Pas Indien, Amérindien. À moitié, en réalité, car ma mère est québécoise.

Il pointe mon pantalon mouillé.

— Ça va ? Voudrais-tu aller te changer ?

— Non. Ne t'en fais pas, j'en ai vu d'autres.

Quoiqu'une seconde promenade en camion rouge ne me déplairait pas. Vincent ne bouge pas. *Il attend quoi ?*

— Merci encore de m'avoir conduite à bon port cet après-midi. C'était gentil de ta part.

Sa poitrine se soulève d'un long soupir. Mon compliment l'agace plus qu'il ne lui fait plaisir.

— Mahée, ça fait trois fois que tu me remercies. Je te le répète encore une fois : ce n'était rien, même pas un détour. Et puis, tu as mis du soleil dans ma journée.

— C'était une mauvaise journée ?

Il me regarde, pantois, puis son visage se rembrunit. *Il n'a pas envie de répondre.*

— C'est ça, une mauvaise journée.

Je bascule dans ses pupilles sombres. J'ai la nette impression d'y lire un chagrin profond. *Qu'est-ce qui ne va pas ?* J'en suis toute retournée ; c'est presque impensable d'être si grand et si blessé à la fois. Soudain, je crois qu'il s'approche doucement, mais je n'en suis pas certaine. Je ne vois que ses yeux, et non les deux filles qui entrent bruyamment derrière nous. Elles se taisent aussitôt, ne voulant pas interrompre le moment. Mon cœur bat trop vite, il résonne contre mes tempes. J'essaie de garder mon esprit alerte, de penser à mes copines qui m'attendent, à David qui mange seul devant le téléviseur à des centaines de kilomètres d'ici. *David ?* Pourquoi cette sensation de vide quand je songe à lui ?

La main de Vincent qui monte sur ma joue chasse tous mes soucis. Il n'y a plus que lui et moi. Où sommes-nous déjà ? Ah oui ! Dans les toilettes pour dames d'un restaurant montréalais. Malgré son visage impassible, ses yeux me retournent une expression mitigée. A-t-il envie de m'embrasser ? Il est tourmenté, cela ne fait aucun doute. Il est triste, voilà ! Ses grands yeux noirs reflètent une tristesse profonde. Un regard qui se veut séduisant, troublant. Il incline la tête. Je ne suis plus que du Jell-O sur deux pattes. *Qu'est-ce que je m'apprête à faire?* Je ne sais plus... Je suis un papillon qui vole trop près de la lumière, je vais me brûler.

Puis, brusquement, un moment de lucidité m'arrache à son emprise.

— Tu... euh... C'est embarrassant!

— Qu'est-ce qu'il y a, Mahée?

Il est encore si près, si tentant.

— As-tu mangé des arachides aujourd'hui?

Déconcerté, il recule d'un bond. Nos lèvres n'ont pas eu le temps de se toucher que je lui lance une question totalement désarçonnante. C'est bien moi, ça, de tout gâcher!

— Euh...

Il réfléchit en se grattant le menton d'un air sérieux. La magie s'est envolée. Les filles témoins de la scène sortent en douce, il n'y a plus rien à voir. Je n'ai pas le choix, je ne peux me permettre d'embrasser n'importe qui. Sinon, je risque de finir comme la Belle au bois dormant. C'est une question de vie ou de mort. Pourtant, ici, maintenant, je me dis que si la vie devait se terminer dans les bras de Vincent Grandbois, ce serait une fin plutôt romantique.

— Ce matin, au déjeuner, sur mes rôties, dit-il en fouillant encore manifestement dans sa mémoire.

*Zut!*

— Je me suis brossé les dents deux fois depuis, ajoute-t-il, confiant.

*Rezut!* J'aurais pu l'embrasser à pleine bouche sans problème alors. Le destin a parlé, encore une fois. Il faut croire que c'était mieux comme ça. Vincent me dévisage un instant, toujours trop près de moi.

— Tu es allergique, c'est ça? C'est dangereux à ce point?

En entendant la porte grincer derrière moi, je m'écarte de lui. Une autre jeune fille s'éclipse dans le couloir au moment même où Victor passe la tête dans l'ouverture.

— Patron, quelqu'un sur la ligne deux insiste pour vous parler. Il dit que c'est urgent.

*Patron?*

Vincent n'est pas content d'être dérangé. Le regard qu'il pose sur l'adolescent est peu commode. Je sens Victor défaillir, se faire petit; visiblement, il désire se confondre avec la peinture sur les murs. Pourtant, Vincent est calme. Il n'élève même pas la voix.

— Ceux qui ont à me joindre le font via mon cellulaire. Pour les autres, tu prends le message.

— D'accord, je ne savais pas.

La tête basse, Victor tourne les talons. Le colosse devant moi s'adoucit en remarquant mon regard de pitié à l'égard du serveur.

— Il s'en remettra, assure-t-il en ouvrant la porte.

Il me fait signe de le précéder, puis il me suit dans le couloir étroit et peu éclairé. Je ressens fortement sa présence. *C'est intimidant.*

— Tu as donc abandonné Dan à son triste sort ? J'espère que sa blessure n'était pas trop grave.

Nous débouchons dans la grande salle. Une serveuse qui tient un énorme plateau à bout de bras nous coupe la route, tandis qu'une autre fille court à la cuisine en criant qu'elle a le mauvais plat. Le bruit est soudainement si intense qu'une légère douleur frappe mes tempes.

— Ne t'inquiète pas pour lui, dit-il en pointant ma table. Comme tu peux voir, il va beaucoup mieux.

Une cheville remontée sur le genou opposé, Dan est tranquillement assis à côté de Claudia. Son bras est allongé sur le dossier derrière mon amie. La coupe de vin devant lui est à moitié vide ; on dirait qu'il est là depuis des heures. Je ne suis pas certaine que le mélange vin-antidouleur soit recommandé. Même de loin, je vois la tige qui retient son doigt bandé.

— Il a charmé l'infirmière en perdant connaissance dans ses bras, poursuit Vincent. Ils l'ont passé tout de suite.

— C'est une bonne tactique.

— Le pire, c'est que je suis convaincu qu'il ne faisait pas semblant, avoue Vincent avec un clin d'œil.

Mes copines se trémoussent comme des adolescentes devant Zac Efron. Elles redressent leur poitrine, battent des cils, et Claudia passe constamment la main dans ses cheveux. Je les entends roucouler d'ici. Elles ne sont pas les seules d'ailleurs, car les filles roulent les hanches lorsqu'elles passent près de lui.

— Je te laisse manger, dit Vincent en passant derrière le comptoir. Au fait, tu as trouvé quelque chose au menu qui convient à tes allergies ?

Je veux répondre : « Oui, bien sûr. » Je hoche plutôt la tête en marmonnant faiblement : « Ça va, je n'ai pas vraiment faim. » Je retiens mon enthousiasme, sinon je l'inviterais à manger avec nous. Je le regarde – que dis-je, je l'admire – lorsqu'il se verse une bière pression et boit une longue rasade. Les employés le contournent poliment. Décidément, le personnage que représente Vincent est nébuleux et intrigant. Est-il vraiment le propriétaire de l'endroit ?

Je retourne lentement à ma table. Je sens le regard de Vincent dans mon dos. Est-ce que le liquide collant qu'est la sangria a marqué mes fesses aussi ? Le nom de David clignote alors en rouge dans ma tête ; je ne dois pas l'oublier et je dois garder mon sang-froid. Je dérive de mon objectif. Ce petit congé, ce devait être un temps de réflexion, de remise en question, de décisions. Ce n'était peut-être pas une bonne idée, finalement. Il y a beaucoup trop de distractions autour de moi.

— Tu joues au hockey ? demande Sophie en s'adressant à Dan.

— Deux fois par semaine, précise-t-il fièrement en regardant son doigt blessé. Dommage que je doive manquer quelques parties, car j'avais un début de saison du tonnerre. À moins que je réussisse à jouer quand même…

— Quelle position ? demande Claudia qui ne connaît rien au hockey.

Dan se redresse avant de s'incliner un peu plus vers mon amie qui le dévore des yeux. Je suis littéralement invisible. Même les serveurs ne me portent aucune attention.

— Ailier droit, souffle Dan.

— Comme Patrick ! sourit-elle.

Heureuse de voir qu'elle ne l'a pas déjà oublié. Dan lève sa coupe avec un regard enjôleur. Ça frôle l'arrogance, selon moi.

— Congé forcé pour ce soir !

Une main masculine s'abat soudainement sur son épaule. Surpris, Dan se retourne vivement. Vincent lui fait de l'ombre, tenant trois assiettes en équilibre sur un seul bras. *Nos assiettes !*

— Laisse les filles manger en paix, prévient-il en déposant nos plats sur la table.

Il se penche à mon oreille.

— J'ai vérifié en cuisine. Il n'y a aucune trace d'arachides, ni gluten, ni produit laitier dans cette assiette.

*Il a pris la peine de vérifier la liste de mes allergies avec le serveur ?*

— Oh ! dit Dan en se levant rapidement. Bon appétit, les filles ! Vous allez voir, c'est la meilleure bouffe en ville.

— Allez, tire-toi d'ici.

Vincent le pousse dans l'allée. Dan se retourne pour crier au-dessus du bruit ambiant.

— À ce soir !

Mes amies jouent les séductrices encore une fois. C'est impressionnant de voir la gestuelle des gens changer en présence d'êtres un peu plus séduisants que la moyenne. Est-ce que j'ai l'air de ça devant Vincent ?

Je m'assieds devant mon steak sans sauce, sans huile et sans épices… et sans frites non plus. Pour seul accompagnement, il n'y a qu'une salade roquette. *Sans vinaigrette, sans huile et sans épices.* Mon filet mignon fait pitié tout nu au milieu de nulle part. Je ne soupire même pas ; j'ai l'habitude des menus fades quand je sors au restaurant. C'est pour cette raison que je n'y vais pas souvent. Normalement, j'apporte quelques éléments dans mon sac à main que je peux avaler sans risquer de finir la soirée à l'urgence.

— On dirait bien que le beau Vincent te court après, glousse Claudia à mon oreille.

— Chut !

— C'est vrai, je trouve que les hasards se succèdent un peu trop à son sujet aujourd'hui pour n'être que des hasards, justement.

*Mon Dieu, il faut la faire taire, lui confisquer son verre sur-le-champ !* Les paroles de Claudia auront vite l'effet désastreux de contaminer mes pensées.

— Il te retrouve partout où tu mets les pieds. C'est vrai qu'il est sorcier...

J'ai beau fouiller la pièce du regard, je ne vois pas Vincent. Cette façon qu'il a d'apparaître soudainement au moment où on s'y attend le moins, pour ensuite disparaître dans le décor, commence à m'agacer. Ai-je rêvé ou il a vraiment failli m'embrasser dans les toilettes ? Dan est assis sur un banc au comptoir. Tout en dégustant des frites maison, il regarde tantôt la partie de hockey sur l'écran, tantôt une fille qui passe dans son champ de vision. Il s'exclame au premier but des Canadiens.

— Bon, c'est quoi cette histoire de patron ? reprend Claudia, la bouche pleine de pennine aux crevettes.

Sophie étire le fromage de sa pizza végétarienne, extra olives. *Pour son régime !* J'attaque mon filet mignon rosé, comme je l'aime.

— J'ai vraiment couché avec Albert pour obtenir de l'avancement, avoue honteusement Sophie.

Je manque de tomber de ma chaise.

— Il s'appelle Albert pour de vrai ?

— J'espère que ça en a valu la peine ? As-tu joui, au moins ? demande Claudia comme si elle parlait de la pluie et du beau temps.

— Claudia !

— Quoi ? Les vieux, parfois, nous réservent des surprises.

— C'était une belle erreur, murmure Sophie.

Elle dépose sa fourchette dans un geste qui se veut dramatique. Elle secoue la tête. Oh non ! elle va pleurer ! *Son maquillage !* Victor sauve la mise en se pointant au bon moment pour une fois avec une bouteille de vin rouge dans une main, et trois coupes dans l'autre. Totalement dans mes goûts, ce vin : un australien vieux de cinq ans.

— C'est la maison qui offre, dit-il en entrechoquant maladroitement les verres.

— Eh bien, il a de la classe, ton Indien ! s'exclame Claudia en reniflant le vin.

— Pas Indien, Amérindien, précisé-je avant de faire tourner la première gorgée dans ma bouche.

— Peu importe. Il est chouette, finalement, ton Vincent.

— Ce n'est pas MON Vincent, protesté-je en frottant la main de Sophie qui, honnêtement, m'inquiète un peu avec son histoire de vieux pervers.

Un grognement met fin à nos plaisanteries. À bien y penser, ce n'était pas un grognement, mais plutôt le rugissement d'une lionne en furie. Les joues de Sophie sont rouges, ses doigts tremblent.

— C'est sérieux, ce que j'essaie de vous raconter. Je n'en ai rien à foutre de ton Indien, dit-elle en sortant les crocs.

— Amérindien, rectifie Claudia du bout des lèvres.

Mes épaules qui sautent trahissent le fou rire qui me secoue la rate. Nous avons toujours pris plaisir à nous moquer du sens du drame de Sophie. Dans son cas, prendre la mauvaise sortie sur l'autoroute est une catastrophe, et un rendez-vous manqué, la fin du monde. Combien de fois l'ai-je vue se mettre dans tous ses états parce qu'elle devait changer ses plans ?

Le coup de pied de Claudia sous la table me fait grimacer. Je frotte mon genou. Il sera bleu demain matin, j'en suis certaine. Mon regard signifie : « Veux-tu que je te charcute le gros orteil avec mon talon ? »

— Est-ce que je peux parler, maintenant ? s'enquiert Sophie d'un ton las qui me sensibilise à sa cause.

— Vas-y, ma chouette, l'encourage doucement Claudia.

Sophie reprend sa fourchette, enfourne une bouchée, puis une autre. Elle se met à s'exprimer aussi vite qu'elle mange.

— C'est arrivé pour la première fois il y a six mois environ, quelques semaines à peine après mon embauche, marmonne-t-elle tout en mastiquant.

— Tu couches avec ton patron depuis six mois ? m'écrié-je, presque insultée qu'elle ne se soit pas confiée à nous plus tôt.

— Regardez vos têtes ! Pas étonnant que je n'aie pas sauté sur le téléphone pour vous en parler, bredouille Sophie en poussant les piments verts sur le bord de son assiette.

Elle a raison. Non seulement nous ne la laissons pas placer deux mots sans intervenir, mais le jugement perle dans nos voix. Peut-être parce qu'il s'agit de Sophie, que nous imaginions solide, droite et sans détour. Des amourettes avec ses patrons, Claudia en comptait des dizaines. Sophie était la première à lui faire la morale, à prendre la défense de ces femmes qui attendent à la maison avec les enfants en pensant que leur mari travaille fort.

— Il est marié ? demande justement Claudia qui a lu dans mes pensées.

— Oui, mais je ne le savais pas.

— Évidemment, il ne s'en est pas vanté !

— Tristan avait alors décidé qu'on ne se verrait pas pour quelque temps. «Je veux valider l'intensité de notre amour, vérifier si je peux m'ennuyer de toi…» m'avait-il donné comme excuse. Bref, je me sentais libre, j'étais la petite nouvelle dans la compagnie et je voulais prouver mes compétences. J'étais la première à déposer mon porte-documents sur mon bureau le matin, et j'éteignais les lumières en partant le soir.

Elle s'arrête pour boire une gorgée de vin, puis recommence à manger de façon compulsive. *Je ne l'ai jamais vue dévorer une assiette à ce rythme.* Elle poursuit sans se soucier de Claudia qui est penchée sur son cellulaire.

— Une fois, il m'a invitée à prendre un verre pour me remercier de mon dévouement. Finalement, nous avons fait l'amour dans sa Cadillac, au milieu du stationnement.

— En équilibre sur le levier de vitesse ? dit Claudia en relevant la tête.

— Tout ce que tu peux imaginer.

L'image que j'ai de son Albert, alias Richard Gere, avec ses soixante ans bien sonnés, me laisse perplexe quant à ses capacités sexuelles. Je l'avais davantage perçu comme un gros nounours dodu qu'il fait bon serrer dans ses bras plutôt que comme une bête de sexe. Mais c'est vrai que son coup de hanche faisait vraiment trembler les murs cet après-midi. Il faut croire que l'habit ne fait pas le moine.

— Nous avons recommencé le lendemain matin dans son bureau, puis le jour suivant, dans la salle de conférence. L'excitation de l'interdit, le fantasme de l'inatteignable. La recherche d'un nouvel endroit, l'essai d'une nouvelle position...

— Et d'un nouveau poste ! renchérit Claudia.

Sophie se referme sur elle-même. Claudia vient de mettre le doigt sur la plaie.

— Oui...

Une fois de plus, c'est moi qui prends sa défense :

— Tu n'as pas à avoir honte. Tu n'es pas la première à qui ça arrive, hein, Claudia ?

Cette dernière me regarde, l'air indigné comme si je lui avais prédit que sa mort surviendrait dans les quarante-huit prochaines heures.

— Je n'ai jamais couché avec un de mes patrons dans le but d'avoir une promotion ! Bon, j'ai eu droit à quelques avantages, oui, mais je n'ai jamais été promue pour autant. Je vais devoir remettre mes performances en cause…

Claudia pianote sur la table, la tête pleine de doutes. En effet, avec ce que j'ai entendu aujourd'hui, les prouesses de Sophie sont solides. *Qui l'eût cru !*

— Je me suis donc retrouvée avec un nouveau poste, un nouveau salaire, de nouvelles responsabilités qui pèsent sur mes épaules. Je ne suis pas complètement idiote, je savais que de lui faire une pipe sous son bureau alors qu'il était au téléphone avec un client important aiderait ma cause quand il serait question de grimper l'échelon salarial. Sa réputation le précède ; d'ailleurs, la petite Julie m'avait mise en garde. Non seulement c'est odieux et peu valorisant d'obtenir des faveurs de cette façon, mais ses exigences et ses attentes à mon égard décuplent de semaine en semaine. Au début, c'était amusant ; maintenant, c'est une source de stress sans fin. Et puis, il y a sa femme… et Tristan.

Claudia sort un crayon de son sac à main, repousse son assiette, puis elle déplie une serviette de papier qu'elle sépare au centre par une ligne bleue. Elle inscrit à droite « Avantages », à gauche « Inconvénients ». C'est l'heure du plan d'action.

# 9
# Confidences et aveux

Pendant que nos plats refroidissaient, la discussion était particulièrement animée. Désormais, nous tournons et retournons la serviette de papier dans tous les sens pour déchiffrer la fine écriture de Claudia. Malheureusement pour Sophie, la colonne des inconvénients au sujet de sa liaison clandestine avec son patron domine largement celle des avantages.

— Je suis prise dans sa toile. Le message d'Albert est clair : j'ai droit à des privilèges, il s'attend à des faveurs en retour.

— La question est de savoir si cette situation te plaît ?

Personnellement, après avoir vu Albert, je préférerais sauter sur un chevreuil fringant. Mais il a l'image d'un homme soigné qui a de la classe. Certaines femmes aiment le genre.

— Oui, ça me plaît… un peu.

Je dois avouer que d'élaborer des stratégies efficaces pour aider Sophie s'avère pénible entre Claudia qui répond à son téléphone toutes les cinq minutes et Victor, notre serveur, qui nous bombarde à coups de « C'est à votre goût ? » ou de « Il vous manque quelque chose ? » C'est carrément du zèle. Une idée traverse mon esprit. Et si c'était Vincent qui lui avait ordonné de nous offrir un traitement royal ? *Maudit sorcier !*

Je me rends compte que Dan n'est plus assis au comptoir. Je le cherche des yeux. C'est le genre d'homme facile à repérer au milieu d'une foule. Mais il n'est nulle part.

— Bon, assez parlé de moi ! signale Sophie en constatant que nous avons fait le tour de son problème. Claudia, c'est à toi.

Celle-ci secoue ses cheveux avec enthousiasme, heureuse de monopoliser l'attention. C'est son tour de piste. Si Sophie ne partage pas la même joie, moi, je prends toujours un plaisir fou à entendre les anecdotes de notre amie. Chaque année est plus démente que la précédente. Il lui en arrive des péripéties, à Claudia !

— J'aurais besoin de toute la nuit pour vous raconter mon année. Je vais essayer de faire ça court. Deux appartements, trois emplois, quelques aventures, dit-elle en n'ayant pas assez de doigts sur sa main pour les compter. Trop peu d'étude à travers tout ce bon temps ; mon directeur de thèse n'est pas content. À ce rythme, j'aurai terminé ma maîtrise à trente-cinq ans et je serai alors trop vieille pour être rentable à engager. À moins, Sophie, que je coince ton patron entre deux réunions avec mes objets coquins ?

Elle pose nonchalamment son menton au creux de sa paume.

— Au pire, j'ouvrirai ma propre boutique érotique. C'est payant ! Je pourrais peut-être créer un site Internet ; comme ça, les acheteurs pourraient rester incognito ! Ah ! je sais, je pourrais aussi faire des appels cochons dans le confort de mon salon ! Les gens sont prêts à dépenser une fortune pour mettre du piquant dans leur chambre à coucher. Tu devrais essayer, Mahée !

— Les jouets ou les appels cochons ?

— Les deux !

Pour David, mettre du piquant veut dire faire l'amour la lumière allumée. Je ne crois pas que les jouets sexuels de Claudia seraient appréciés à leur juste valeur avec lui. Il ne saurait pas quoi en faire. *Moi non plus, d'ailleurs.*

— Je rencontre des gens de tous les styles, de toutes les classes sociales, des amateurs qui veulent s'amuser, des audacieux qui cherchent les nouveautés sur le marché, des jeunes débutants et maladroits. J'entre dans leur intimité ; certains me parlent même de leur dysfonction érectile. L'un d'entre eux a même voulu me montrer son engin pour que je diagnostique son problème. J'ai trouvé cela gratifiant, tout de même, lorsque ce même homme désemparé est venu me voir la semaine d'après pour me dire que ma petite crème avait fait des miracles.

J'ai de la difficulté à croire que de conseiller un lubrifiant à base d'eau contre la sécheresse vaginale soit aussi gratifiant que d'apprendre à lire à des bouts de chou, mais je ne sous-estime pas ce que fait Claudia. Éviter de juger autrui : c'était ma résolution du jour de l'An lorsque j'ai bu trop de martinis. Je ne me souviens plus comment j'en étais arrivée à cet énoncé, mais on ne pourra pas dire que je ne l'ai pas appliqué.

— Chaque journée amène son idiot, son riche ou son gai. Impossible de s'ennuyer. « Ça sert à quoi, un condom ? » m'a déjà demandé un adolescent de quinze ans. « J'ai donné mon vieux vibrateur à ma mère. Je veux un appareil plus performant, tu me conseilles quoi ? » m'a déclaré une vieille fille. La meilleure, c'est lorsqu'un petit couple bien rangé, tous les deux fonctionnaires, s'est pointé un lundi soir en me disant : « On veut s'amuser, mais on ne sait pas comment. » Je leur ai vendu à chacun un kit en cuir à deux cents dollars.

— Pas de menottes ? m'enquis-je, étonnée.

— Oui, bien sûr, des menottes aussi ! C'est un incontournable.

— Ton aveu ? tranche Sophie qui en a assez d'entendre parler de pénis disproportionnés.

— Les filles, j'ai fait ce que je ne pensais jamais être capable de faire dans ma vie, déclare Claudia avec une pointe de malice dans les yeux.

Des voix s'élèvent soudainement dans le restaurant. L'endroit vient d'être envahi par des jeunes hommes aussi joyeux que s'ils venaient de remporter la coupe Stanley. Ils se dirigent en file indienne vers les deux grandes tables placées en « L » qui les attendaient. Ils rient, se tapent sur l'épaule, chantent un air de victoire. Deux costauds soulèvent un coéquipier, probablement celui qui a marqué le but vainqueur en tir de barrage.

— Quoi ? insiste Sophie à l'intention de Claudia. Qu'est-ce que tu as fait, encore ?

Claudia ne manque pas de zieuter le harem masculin qui passe près de nous. Une équipe de hockey au complet, sans aucun doute. Des bruits de chaises qui grincent contre le plancher la forcent à hausser le ton pour se faire entendre.

— Un samedi matin, alors que je venais de déverrouiller la porte, un homme et une femme se sont présentés. Ils se tenaient par la main, ils avaient l'air de nouveaux amoureux. « Je te donne cinq cents dollars si tu réalises mon fantasme », m'a dit l'homme en me tendant des billets bruns.

— C'était quoi, son fantasme ? demandé-je, tout à coup plus intéressée par son histoire que par les larges épaules de nos voisins de table.

— Tenez-vous bien : il voulait que j'embrasse sa femme sous ses yeux.

— Comme ça, un samedi matin ?

— Tu l'as fait ? demande Sophie, la bouche ouverte.

— Pour cinq cents dollars, je n'ai pas hésité. Après tout, c'est presque un paiement de loyer.

Sophie ne cache pas le haut-le-cœur que l'image lui procure. Pour ma part, rien ne m'étonne venant de Claudia.

— Tu as vraiment embrassé sa femme, comme ça, devant lui, en plein magasin ?

— Oui, et il a adoré ! Ce n'était pas si désagréable, finalement. Embrasser une femme, ça a quelque chose de… particulièrement doux, Mahée. Tu devrais essayer.

— Quoi ?

J'intercepte quelques bribes de conversation, ce qui me confirme que le groupe à côté est une équipe de hockey. Ils semblent si heureux, cette bande de jeunes sportifs fringants ; c'est beau à voir. Un membre du groupe, plus vieux, nous dévisage depuis son arrivée. Chaque fois que je lève les yeux, il sourit. Son regard ne m'est pas étranger, mais je n'arrive pas à me souvenir de qui il s'agit.

— OK, Mahée, on t'écoute !

Je deviens le centre de l'univers pendant que Victor repart avec nos assiettes vides. Mon plat était sec, mais bon. Claudia, qui a bizarrement omis de parler de son Patrick dans le résumé de son année, remplit nos verres. Je savoure quelques gorgées avant de me lancer. Ce sera vite fait, bien fait.

— Mon année se résume facilement. Même appartement, même David, même emploi à la commission scolaire. Mon aveu du jour est que j'ai volé un chandail dans une boutique de Québec lors de mon dernier voyage. Alors, voilà !

Mes copines sourient tendrement ; elles ont l'habitude que je reste évasive sur ma vie privée. Je n'aime pas parler de moi, et je n'ai rien de rocambolesque à raconter. Pas de liaison secrète avec le directeur de l'école, pas de baise improvisée dans un placard du McDonald's, pas de fouet dans ma chambre à coucher, ni de grandes palpitations au cœur qui m'empêchent de dormir. Je connais leur opinion sur David et la petite vie qu'il m'offre. Elles n'ont pas tort, car mon quotidien est un paisible chemin de terre sans obstacle. Pas de grosses roches à escalader, que d'infimes cailloux agaçants sous les pieds.

— Tu as volé quelque chose ? Vraiment ? demande Sophie en haussant les sourcils.

*Elle ne me croit pas une seconde.*

— Mahée, tu as peur de ton ombre, qu'est-ce qui t'a poussée à faire ça ? Tu avais un pistolet sur la tempe ?

Je souris. Mes amies me connaissent trop bien.

— En fait, la vendeuse a oublié de le comptabiliser parmi tous mes achats. J'étais déjà loin de la boutique quand je m'en suis rendu compte.

— Ah ! s'exclament en chœur mes comparses.

— Tu n'as pas volontairement volé le chandail, alors ? s'enquiert Claudia.

— C'est évident ! ricane Sophie. Mahée ne saurait pas piquer un paquet de gomme sans se faire prendre.

— Non...

— Alors, ton aveu ne compte pas, dit Sophie. Trouves-en un autre, m'ordonne-t-elle, de mèche avec Claudia.

L'homme qui nous fixe depuis tout à l'heure se lève avec lourdeur. Il se cogne contre le bord de la table, manque de renverser la bière de son voisin. *Aucune classe.* Il se dirige vers nous à grandes foulées. Tant mieux, son intrusion me permettra de réfléchir à ce que je pourrais bien avouer. Et puis, je saurai enfin qui il est.

— Mahée ? Sophie ? Tu parles d'une coïncidence ! s'exclame-t-il joyeusement.

J'ai l'impression d'entendre Sophie penser. Je regarde l'arrivant avec des yeux de grenouille égarée. Rien de plus désagréable que de se faire aborder ainsi sans reconnaître la personne.

— C'est moi, Marco ! dit-il avec conviction.

Ses paumes frappent son torse dans un geste exubérant.

— Marco ? répète Sophie sur un ton incertain.

*Marco !*

— Mais oui ! Marco Mercier, notre champion à *Génies en herbe* ! m'écrié-je.

— C'est ça !

Marco tire une chaise, s'y assied à califourchon. Je sais que Sophie pense exactement la même chose que moi. Il lui est arrivé quoi, dans les dernières années, pour être grand comme ça ? Le mauvais sort qui s'acharnait sur lui depuis la maternelle l'a transformé en joueur de hockey ? Où est passé le mal-aimé, l'incompris, le petit gros boutonneux que personne ne voulait dans son équipe ?

L'homme qui est devant nous n'a rien d'une beauté fatale, mais il est tout à fait présentable. *Rien qui ressemble à mes souvenirs.*

C'est déstabilisant de le voir discuter aisément avec nous. Pour lui, nous sommes encore dans la cour d'école avec nos billes. Drôle et loquace, il nous apprend avec le sourire qu'il dirige une équipe de hockey junior de l'Est. *C'est David qui sera impressionné!* Marco avait des cent pour cent en anglais, mais je ne me souviens pas l'avoir déjà vu avec un ballon, ni même avec un bâton de hockey entre les mains. C'était plutôt l'inverse, car il était toujours le dernier choisi lorsque les sportifs faisaient les équipes. « C'est bon, je te laisse MM... » disaient-ils, indifférents. Dans ma mémoire, Marco était aussi utile qu'un arbre au milieu d'un champ de baseball ou qu'une roche sur un terrain de soccer. Il a fait son secondaire dans un collège privé de Québec. Ses parents l'avaient probablement inscrit en concentration sportive.

Marco était celui qui se faisait bousculer à l'arrêt d'autobus par les plus forts, qui se faisait lancer des oranges s'il ne leur donnait pas de l'argent, qui arrivait souvent à l'école avec des bleus inexpliqués. Un soir, je l'avais surpris à voler des bonbons au dépanneur pour les donner ensuite au gros Dubé qui l'attendait deux coins de rue plus loin. Celui qui, aujourd'hui, se laisse si bien vivre par nos contributions au gouvernement serait étonné de voir ce que son souffre-douleur est devenu.

— Bon, je vous laisse. Très heureux de vous avoir revues, les filles, dit-il en se levant.

Il repousse doucement sa chaise, hoche discrètement la tête en guise de salutation, puis il retourne vers son attroupement d'hormones sur deux pattes. Une tape encourageante sur l'épaule à l'un, un regard sévère à l'autre qui boit sa bière trop vite. Certains nous envoient un signe de la main ou un sourire poli. Pour ces jeunes, nous sommes de véritables « matantes ».

Le temps semble s'être arrêté autour de notre table. Claudia a les yeux rivés à son téléphone – encore ! – et les sourcils froncés.

— Qu'est-ce qui se passe ? s'enquiert Sophie. Patrick est debout en équilibre sur le pont Pierre-Laporte et menace de sauter si tu ne le rejoins pas dans la seconde pour lui crier ton amour ?

Claudia lui lance un regard assassin.

— Il ne répond plus à mes messages. Son cellulaire semble être fermé.

— Normal, Claudia. C'était ça ou il se retrouvait avec des cloches d'eau au bout des doigts.

Ignorant ma boutade, Sophie s'émerveille devant le gâteau au fromage que Victor lui apporte. Celui-ci le dépose gauchement sous ses yeux. Le morceau fait un vol plané, ou plutôt une culbute rebelle, hors de l'assiette. Évidemment, il s'écrase sur le napperon. Les joues de l'adolescent s'empourprent.

— Désolé… Je vais vous le remplacer.

Claudia lui enlève des mains sa mousse au chocolat de peur qu'il lui arrive le même sort. J'observe mes amies qui ouvrent la bouche presque sensuellement pour déguster leur dessert. Il y a quelque chose d'aphrodisiaque et de réconfortant à la fois dans le sucre. Je soupire devant ma salade de fruits, à laquelle je ne trouve rien d'attendrissant. Mais avec un peu d'imagination, on peut faire des miracles avec une carambole.

— Alors, Mahée, c'est quoi ton aveu? demande Claudia en léchant le chocolat sur ses lèvres.

Un geste qui ne manque pas d'impressionner quelques jeunes dégourdis de l'autre côté de la table. *Les «matantes» d'expérience peuvent être sensuelles.*

— Eh oui, je l'avoue, commencé-je avant de croquer dans un raisin vert tellement acide que je plisse les yeux, je n'ai embrassé aucun autre homme dans ma vie que David.

C'est la seule chose qui me soit venue à l'esprit. Je regrette aussitôt cette confidence. Avec un peu plus de chance, j'aurais pu formuler ma phrase autrement. «Eh oui, je l'avoue, j'ai déjà embrassé un autre homme que David dans les toilettes d'un restaurant.» Ça aurait été plus croustillant comme révélation. Tout à fait le genre qui rendrait pantelantes les deux commères qui m'entourent. Sophie laisse tomber sa fourchette et Claudia manque d'inonder mes cuisses – avec son verre de vin, cette fois.

— Tu veux dire, jamais?

*Presque!*

— Jamais.

— Pas même un cousin de la fesse gauche, pendant que lui et toi, vous étiez cachés sous les manteaux de fourrure entassés sur un lit à Noël ?

Je souris au souvenir du foulard en duvet de grand-maman qui nous chatouillait le nez, du vieux manteau brun de mon père qu'il sortait une fois l'an pour la messe de minuit. Ce vêtement empestait la boule à mites. Malheureusement, je n'ai pas eu de cousins vicieux qui tentaient de me flatter les cuisses sous la table, seulement deux cousines qui jouaient à la Barbie.

— Pourtant, tu es sortie avec Olivier-les-broches quelques mois, non ? demande Sophie.

— J'avais quatorze ans.

— Justement, à quel âge penses-tu que j'ai embrassé un gars pour la première fois ? intervient Claudia.

— Je ne veux pas le savoir, dis-je en cachant mes yeux avec ma main.

*C'était probablement à la garderie, entre deux changements de couches.*

— De toute façon, avec la quantité d'élastiques qui s'entrecroisaient dans la bouche d'Olivier, je n'aurais jamais réussi à mettre ma langue là-dedans.

Claudia se cale dans la banquette en replaçant machinalement ses lunettes.

— Mon Dieu ! Je suis une vraie salope à côté de toi.

— Et moi donc ! seconde Sophie.

Décidément, cette dernière me cache encore beaucoup de choses. À ma connaissance, elle n'a pas eu un si grand nombre de partenaires. Au moins cinq serveurs se faufilent entre les tables, de gros plateaux au-dessus de leur tête. Nos joueurs de hockey affamés vont s'empiffrer de pizzas garnies extra champignons.

— Tu pourrais remédier à ça rapidement ! s'esclaffe Claudia en pointant les jeunes hommes bruyants malgré leurs bouches pleines.

— De toute façon, la vieille l'a vu dans tes mains : tu embrasseras l'homme de ta vie ce soir, proclame solennellement Sophie.

— Quelle vieille ? demande Claudia qui a manqué l'épisode de la diseuse de bonne aventure.

Je laisse la chance à Sophie de cracher son venin sur l'arnaqueuse. *Elle y va avec cœur sans reprendre son souffle.* Je repense à mon égarement avec Vincent tout à l'heure. *Oh mon Dieu!* Nous rions de bon cœur pendant que Victor nous dérange une fois de plus. Il dépose trois bonbons roses à la menthe sur le coin de la table.

— Je vous remercie et vous souhaite une belle fin de soirée, mesdames. Monsieur Grandbois s'occupe de votre facture.

Décidément, David n'aura pas l'occasion de se plaindre que cette sortie de filles a été dispendieuse. Zéro en vêtements et additions de restaurant. Sans oublier que le billet de loterie plaqué contre mon mamelon me rendra riche ce soir. *Non, pas riche, mais millionnaire.* D'ailleurs, il gratte un peu ma peau, laissant une désagréable sensation de picotement à la naissance de mon sein. Malgré tout, le savoir là me rassure. Je m'y accroche comme à une bouée de sauvetage, sans trop savoir pourquoi. Je replace discrètement mon soutien-gorge, avalant du coup le bonbon à la menthe qui égratigne mon œsophage au passage. *C'est toujours pareil.*

# 10
# Un téléphone intelligent ? Non merci !

Marco, le génie transformé en vedette du hockey, bondit sur ses pieds en nous voyant mettre nos vestes. Nous procédons sans hâte, nullement pressées d'affronter le grésil à l'extérieur. Il laisse aussitôt sa garderie sans surveillance pour s'avancer jusqu'à nous. Il a trop mangé ou trop bu, car ses pommettes sont rouges.

— Vous partez déjà ? Sortez-vous quelque part, ce soir, les filles ? demande-t-il, les mains dans ses poches.

Son veston remonte un peu sur ses hanches, ce qui lui donne un air plus élégant que séduisant. On dirait un homme d'affaires riche et réputé. Les hormones en ébullition des jeunes mâles autour de la table frétillent de partout, un courant électrique emplit la pièce. La tribu nous toise, ses membres se balançant sur les pattes arrière de leurs chaises. Claudia, dont le vin a rendu l'œil naturellement malicieux, hausse les épaules.

— Oui. On traverse au bar Chez Félix, au bout de la rue.

Les yeux de Marco s'illuminent. Il tend une main invitante vers la tablée.

— Excellente idée ! Certains d'entre nous avaient justement prévu de s'y rendre après le repas, indique-t-il avec entrain en tirant la chaise libre à côté de la sienne. Peut-on vous offrir le digestif ?

Sa proposition réjouit la ribambelle de jeunes adultes, et Sophie aussi. Elle accepte la proposition de Marco sans nous interroger du regard. Celui-ci dépose sa veste sur le dossier de sa chaise. Je m'incline donc devant la majorité, mais je garde mes distances. Ma mère m'a toujours dit de me méfier des hommes trop polis. Marco est trop gentil, trop serviable, trop avenant. *Il y a quelque chose qui cloche avec ce mec.*

Une âme généreuse, que je devine être le gardien de but, entreprend une discussion avec Claudia sur la hausse du prix de l'essence. Une conversation qui pourrait être totalement inappropriée dans un contexte où l'on aborde une jolie demoiselle pour la première fois, mais qui satisfait parfaitement mon amie. Sa New Beetle consomme huit litres aux cent kilomètres. *Elle nous l'a assez dit !* Le jeune homme se montre grandement impressionné par ses connaissances en matière automobile. Claudia n'est pas une fille ordinaire ; en plus de pouvoir réciter les ingrédients de sa crème hydratante, elle peut débiter la fiche technique de sa voiture par cœur. « Pas question de me faire avoir par un garagiste qui croit que je ne connais rien à la mécanique », nous répète-t-elle sans arrêt. *Moi, je dis plutôt que c'est pour mieux attirer le garagiste dans son lit.* Elle est capable de distinguer les pièces, leur prix ainsi que leur fonction. Personne ne lui fera changer les freins si sa transmission grince. Ce n'est pas comme moi qui ai demandé un changement d'huile alors que David m'envoyait mettre du fréon pour l'air conditionné.

Je tape doucement sur son épaule, car je ne veux pas interrompre son récit sur la durée de vie des pneus de son auto.

— Je peux emprunter ton cellulaire une minute ? lui glissé-je à l'oreille.

Elle fouille dans son sac à main, entre un pénis en silicone et un vibrateur. Ça m'étonne, car son appareil est normalement collé dans sa paume avec du velcro. Elle me le tend sèchement.

— Fais vite, les piles sont presque à plat.

J'ai la tête qui tourne et besoin d'air ; je n'ai pas l'habitude d'être ivre. La dernière coupe de vin était de trop. J'ai les jambes molles sur mes talons trop hauts et mon estomac repu fait des pirouettes. Je me dirige rapidement à travers les allées désormais plus calmes en cette fin de soirée. Des couples égarés terminent tranquillement leur dessert, quelques personnes seules tuent le temps en sirotant un café. Je me retrouve dans l'entrée du restaurant, coincée sous l'étroit abri de toile avec deux fumeurs. Je retiens ma respiration, puis me faufile entre eux pour sortir. Je préfère encore geler sous ce ciel épouvantable d'automne et foutre en l'air ma mise en plis que d'être exposée à la fumée secondaire une minute de plus. *Ça pue !*

Le cellulaire de Claudia reçoit des gouttes d'eau que j'essuie du revers de ma manche. J'essaie de faire vite, mais il y a peu de compatibilité entre les téléphones intelligents et moi. J'en ai rarement vu un d'aussi près, car je ne veux pas de ce truc dans ma vie. David me vante l'application qui l'avertit lorsque le Canadien marque un but – ce qui est complètement inutile puisque, de toute façon, il est toujours devant le téléviseur les soirs de hockey –, celle qui l'informe de tout changement météorologique – ça lui donne quoi de savoir l'heure du lever du soleil ? –, celle qui lui rappelle ses rendez-vous – ça, je l'avoue, c'est pratique, surtout dans son cas.

Ces petits objets, c'est le diable en personne. Le temps s'arrête quand les gens tiennent leur appareil entre leurs mains ; plus rien ne compte, surtout pas l'interlocuteur en face d'eux. Tous ont les yeux rivés sur un minuscule écran tandis que la vie leur passe sous le nez. Combien de fois ai-je vu David faire un détour épouvantable pour revenir chercher son gadget parce qu'il l'avait oublié ? C'est devenu une nécessité, il ne peut plus s'en passer, il panique lorsque son cellulaire n'est pas accroché à sa taille. Le téléphone n'a qu'à émettre un bip pour que David lui jette un œil ; moi, je dois lui répéter trois fois tout ce que je lui dis pour me faire comprendre. Il faut tout savoir, ici, maintenant. Tout est si facile, accessible. Plus moyen de parler à quelqu'un sans qu'il zieute son machin toutes les cinq secondes.

On me scrute comme une demeurée lorsque j'ose avouer que je n'ai pas de cellulaire. On me regarde avec une réelle pitié au fond des pupilles ; mes interlocuteurs sont prêts à lancer une campagne de financement pour m'aider à en acheter un. Encore surprenant que David ait préféré m'offrir un aspirateur pour mon anniversaire plutôt que ce miracle à dix mille fonctions qui améliorerait soi-disant ma qualité de vie.

— Avec un cellulaire, tu aurais pu m'avertir de ton retard, me gronde David sans arrêt.

Justement, je veux pouvoir aller à l'épicerie ou au cinéma sans que tous puissent me joindre. Déjà que je dois tolérer les sonneries au restaurant ou dans les salles d'attente…

L'écran s'allume lorsque je l'effleure de mon index. *C'est un bon début.* J'allais appuyer sur l'icône avec une acoustique au centre quand l'appareil se met à chanter un air country. Mon pouce glisse aussitôt sur la touche « Répondre ». Je suis moi-même surprise de ma rapidité d'exécution.

— Allo, bébé !

J'en déduis que c'est Patrick. Sa voix est pleine d'énergie et d'amour.

— Euh… désolée… Tu dois certainement vouloir parler à Claudia ?

Aussi étrange que cela puisse paraître, je l'entends sourire dans le silence qui s'ensuit.

— Oui, puisque j'ai composé son numéro.

*Idiote !*

— Je suis Mahée, une copine. Est-ce que je peux lui faire un message ? J'ai emprunté son appareil pour passer un appel.

Étonnamment, l'homme au bout du fil ne semble pas pressé de raccrocher. Il me répond calmement, comme s'il avait toute la soirée devant lui.

— Pas de problème. Dis à Claudia de rappeler Patrick. Heureux de faire ta connaissance, Mahée. Claudia m'a beaucoup parlé de toi.

— Ah ! j'en sais pas mal sur toi aussi !

Il sourit encore.

— Ça se passe bien, votre sortie de filles ? Vous vous amusez ?

Me fait-il vraiment la conversation ? Je ne le connais pas, pourtant, je lui parle naturellement, sans malaise ni réticence.

— Oui, beaucoup. Le repas est terminé et nous nous apprêtons à poursuivre la fête dans un bar.

— Quel bar ? demande-t-il avec intérêt.

La ligne est mauvaise et j'entends un grondement derrière sa voix. Il est probablement dans sa voiture.

— Nous débuterons la soirée Chez Félix, précisé-je sans hésiter.

— Ensuite ?

J'écarquille les yeux. Pour qui se prend-il ? Pourquoi tient-il tant à connaître notre horaire en détail ? J'espère que Claudia ne s'est pas amourachée d'un maniaque du contrôle. Je glousse à cette pensée. Mon amie ne se laisse dominer par personne, surtout pas par les hommes.

— Ensuite ? C'est un secret. Sortie de filles oblige.

Je suis certaine qu'il lève les yeux au ciel.

— Le 281 ?

— Non, franchement ! m'écrié-je, offusquée.

Nous avons passé l'âge de nous mêler à une foule de filles hystériques qui s'époumonent devant quelques torses imberbes et bien huilés. Des hommes à moitié nus qui se trémoussent sur une scène, dont le slip déborde d'une érection artificielle, très peu pour nous. C'est pathétique de voir les billets de vingt dollars voler vers le plus « équipé » au profit d'un déhanchement calculé. Nous avons autre chose pour occuper nos soirées de filles que de recevoir sur la tête le tee-shirt en sueur d'un danseur averti. *Qu'est-ce que je dis là ? C'est totalement notre genre.*

— Peu importe. Je suis en route pour Montréal. Je dois voir Claudia, c'est important. Pouvez-vous attendre que j'arrive avant d'aller terminer la fête ailleurs ? Ne lui dis rien, d'accord ? Je veux lui faire la surprise.

— C'est une soirée entre filles, les hommes sont exclus. Ça fait partie des règlements.

Il rit doucement, et il secoue peut-être la tête.

— Je lui parle cinq minutes, ensuite, je m'éclipse.

— Je ne sais pas si je réussirai à la retenir sur place si longtemps. Claudia n'est pas du genre passif dans une soirée.

D'ailleurs, c'est plutôt elle qui dirige les opérations.

— Je sais, mais je compte sur toi.

*Il négocie ou quoi ?* Ce n'est quand même pas lui qui va dicter notre soirée !

— Euh... bon, d'accord.

L'espace d'une seconde, je crois que la communication est coupée. Mais Patrick s'adresse à moi sur un ton incertain.

— Dis-moi Mahée, tu connais Claudia depuis si longtemps... Est-elle aussi extraordinaire qu'elle le paraît à mes yeux depuis deux semaines ?

C'est à mon tour de sourire. Il est mignon. Serait-il enfin l'homme qui voit autre chose chez Claudia que ses petites culottes mangeables ? C'est plus fort que moi, ses paroles m'émeuvent. Il semble tellement sincère et empreint d'espoir. C'est peut-être le bon, cette fois.

— Elle est merveilleuse.

Je devine qu'il est à la fois soulagé et excité.

— Merci Mahée, c'est tout ce que j'avais besoin de savoir, explique-t-il. Et n'oublie pas de trouver une excuse pour garder Claudia dans le bar le temps que j'arrive. C'est important ! conclut-il avant de raccrocher.

Zut ! Le dessin d'une pile vide clignote en rouge au centre de l'écran. Je compose rapidement le numéro de David. *Euh... mon numéro.*

— Allo ?

Je retire l'appareil de mon oreille pour lire ce qui s'affiche sur l'écran. *Oui, j'ai composé le bon numéro.* Le temps s'arrête, mon cerveau se brouille. Je ne suis plus à Montréal en train de me faire fouetter par le vent d'octobre, je ne sens plus le froid qui engourdit mes orteils, je n'entends plus les deux fumeurs qui commentent la dernière bourde du premier ministre. Je ne perçois que l'air doux et romantique d'un succès de Bryan Adams. Pire, le timbre de la voix chaude et délicate de la jeune femme au bout du fil me transperce le tympan. Ce n'est pas la mère de David, ni sa sœur…

— Euh…

Qu'est-ce qu'on dit dans ces moments-là ? Faut-il raccrocher ? Feindre un faux numéro ? Plusieurs possibilités traversent mon esprit : « Est-ce que je pourrais parler à mon conjoint, s'il vous plaît ? », « Je vois que monsieur Leclerc a engagé une nouvelle secrétaire. Est-il occupé, en ce moment ? », « Sors de chez moi, sale pute ! » *Je m'emporte.*

— Mahée, c'est toi ?

— Charlotte ?

Je reconnais sa petite voix criarde qui use la patience. J'ai dû la supporter toute une soirée à la fête de Noël au bureau l'an dernier. C'est une collègue de David. Évidemment, j'imagine que, comme Sophie le faisait plus tôt avec son patron, ils travaillent fort. Un samedi soir, de hockey en plus, c'est tout à fait plausible. J'ai des couteaux à la place des yeux et des griffes à la place des ongles. Je veux l'égorger, arracher ses beaux yeux bleus de leurs orbites pour en faire de la soupe pour monsieur Leclerc. *Que je lui ferai bouffer avec une fourchette.*

— Oui, c'est moi! dit-elle joyeusement. On croule sous les dossiers au bureau, alors on a bossé toute la journée. Ton homme est un cuisinier hors pair. Il m'a fait goûter à son fameux gigot d'agneau…

Je manque de m'étouffer. *Gigot d'agneau?* David ne sait pas faire la différence entre une cuisse de poulet et un filet de porc. Il est incapable de faire autre chose qu'un *grilled-cheese* au jambon, et encore là, une fois sur deux, le sandwich est calciné. Il déteste préparer les repas et il ne touche jamais aux chaudrons – ni pour cuisiner, ni pour les laver. *Finalement, peut-être que j'ai composé le mauvais numéro.*

Je prie pour que la pile du cellulaire meure à l'instant. L'image de David en train d'assaisonner un gigot d'agneau me donne le vertige. Il ne sait pas comment faire. Il a probablement demandé de l'aide à sa mère. *Fils à maman!*

*Enfoiré!*

Les insultes défilent à la queue leu leu dans mon esprit, mais aucune ne décrit vraiment ce que je ressens en ce moment. Le ridicule sentiment de culpabilité qui me rongeait d'avoir presque embrassé Vincent s'évapore à l'instant.

— Bon, je te le passe, dit Charlotte, soudainement mal à l'aise.

*Oui, c'est ça, passe-le-moi!* La brume laissée par l'alcool dans mon esprit s'est dissipée. Je suis alerte. J'attends!

— Mahée ?

Sa voix est pâteuse. Ce soir, je ne suis pas la seule à avoir bu trop de vin.

— Allo, mon chéri.

Je parierais qu'il est figé par la surprise, car je ne l'ai pas appelé comme ça depuis des années.

— Tu t'amuses ? dit-il en reprenant contenance.

— Complètement ! Et toi, tu travailles fort ?

— Ouais… bien, tu sais… c'est une grosse période au bureau.

*Foutaise !* Sa grosse période au bureau, c'est de février à mai, durant la saison des impôts.

— N'oublie pas que je reviens demain soir – *si je ne gagne pas le gros lot.* J'aimerais bien qu'à mon retour, un bon gigot d'agneau cuise au four.

— Mahée…

— Avec des petites patates grecques.

— Mah…

— Et des choux de Bruxelles. Ah oui ! j'oubliais ! Le Canadien perd 2 à 1.

Il le savait sûrement déjà, grâce à l'application magique.

— Merde, Mahée…

— Bonne soirée, mon amour.

J'ai appuyé sur le dernier mot. Je raccroche avec rage. C'est fou comme je me débrouille bien avec un téléphone intelligent. Je glisse l'appareil dans la poche de ma veste, puis décide de rester dans le froid encore quelques minutes pour tenter d'y voir clair. Je n'arrive pas à y croire et mon cœur bat à tout rompre: Charlotte Thibault est chez moi, un soir de fin de semaine, pour travailler. Je ris toute seule. *Oui, bien sûr.* Est-ce que ça dure depuis longtemps? Je les vois à moitié habillés en train de baiser sur ma table de cuisine, leurs précieux dossiers éparpillés sur le sol. Mieux, je les imagine confortablement installés devant un copieux repas – un gigot d'agneau! –, avec les lumières tamisées et la lueur d'une chandelle qui danse dans leurs yeux.

David parle souvent de Charlotte. Charlotte est si efficace, Charlotte fait du jogging tous les matins, Charlotte aime faire de la moto, Charlotte a un téléphone intelligent, elle. Je n'ai jamais eu l'ombre d'un soupçon que David pouvait avoir une aventure. Je lui faisais confiance. Et puis, s'il agissait avec les autres femmes comme il le faisait avec moi, il n'y avait pas de quoi s'en faire. Apparemment, ce n'est pas le cas. Il n'a jamais tenté de m'impressionner au fourneau. J'ai toujours fermé les yeux sur ses dévotions pour la belle Charlotte, croyant sincèrement qu'elle n'était qu'une bonne amie. Qui pouvait s'intéresser à David? Nous sommes ensemble depuis si longtemps, le feuillet paroissial a même fait mention de nos dix années de vie commune. Tout le monde sait que David est à moi.

Les événements défilent en boucle dans ma tête. Toutes les fois où David est rentré tard de son travail, était-il avec elle ? Lorsqu'il assistait à des congrès à Montréal ou à Toronto, y allait-elle aussi ? Je repense à la fois où il s'est rendu chez elle au milieu de la nuit à cause de son système d'alarme qui hurlait et qu'elle était paniquée ; au jour où il a annulé une sortie avec moi, car Charlotte avait besoin d'aide pour installer sa piscine ; au soir où, en pleine tempête de neige, il est accouru dans le parc parce que la belle avait fait une crevaison... Non, Charlotte Thibault n'est pas seulement une collègue, et ce, depuis longtemps.

Je m'adosse contre le mur. J'essaie de comprendre ce qui m'arrive, ce que je ressens vraiment. Est-ce que j'ai de la peine ? Est-ce que je suis anéantie ? En colère ? Oui, je suis en colère de m'être fait avoir...

Et si je sautais trop rapidement aux conclusions ? Charlotte est peut-être vraiment une bonne amie ?

Une jeune fille blonde et mince sort en trombe du restaurant. Elle perd pied, puis trébuche devant moi. À quatre pattes sur le trottoir, ses faux ongles dans la gadoue, elle éclate en sanglots et lance quelques insultes. *Celles-ci sont bien pires que ce que j'ai pu penser tout à l'heure.* Je ramasse son sac à main, l'essuie promptement pendant qu'elle me lance un regard de biche éplorée.

— Merci...

Elle se relève lentement. Son mascara a fait des ravages sur ses joues.

— Ça va ?

— Je le déteste, pleurniche-t-elle en reniflant.

*Tiens, moi aussi, je le déteste.*

Un homme qui a, selon moi, la tête échevelée d'un professeur de philosophie, sort à son tour. Il s'arrête un instant à la hauteur de la jeune fille. Elle tente de s'agripper à ses bras.

— Crois-moi, c'est mieux comme ça. Bonne chance, Annabelle.

Elle le regarde s'éloigner, le visage livide. Elle n'essaie pas de le retenir, ne lui crie pas d'injures. Elle attend dignement qu'il tourne le coin de la rue pour s'effondrer en larmes. Je viens d'être témoin d'une scène de rupture. Je ne sais pas quoi dire à Annabelle, je ne suis pas la personne idéale pour l'aider. Elle me fait pitié. Je me sens mal de ne pas ressentir cette douleur au fond de ma poitrine à cause de la trahison de David. *En supposant qu'il y ait eu trahison.* Je ne suis pas atterrée. Atteinte dans mon orgueil, oui, mais pas désemparée. Je n'ai pas envie de pleurer, ni de m'ouvrir les veines. Je peux survivre à la trahison de David Leclerc.

Je mets Annabelle dans un taxi, puis redresse les épaules. « Tu embrasseras l'homme de ta vie, ce soir. » C'est ce qu'a dit la femme, cet après-midi, non ? Nous verrons bien si l'occasion se présentera. J'entre dans le restaurant d'un pas décidé. *David ne verra pas la couleur de mon million.* À quelle heure les résultats de la loterie sont-ils diffusés ? Si j'avais un téléphone intelligent, je pourrais suivre le tirage en direct…

Mon obsession pour ce billet de loterie est complètement ridicule. Depuis quand les diseuses de bonne aventure ont-elles raison ? Tout le monde sait que c'est n'importe quoi. Cette vieille folle doit prédire la même chose à tous ses poissons. L'importance que j'accorde à mon billet vient peut-être du fait que la suite de ma vie repose sur lui. Deux possibilités : je gagne ou je perds. Si je gagne, je reste en ville, je saute sur Vincent, je le suis au bout du monde s'il le désire. Si je perds, je retourne au Lac, je reprends mon rang, sans David.

J'ai bien fait d'aller prendre l'air ; je me sens maintenant plus solide sur mes jambes. C'est fou à quel point la vie peut basculer dans le vide rapidement. Un petit coup de téléphone, quinze minutes, c'est tout ce que ça aura pris pour chambouler mon existence. Je me demande ce qui se serait passé si je n'avais pas téléphoné à David ce soir. Combien de temps m'aurait-il menti avant que je découvre qu'il savait cuisiner un gigot d'agneau ?

*Je n'ose même pas y penser.*

Je me dirige vers les voix enjouées du groupe, mais Victor m'arrête au passage.

— J'ai un message pour vous.

— Ah oui ?

J'attends impatiemment la suite. Le serveur prend le temps de desservir une table avant de me répondre.

— De ne pas l'attendre, qu'il sera retardé.

— Retardé ? Il n'a pas dit autre chose ?

*Ne pas l'attendre.* Ça veut dire quoi « être retardé » dans la bouche de Vincent Grandbois ? Qu'il nous rejoindra plus tard ou qu'il ne viendra carrément pas ? Cette possibilité me trouble presque autant que le moment où Charlotte a décroché le combiné dans ma cuisine. *Ce n'est pas normal !*

— Non, c'est tout ce qu'il a dit.

— Vous avez sûrement son numéro de téléphone ?

Je le regarde avec défi. *Ne me mens pas, ti-cul, je sais que l'Amérindien a un cellulaire collé à sa taille pour les appels urgents.*

— Oui. Mais je n'ai pas l'autorisation de le donner aux clients, vous comprenez…

Je ne suis pas une cliente comme les autres ! *Enfin, j'espère…*

— Oui, je comprends. Merci.

— Mahée Tremblay ? C'est bien toi ?

Je me retourne en entendant une voix rauque qui me laisse croire à celle d'un homme. Je suis surprise de voir une femme très féminine. Elle porte un long manteau avec une bordure de fourrure autour du collet et tient ses gants de cuir dans une main. Ses cheveux sont soigneusement lissés dans un chignon parfait. D'où arrive-t-elle ? N'a-t-elle pas eu à traverser la tempête, elle ? *Elle a eu un rabais 2 pour 1 sur les bouteilles de fixatif, c'est certain.*

— Valérie Lebrun. On a eu quelques sessions ensemble à l'université, dit-elle en me tendant sa petite main molle.

— Oui, bien sûr ! Contente de te revoir !

*Pas elle.*

Je m'avance pour lui faire la bise, sentir son parfum à cinq cents dollars. Elle a toujours d'aussi grandes dents.

— Ça roule pour toi ? lui demandé-je avec enthousiasme.

Elle me lance un sourire figé, elle ose à peine bouger. *Pour ne pas défaire sa coiffure.*

— Oui. Je suis tellement heureuse avec mon mari, Justin. Il est contrôleur aérien, et nous voyageons partout dans le monde.

Elle me montre un homme qui paie au comptoir, tout aussi sophistiqué qu'elle. Cheveux léchés, manteau bien coupé qui laisse apparaître une cravate. *Je n'ai jamais vu un nœud de cravate si bien proportionné.* Valérie les grandes dents poursuit son roman de bonheur.

— Nous avons trois belles petites filles qui vont à l'école anglaise.

— Bravo !

Les gens trop heureux, ça me déprime. *Surtout ce soir où son bonheur me jette en pleine figure tout mon malheur.* Que suis-je à côté de son monde parfait ? Qu'une pauvre suppléante dans une école de campagne qui vit avec un homme qui la trompe. Pas d'enfants, pas de chien, pas de voyages.

— Et toi ? s'enquiert-elle joyeusement.

C'est clair, elle s'attend à du contenu. Un hélicoptère perché sur le toit de ma maison, un mari suisse, une performance dans un film porno. Mais qu'est-ce qu'il y a vraiment à dire sur moi ? *Il n'y a plus rien à dire.*

D'ailleurs, je n'ai pas le temps d'ouvrir la bouche. Son riche et beau mari, contrôleur aérien de surcroît, s'approche. Je mettrais ma main au feu qu'il a une maîtresse. *Une hôtesse de l'air.*

— Bon, tu nous excuseras, Mahée, nous devons rentrer. Nous partons pour la Finlande tôt demain matin.

La Finlande ? Rien que ça ?

— Parfait ! Bonne soirée, à la prochaine !

Je les regarde s'éloigner ; elle, les lèvres en cul-de-poule, son bras glissé sous le coude de son homme, lui qui sourit amoureusement. Leur bonheur m'écœure. *Prévoit-on une tornade, une crise du verglas ou une bombe nucléaire sur la Finlande demain ?*

Claudia me saute dessus pendant que Sophie discute toujours avec Marco. Il me paraît moins beau que tantôt. Son visage est trop mince, ses sourcils trop épais et ses doigts sont repliés d'une drôle de manière pour soutenir sa tête. *Je parie qu'il est gai.* Quelques malicieux les photographient discrètement.

— C'était bien long !

*Si elle savait tout ce que j'ai vécu ces quinze dernières minutes…*

Claudia plonge sa main dans ma poche pour s'emparer de son cellulaire. *Quand je disais que plus personne ne pouvait s'en passer.*

— Non ! La pile est à plat ! J'ai dû rater l'appel de Patrick, beugle-t-elle en secouant l'appareil.

— Du calme, tu ne l'as pas raté. Je lui ai parlé, à ton dieu. Il est très sympa, d'ailleurs.

Un sourire apparaît sur ses lèvres, et son regard se fait tendre. C'est émouvant.

— Oui, hein ?

— Vraiment, dis-je en caressant son avant-bras. Je te souhaite que ça fonctionne avec lui.

— As-tu réussi à joindre David ?

Mes oreilles sifflent en entendant ce prénom et mes joues s'enflamment. *Tu embrasseras l'homme de ta vie ce soir.* Aussi bien régler la question tout de suite, déjouer la prophétie. Après, et seulement après, j'aurai l'esprit tranquille. Dommage que Vincent soit « retardé ». Je penche la tête vers mon épaule, passe la tablée en revue. J'ai l'embarras du choix. Je fais une sélection rapide, élimine tous les semblants de moustaches. *Ça pique !* Celui qui me semble le plus fort, le plus grand et le plus beau est assis tout au bout de la table. Lourdement appuyé contre le dossier de sa chaise, il boit sa bière en regardant distraitement les nouvelles du sport. Le Canadien a perdu 4 à 3 en prolongation. Je fonce sur lui avec mes yeux de panthère en chasse.

*Je vais montrer à Valérie les grandes dents que moi aussi, je peux être heureuse.*

— Mahée, qu'est-ce que tu fais... souffle Claudia, éberluée.

Marco et Sophie observent mon déhanchement, les têtes autour de la table me suivent dans une même vague. Grisée par mon ressentiment envers David, je n'ai qu'un but : agripper l'imposant défenseur par la tignasse et insérer ma langue dans sa bouche. Finalement, je fais bien pire. Je passe une jambe de chaque côté de son bassin, mes bras entourent son cou, mes lèvres enveloppent les siennes. Sa bouche goûte la Coors Light réchauffée. Je n'ai pas le temps de toucher sa langue. Après quelques secondes de surprise, le jeune homme se relève brusquement.

— Hé !

Il me repousse. Je tombe à la renverse dans une plante verte à laquelle je m'accroche pour ne pas m'affaler de tout mon long à ses pieds. J'ai un peu de terre entre les orteils, quelques feuilles jaunies sur le front.

— Je ne sais pas ce que tu voulais faire, mais moi, je n'embrasserais pas ma mère. Alors dégage !

Un fléau de honte me submerge. Je le sens monter en même temps que mon sang qui brûle mes joues. Je suis une vieille chaussette qu'on vient d'abandonner à tout hasard au fin fond d'une forêt déserte. *Une « matante ».* Un silence de mort règne autour de la table. Certains hommes ont un sourcil levé, d'autres un petit sourire détestable sur le visage. Mais la plupart semblent se demander qui est la folle qui vient de sauter sur leur coéquipier au milieu d'un restaurant. Claudia et Sophie sont bouche bée.

Je ne prends pas le temps de compter jusqu'à dix pour détaler comme un lièvre en direction des toilettes. La serveuse qui me voit passer croit que je viens de m'étouffer. Je m'enferme dans une cabine, puis m'assieds sur la cuvette qui n'a pas de couvercle. Au diable la coquetterie ! Tandis que l'humiliation fait trembler mes doigts, la peine fait perler quelques larmes au coin de mes yeux. *Qu'est-ce que j'ai fait ?* Je frappe mon front avec ma paume, mes idées s'entrechoquent. David, Vincent, le pauvre type que je viens d'attaquer… Je cherche à me ressaisir lorsque des pieds apparaissent dans l'ouverture au bas de la porte.

— Mahée ? Ouvre, c'est moi.

Je reconnais la douceur de Claudia. Mais je secoue la tête en hoquetant.

— Non, laisse-moi !

— Ce n'est pas grave, Mahée. Ça nous arrive toutes au moins une fois dans notre vie de faire une folle de nous-même.

Où est passée sa délicatesse ? *Une folle de moi-même ? Bordel, je le savais !* Un nouveau sanglot soulève mes épaules. Les pieds de Claudia disparaissent de mon champ de vision. J'essuie gauchement mes yeux avec du papier hygiénique.

— C'est parce que le petit garçon sans expérience t'a repoussée que tu pleures ?

Sa voix me provient maintenant du plafond. Je lève la tête. Claudia a grimpé sur la cuvette à côté. Je ne vois que ses yeux gris au-dessus du muret qui sépare les deux cabines.

— N'est-ce pas suffisant comme raison ? dis-je en me mouchant avec le papier qui se déchire sous mes doigts.

J'entends Claudia reposer les pieds au sol. Elle revient monter la garde face à mon refuge. C'est ridicule, mais j'ai peur d'ouvrir la porte, même devant ma meilleure amie. Après cette bourde, je ne souhaite rien d'autre que de longer le mur jusqu'à la sortie de secours, et surtout, je ne veux plus jamais croiser un joueur de hockey.

— Bon, c'est certain que ce n'était pas ton plus beau coup.

— Oh mon Dieu !

— Pourquoi as-tu fait ça ? reprend-elle, comme pour piétiner mon orgueil un peu plus.

Je parie qu'elle se retient pour ne pas éclater de rire.

— Fous-moi la paix !

— OK, Mahée. Si tu n'ouvres pas tout de suite, je passe sous la porte, grogne-t-elle en tambourinant sur la poignée.

Il faut toujours prendre Claudia au mot. Et puis, honnêtement, je suis assez humiliée pour ce soir. Je soulève lentement le crochet, sors la tête, regarde à droite puis à gauche pour voir si nous sommes seules. Évidemment, non. Claudia me dévisage, les mains sur les hanches.

— Qu'est-ce qui t'arrive ? commence-t-elle, sans se soucier du va-et-vient dans la pièce.

Je sors de ma caverne, m'assieds entre les deux lavabos. *Zut! Il y avait de l'eau sur le comptoir.* Une femme, qui se lave les mains énergiquement à côté, m'éclabousse un peu plus. *Au point où j'en suis!* Elle secoue la tête, compatissante.

— Ne vous en faites pas. J'ai vécu plusieurs peines d'amour dans ma vie, moi aussi. Le temps arrange les choses.

— Elle n'est pas en peine d'amour, répond sèchement Claudia pour ma défense.

— Un de perdu, dix de retrouvés, insiste la femme aux cheveux crêpés.

Elle doit se rendre chez la coiffeuse tous les vendredis matin pour les faire placer comme ça. *Je me demande si elle utilise des rouleaux.*

Claudia attend que la femme parte, puis elle pose ses longs doigts sur mes genoux. Je comprends clairement ce que son expression signifie: «Il faudra te remaquiller, ma chérie.» Tant pis! Je me prends le visage à deux mains. *Oui, je suis en peine d'amour.* Chaque mot qui traverse ma gorge me blesse comme une lame de couteau tranchante.

— C'est une collègue de David qui a répondu quand j'ai appelé chez moi.

— Qui? demande-t-elle vivement.

— Chaaarlotttteeeee, pleurniché-je à travers mon mouchoir improvisé.

Je n'ai pas besoin d'en dire plus, car mon amie a très bien compris la situation. J'attends qu'elle éclate, qu'elle insulte David à coups de « fils de pute », qu'elle m'ordonne de lui arracher les testicules avec une pince à cils. *J'aimerais mieux avec une scie sauteuse.* Pour toute réaction, elle mordille sa lèvre inférieure et applique une légère pression sur ma rotule.

— C'est pour ça que tu as sauté sur Alex ?

*Il s'appelle Alex ?*

— La dame qui a lu dans mes lignes de la main cet après-midi m'a dit que j'embrasserais l'homme de ma vie, ce soir.

— Et tu choisis le premier venu ?

— J'ai peut-être précipité les choses, avoué-je d'une voix penaude. Et puis, j'ai croisé cette Valérie aux grandes dents…

— Grandes dents ?

Je souffle dans le papier brun qui me sert de mouchoir. Un nouveau sanglot entrecoupe mes propos.

— Oui. Son père est orthodontiste et son mari est contrôleur aérien.

Claudia sourit en me serrant dans ses bras. Ses longs cheveux blonds me fouettent le visage.

— La soirée est encore jeune, ma chérie, et… tu as un morceau de brocoli pris entre les dents.

# 11
# Chez Félix

Quelques joueurs nous emboîtent le pas, dont Marco qui tient fermement Sophie par la taille. Têtes baissées, nous avançons péniblement sous la pluie, nos pieds se frayant un chemin entre les flaques d'eau. Alex marche loin de moi et, étrangement, les autres aussi. *Sauf un.* Un grand brun qui s'appelle José essaie de me faire la conversation. Malheureusement, son intérêt pour le dernier film de James Bond ne rejoint pas mon humeur maussade. Je veux réfléchir, mais il envahit mon espace. Je suis polie, sans plus, tout en évitant de croiser les yeux de qui que ce soit. Dès que j'ai quelques secondes de répit, j'en profite pour m'interroger à savoir si je reverrai Vincent ce soir.

— Tu sais qu'Adèle a fait la chanson-thème ?

Je lève un sourcil. *Tout le monde sait ça.* Pauvre enfant, j'ai presque envie de lui pincer la joue et de lui faire des gazouillis. Selon mon estimation, il n'a pas vingt ans. Premier point positif de la soirée, il n'a pas l'air de me prendre pour une « matante ». Il se renfrogne devant mon mutisme et cesse enfin de jacasser. Claudia a plus de chance : le gardien de but, avec qui elle a parlé de transmission automobile plus tôt, tient un parapluie décoré de chatons ouvert au-dessus de sa tête. *Je serais curieuse de savoir combien il vaut, ce parapluie.*

Il y a une file d'attente devant la porte du bar. Décidément, ce n'est pas le mauvais temps qui empêche les gens de sortir. Nous nous mettons au bout de la queue en piétinant pour éviter que nos orteils ne tombent. Les filles hésitent entre protéger leurs cheveux et retenir leur jupe que le vent soulève, ce qui crée une danse intéressante. Pour ma part, je choisis de serrer ma poitrine pour préserver mon billet gagnant. Les murmures dans l'air me découragent. « Ça fait une heure qu'on patiente », « On nous avait dit qu'il y aurait deux heures d'attente… » Qu'a-t-il de si spécial, ce bar, pour que les gens acceptent de geler sur place avant d'y entrer ? *Je veux un divan, une couverture et un feu de foyer, sur-le-champ !*

— Alors, Patrick, il t'a dit quoi ? demande Claudia en m'attirant sous le parapluie que le jeune homme tient toujours à bout de bras.

Elle a un don pour s'entourer d'hommes qui souhaitent faire ses quatre volontés. Et elle adore ça. J'aurais peut-être dû mettre Patrick au courant de ce détail. Finalement, je reste à l'écart ; trois sous un parapluie, c'est peu efficace. Les gouttes qui glissent sur la paroi du tissu se déversent dans mon cou et sur mes épaules. Je suis encore plus trempée maintenant.

— En résumé, il voulait savoir si tu étais aussi merveilleuse que tu en as l'air.

*En plus, il ne peut tellement pas se passer de toi qu'il accourt pour t'embrasser.* Du moins, j'ose croire que c'est sa motivation. J'espère qu'il tiendra parole. La jalousie me gratte l'orgueil : personne n'a jamais fait autant de chemin pour me faire une surprise. Ça coûterait trop cher d'essence, probablement.

— C'est vrai? dit-elle, les joues rosies par l'amour plutôt que par le froid.

Selon mes calculs, il devrait être ici dans la prochaine heure.

— J'ai été contrainte de lui dire à quel point tu es une véritable chipie! ris-je en claquant des dents, complètement frigorifiée.

— Dis, tu vas faire quoi de ton comptable? Le virer?

Au même moment, je sens une douce pression sous mon coude. Je me retourne vivement. Mon cœur fait un bond: Vincent érige un mur entre le reste du monde et ma petite personne. *Je suis heureuse de le voir.*

— Suis-moi.

J'obéis en fuyant les regards perplexes et les bouts de nez gelés qui nous mitraillent. Il m'entraîne vers l'entrée comme s'il n'y avait pas une file interminable devant celle-ci. Nous saluant d'un banal hochement de tête, le portier se pousse pour nous laisser passer.

L'ambiance est électrique à l'intérieur. Le tempo est si fort que lorsque Vincent me crie quelque chose, je n'entends rien. Il me tient la main pour que nous ne soyons pas séparés dans le brouhaha, mais en réalité, les gens s'écartent pour nous céder le passage. Encore une fois, comme je l'ai fait plus tôt aujourd'hui, je le laisse me guider où bon lui semble. Nous traversons une grande pièce avec des centaines de boules argentées qui miroitent au plafond. L'éclat des projecteurs me fait cligner des yeux. J'ai l'impression que même les filles portent des robes ou des souliers brillants. Nous longeons le bar central, puis la piste de danse. Elle fait au moins dix mètres carrés. Je suis hypnotisée par les gens qui bougent à l'unisson sur les carreaux blancs. Ce ne sont pas des amateurs, ils savent danser. Pire, un homme semble les guider dans une chorégraphie improvisée que tout le monde exécute naturellement. J'observe son jeu de pieds : il vole littéralement sur la musique. *Je ne pourrais jamais faire ça.*

Vincent ne cadre pas dans ce décor de plastique. D'ailleurs, il ne s'arrête pas ; il poursuit visiblement un but précis. Où m'emmène-t-il ? Je repère une porte sur le mur du fond. Vincent la pousse d'une main ferme. Le grassouillet aux cheveux rasés posté à l'entrée nous laisse passer d'un simple hochement de tête. *Il est si important que ça, Vincent Grandbois ?* Nous débouchons dans une pièce beaucoup plus petite, plus chaleureuse, plus discrète. Deux tables de billard remplacent la piste de danse, la musique est douce, les murs sont rouges et jaunes. Le rythme infernal de Mika qui joue à tue-tête à côté nous parvient maintenant en sourdine. Ici, c'est un air de blues qui sort des haut-parleurs, les gens bougent lentement, se parlent en riant, et surtout, ils ne s'enivrent pas à la tequila. Ils dégustent la spécialité de la maison, c'est-à-dire une panoplie de bières importées.

Vincent passe derrière moi. Il sent le gel de douche, le même que David. Pourtant, sur lui, l'odeur semble plus exotique. Je me rappelle alors que David utilisait un nouveau savon dernièrement. *Voilà un premier signe flagrant d'infidélité que j'ai loupé !* Je vois que Vincent s'est encore changé. Il porte un jean délavé souple, une chemise blanche qui crée un agréable contraste avec sa peau basanée. *Valérie ravalerait ses dents si elle le voyait.* Il retire lentement sa veste aussi noire que ses yeux, puis la dépose sur la banquette à côté de lui. Sans me poser de question, je l'imite.

— Comme d'habitude, monsieur ?

Je n'avais pas vu la serveuse approcher. Elle est inclinée au-dessus de Vincent comme on se penche sur un morceau de chocolat qu'on s'apprête à dévorer. Ma conscience intérieure rugit. Avec ses deux couettes blondes qui descendent jusqu'à ses seins, on dirait une poupée de porcelaine.

Vincent lui répond sans vraiment la regarder. *Elle est déçue.*

— Oui. Merci, Élaine.

Puis, il se tourne vers moi.

— Et toi ? me demande-t-il.

— Un café noir.

Ce sera un traitement-choc pour mon esprit embrouillé. J'ai déjà fait suffisamment de bêtises pour ce soir.

— Un habitué de la place ? dis-je en secouant ce qui reste de ma mise en plis.

Vincent n'a rien manqué de la cascade que mes cheveux viennent de faire sur mes épaules, il a même tressailli. Les pointes imbibées de mes mèches brunes laissent des traces sur mon chemisier humide qui colle à ma peau.

— Je viens ici de temps à autre. Tu as bien eu mon message ?

À son regard de feu, je n'imagine pas ce qu'il adviendrait de la carrière de Victor au restaurant si je répondais par la négative.

— Oui. Tu as réussi à te libérer, finalement ?

— Il en aurait fallu beaucoup pour que je ne puisse pas venir.

Soudain, il se met à me scruter avec attention. Son expression se durcit.

— Tu as pleuré ? demande-t-il d'une voix rauque.

Je presse mes lèvres l'une contre l'autre. Malgré le maquillage, j'ai les yeux rouges. Pendant un instant, je songe à lui expliquer que j'ai fumé un joint avant d'arriver plutôt que d'inventer une excuse bidon à l'eau de rose. Il est la dernière personne avec qui j'ai envie de discuter de l'infidélité de David.

— Un petit problème personnel, rien de bien grave, indiqué-je sur un ton détaché en espérant qu'il n'investigue pas davantage.

— Rien à voir avec moi, alors ?

Je plisse les yeux. Hou là ! *Il ne manque pas de modestie, monsieur Grandbois !* Je prends mon air de maîtresse d'école.

— Non, rassure-toi.

— Tu as quelqu'un dans ta vie, c'est ça ?

Il ajoute un peu de sel à la bière qu'a déposée Élaine devant lui, puis la tourne doucement sur elle-même pour faire mousser le produit. Ça me laisse quelques secondes pour réfléchir. Il lève son verre, mais cesse son mouvement en remarquant mon expression mitigée. Ma réponse tarde à venir, mes lèvres refusent de remuer. Il balaie donc sa question de la main.

— Oublie ça.

Je le regarde déguster la première gorgée. Mes yeux s'attardent sur les lèvres pleines que j'ai failli embrasser.

— À quoi penses-tu ? s'enquit-il, l'œil malicieux.

Je hausse les sourcils tout en soufflant sur mon café trop chaud, étonnée par sa question.

— À mes copines prises dehors avec ce temps et qui se demandent sûrement si elles devraient appeler le 911 pour kidnapping, souris-je.

Sophie et Claudia doivent être furieuses que je les aie laissées en plan. Au moins, elles étaient en bonne compagnie. Posément, Vincent décroche le téléphone à sa taille et appuie sur quelques touches. Je n'arrive pas à voir ce qu'il fait. Il envoie un message texte, peut-être ?

— C'est bon, Dan va s'occuper de tes amies.

— Ah !

*Trop facile.*

— Tu le connais bien, Dan ?

— C'est mon frère, m'apprend-il avec un demi-sourire. Il est insupportable.

— Mais…

J'écarquille les yeux. C'est impossible ! Dan n'a rien d'un Amérindien, ni la couleur de la peau, ni les traits. Vincent rit doucement. C'est la première fois que je le vois se détendre. Son visage s'adoucit, son regard devient protecteur.

— Nous n'avons pas le même père.

Le principal concerné entre sans discrétion dans l'ambiance feutrée dans laquelle nous baignons. Sa beauté froide me frappe ; elle mettrait n'importe qui mal à l'aise. Dan est précédé de Claudia – qui détaille Vincent des pieds à la tête – et de Sophie – qui me fait de gros yeux. Tous les trois avancent droit sur nous d'un même pas décidé. Fier de son harem, Dan s'affale à côté de son frère. Les filles se serrent près de moi. Dans un geste de vengeance, Sophie soulève mon chemisier et colle ses doigts glacés contre le bas de mon dos.

— Tiens, tu mérites bien ça !

Je me tortille sur mon siège. Un courant d'air froid traverse tout mon corps.

— Ça va, j'ai compris ! grogné-je en tapant sur sa main.

— Ce n'était pas très aimable de nous laisser geler comme ça.

— Où est Marco ? lancé-je à brûle-pourpoint.

— Il sèche dehors avec les autres, qu'est-ce que tu crois ?

Étonnamment, cette idée fait surgir un sourire espiègle sur ses lèvres. Puis, elle crie :

— Que fais-tu avec un café, Mahée ?

— Je m'éclaircis l'esprit.

Claudia, qui lit entre les lignes, caresse doucement mon bras pour me consoler. Je lui murmure discrètement : « Ça va. »

— Vous n'avez pas envie d'aller danser ? propose Dan.

Il trépigne d'impatience. Sans aucun doute, il s'ennuie à mourir de ce côté-ci du bar. Claudia aussi, d'ailleurs. Ces deux êtres hauts en couleur aiment en mettre plein la vue. L'ambiance ici est beaucoup trop douce pour eux.

— Je suis venue pour danser, justement. Allons-y ! dit-elle en attrapant Sophie par la main.

— On vous rejoint plus tard.

Aussitôt arrivés, aussitôt repartis. Élaine, qui s'approchait pour prendre leur commande, fait demi-tour, non sans avoir posé un regard scrutateur sur Vincent. *Elle le veut.* Je souris timidement à mon compagnon.

— Il est toujours comme ça, ton frère ?

— Il est bien pire, d'habitude, dit-il en levant les yeux au ciel.

Son cellulaire vibre à sa taille. Il y jette un rapide coup d'œil.

— Désolé, dit-il à voix basse, je dois prendre l'appel.

Il répond sèchement sans me quitter des yeux. Je le sens se raidir, il est contrarié. Je brasse mon fond de café en me persuadant que c'est une soirée des plus normales.

— Quoi encore ? Oui, d'accord… Non, ne faites rien avant que j'arrive.

J'entends quelqu'un crier dans l'acoustique. Je tente de cacher mon malaise en buvant les dernières gouttes de mon café maintenant froid tellement je l'ai fait tourner. *Non, cette soirée n'a rien de normal.*

— Je serai là dans vingt minutes, conclut-il en raccrochant.

Il fait un léger signe à Élaine qui se matérialise aussitôt devant nous.

— Je vais prendre l'addition.

Sa voix change lorsqu'il s'adresse à moi. Son ton est plus doux, plus préoccupé. Je meurs d'envie de lui demander ce qui se passe, mais je me retiens ; ce ne sont pas mes affaires. Je suis déçue de le voir partir.

— Je dois y aller.

Je calcule qu'il laisse sur la table un pourboire deux fois plus généreux que nécessaire. Vincent se lève avec classe et remet sa veste, sous le regard indécent d'Élaine.

— On se revoit demain, Vincent ? demande-t-elle d'une voix chaude.

C'est quoi son problème ? À moins que ce ne soit l'effet général qu'il fait aux femmes ? Je n'avais rien remarqué jusqu'alors.

— Oui. À demain !

Sans un mot de plus, il attrape ma main et me guide de l'autre côté. Là où la musique fait éclater les verres, où les danseurs passent du bleu au rouge sous les projecteurs. Je ne vois que des bras dans les airs et des hanches qui ondulent. *Ils sont possédés.* J'ai une petite boule de regret au fond de la gorge à l'idée de dire bonne nuit à Vincent, mais je le suis à travers la marée de danseurs, profitant de la proximité peau à peau qu'il m'offre généreusement. Même s'il se montre distant et secret, ses contacts sont toujours chaleureux.

Claudia danse avec Dan. *Quels bassins ils ont, tous les deux !* Ils sont aussi bien dans leur corps l'un que l'autre, et leurs mouvements voguent au même rythme sur la musique. Un frôlement de hanche à l'unisson, un regard complice, ils respirent la sensualité. Quel beau couple ils formeraient ! Un peu plus loin, Sophie tente de s'accrocher à Marco qui bouge trop vite. *De plus en plus gai, celui-là !* Il est loin de posséder la fluidité d'un danseur étoile. Même Hi ! Ha ! Tremblay le surpasse. Ce qui ne l'aide pas, c'est que Sophie n'est guère une adepte des planchers de danse. Toute seule dans son salon, c'est une chose, mais entourée de gens, elle montre une certaine retenue. Regarder mon amie et Marco essayer de remuer de façon naturelle est plutôt comique. Ce n'est qu'une suite de gestes grossiers et maladroits : un talon sur un orteil, un bras qui s'abat sur une joue, un genou qui remonte dans les c…

— Hé ! Daniel ! crie Vincent en agitant la main.

Dan vient à notre rencontre, laissant Claudia tourbillonner sur l'air de Bruno Mars. Des gouttes de sueur perlent sur son front pendant qu'il replace sa chemise d'un mouvement souple. Vincent s'entretient rapidement avec son frère, mais je ne peux rien entendre avec cette musique du diable. Je ne perçois que : « C'est maman... » Le visage de Dan vire au blanc, comme tout à l'heure quand il a entrevu une trace de sang. Il secoue la tête, puis se dirige vers la sortie les poings serrés. *Du moins, il fait son possible avec son doigt enveloppé.*

Vincent se tourne vers moi, faisant valser ses cheveux noirs devant ses yeux.

— Je suis désolé, mais je dois aller régler une urgence, clame-t-il sans détour.

— Pas de problème.

— Je repasserai plus tard, si je peux.

— Nous serons probablement parties. Nous ne sommes ici que pour débuter la soirée...

Il y a des étapes à suivre dans une sortie de filles parfaite. À la suite du magasinage et du souper, viennent le premier cocktail et le grand classique. Chaque année, c'est notre dada. Notre dernière halte est toujours au Candi Bar, sur Mont-Royal. Du rose à profusion, des tabourets supportés par de jolies jambes féminines et dénudées en plastique, des distributrices à bonbons tous les deux mètres. Le plus marquant, ce sont les urinoirs en forme de bouche avenante. Je le sais, parce que les gars ne parlent que de ça. Si l'endroit plaît énormément aux femmes par son décor très « fille », les hommes ne manquent pas le détour, certains d'y trouver une panoplie de demoiselles en tous genres. S'il y avait une file d'attente au bar Chez Félix, ce n'était probablement rien comparativement à celle du Candi Bar.

Vincent n'insiste pas pour savoir où nous allons. De toute façon, Grandbois au Candi Bar serait aussi étrange que Mickey Mouse dans un spectacle de Metallica. Il étire un bras derrière le comptoir pour s'emparer d'un stylo sous l'œil incrédule de la serveuse. Il tourne mon poignet, puis s'applique à y inscrire un numéro de téléphone. Le contact de la pointe du stylo rouge contre ma peau délicate chatouille et m'égratigne à la fois.

— Si tu as besoin d'un chauffeur pour retourner à la gare demain…

Je le gratifie d'un sourire béat.

— Merci.

*Merci ?*

Vincent s'évanouit une fois de plus dans le décor. Il ne m'a pas laissé le temps de lui dire au revoir, de lui souhaiter bonne chance. *De l'embrasser.* Je ne sais pas ce qu'il s'apprête à faire, mais ça semblait réellement une corvée.

Je regarde autour de moi. Où les filles ont-elles mis leurs vestes ? Je remarque une montagne de vêtements sur un banc près du comptoir, parmi lesquels la ganse du sac de Claudia dépasse un peu. *Hé ! On n'est pas au Lac ici, on ne doit pas laisser un sac à main sans surveillance.* Je dépose ma veste sur les autres, puis m'effondre sur un tabouret.

*Quelle soirée!*

«Attends, Mahée, tu n'as encore rien vu», me souffle ma petite voix intérieure. Je lève les yeux sur un serveur qui ne demande pas mieux que de prendre ma commande.

— Vodka, jus d'orange. Double!

# 12
# Avis de recherche

— J'ai le temps pour une autre bière ou on traverse au Candi Bar tout de suite ? émet Claudia en convertissant une serviette en papier en éventail.

C'est la troisième fois qu'elle pose la question et que je détourne son attention vers un mâle attirant, afin de retarder le moment de lui répondre. Je ne sais pas mentir. Si j'ouvre la bouche, Claudia saura instinctivement que je dissimule des informations importantes, comme elle le dit si bien. *Elle était sûrement journaliste dans une autre vie.* Elle sait mener un interrogatoire en règle pour obtenir un potin, une cachotterie.

Magnifique avec cette brume de sueur qui glisse sur sa peau, elle soulève son chandail au niveau de la poitrine pour y faire passer un courant d'air. Je suis mollement appuyée au comptoir, plus que détendue après mes deux vodkas. *Doubles !*

— Tu as le temps, rien ne presse, réponds-je nonchalamment en regardant ma montre.

Évidemment, ses oreilles de chipie se dressent.

— Depuis quand t'es pas pressée d'aller te bourrer de bonbons surs ?

*Merde…*

— Laissons Sophie s'amuser encore un peu avec Marco.

Claudia lève un sourcil. *Oui, je sais, pas très fort comme argument.*

Que fait son beau Patrick? Il me semble qu'un militaire qui conduit une Camaro doit être efficace sur une autoroute. Ça fait plus de trois heures que je lui ai parlé au téléphone ; il devrait déjà être là. Même Sophie qui conduit comme une tortue aurait fait le trajet en moins de temps. Je fixe la porte comme une demeurée en espérant le voir apparaître. Pourtant, je ne sais pas à quoi il ressemble, outre la courte description que Claudia nous a faite. J'ai tout de même l'impression que je pourrais le reconnaître. Je passe au crible tous les hommes qui se pointent, je m'attarde sur tous les crânes rasés de ce monde. Aucun ne porte le jean à la façon décrite par Claudia. Aucun n'a l'œil frétillant d'impatience de serrer dans ses bras une petite amie partie au loin depuis seulement quelques heures.

Sophie échappe à Marco. Ce dernier, qui n'a plus aucune raison de se ridiculiser sur le rythme latino qui s'éternise, se dirige vers le bar. La peau collante et chaude, mon amie passe un bras autour de mon cou et retire difficilement un de ses souliers.

— Je me souviens maintenant pourquoi je me tiens loin des pistes de danse, relate-t-elle en massant ses orteils. Je ne sens plus mes pieds.

— Sophie, je peux emprunter ton téléphone ? Le mien est à plat, articule Claudia entre deux longues gorgées de son verre.

Mes amies sont en nage. Elles qui s'inquiètent pour leur ligne, on peut dire qu'elles auront éliminé beaucoup de calories aujourd'hui. Je devrais peut-être en faire autant, même si je n'ai pas de kilos en trop.

Sophie remet sa sandale, puis recommence le même processus avec son pied droit.

— C'est le téléphone du bureau. Pas question qu'il serve à envoyer des messages cochons à ton mec.

— Pourquoi le traînes-tu dans une soirée comme celle-ci, alors ? interroge Claudia, l'air ironique. Ah ! c'est vrai, ton patron doit vouloir te joindre en tout temps !

— Claudia, mon appareil est dans ton sac, marmonne Sophie qui remet sa chaussure en grimaçant de douleur.

Claudia ouvre doucement l'appareil de Sophie. Une photo de celle-ci, assise derrière son bureau, apparaît. Notre amie semble très sérieuse, très classique... très Sophie. *Je me demande bien qui a pris ce cliché ?* Claudia appuie sur les touches, puis attend une éternité. Je patiente avec elle.

*Réponds, crétin !*

Tous les scénarios d'horreur défilent dans ma tête. Je prie encore combien de temps avant de lancer un avis de recherche ? Claudia garde longtemps le cellulaire coincé entre son oreille et son épaule, mais en vain. Elle est visiblement inquiète. *Moi aussi. Bordel, où est-il ?* Je ne pourrai pas retenir les filles ici des heures. Claudia laisse un message désespéré sur la boîte vocale. Il est mieux de rappliquer vite, le tombeur. Notre soirée est suffisamment chambardée sans qu'il gâche tout. Rien ne se passe comme prévu.

— Je ne comprends pas. C'est pas son genre de me laisser sans nouvelles, angoisse Claudia.

— Franchement, Claudia, tu le connais depuis seulement deux semaines ! Ouvre les yeux : il en a profité pour attraper une autre gazelle, c'est tout.

Les propos de Sophie sont durs et gratuits, à tel point qu'ils n'atteignent pas vraiment Claudia, même si cela lui fait un peu de peine. Elle connaît Sophie. Au nom de mes deux vodkas, j'implore mon cerveau de filtrer mes paroles afin de ne pas vendre la mèche. Je tente une explication pour calmer le jeu, encore une fois.

— Il est peut-être sorti, lui aussi ?

— Non, il m'aurait avertie. Il me dit tout ce qu'il fait.

Ce n'est pas un peu malsain comme relation ? J'ai de la difficulté à comprendre ces couples fusionnels qui ne font pas un pas sans l'autre. Vive les messages textes ! « Chéri, je suis à l'épicerie, as-tu besoin de quelque chose ? » « Mon amour, je mets de l'essence et j'arrive. » « J'ai un petit mal de tête, j'ai pris deux Advil. » David et moi sommes plutôt indépendants. Peut-être parce que je n'ai pas de téléphone intelligent ? Tout ce que je sais à propos de ses journées, c'est seulement ce qu'il veut bien me raconter une fois le soir tombé ou la partie de hockey terminée. Au fond, si nous nous parlions davantage, nous ne serions pas deux à rapporter du lait, nous ne passerions pas tous les deux à la poste et j'aurais le décompte de nos comprimés analgésiques au fur et à mesure. La bouteille ne serait donc pas toujours vide lorsque j'ai la migraine. Aussi, ce mode de communication évite peut-être d'avoir la mauvaise surprise de retrouver une collègue de travail chez vous en train de manger un gigot d'agneau.

— J'espère qu'il n'a pas eu un accident, poursuit Claudia avant de recommencer à ronger ses beaux ongles rouges.

— Une faille dans son condom, c'est le seul accident qui peut lui arriver, crois-moi.

— Ah ! Sophie !

Claudia me fait comprendre silencieusement de laisser tomber. Sophie vit sur une autre planète lorsqu'elle a consommé plus de trois verres de vin. J'espère que Patrick n'a pas fait de tonneaux sur l'autoroute. *Il ne manquerait plus que ça !* C'est quoi cette soirée qui va tout de travers ? Tout est si simple normalement. Fous rires, un verre – enfin... plusieurs verres –, du plaisir. Pourquoi cette année se dirige-t-elle vers un échec total ? *Maudits hommes !*

— Tu t'inquiètes pour rien. Son téléphone est peut-être tombé dans son aquarium, il l'a peut-être oublié chez sa mère ou il joue tranquillement à des jeux vidéo avec un copain.

Je mordille mes lèvres. Je n'ai pas l'habitude de raconter autant de mensonges en si peu de temps.

— Sophie a peut-être raison...

— Bien sûr que j'ai raison. J'ai toujours raison !

Je soupire. Où est Marco? Il pourrait aller l'étourdir sur le plancher de danse. Mon vœu est exaucé: je viens de l'apercevoir. Quand il passe près de nous avec sa bière, je pousse Claudia dans ses bras.

— Patrick est peut-être avec elle? réplique Claudia, les yeux mi-fâchés, mi-tristes.

— Elle?

— Sa greluche d'ex avec qui il habite encore.

À voir l'expression de Claudia, en aucun cas je ne voudrais être à la place de l'ex en question si cette supposition-là s'avérait. Elle n'aurait plus de dents. Pauvre Claudia, si elle savait... Patrick paraissait si sincèrement fou d'elle tout à l'heure au téléphone. Comment la rassurer sans bousiller la surprise qui l'attend?

— Voyons, Claudia! Il y a quelques heures, il voulait manger ta petite culotte. Arrête de t'en faire.

Je ne reconnais pas Claudia. Elle n'est pas comme ça avec les hommes habituellement. Elle tourne longtemps autour d'eux, joue avec leur patience afin de faire grimper leur désir jusqu'à ce qu'ils perdent la tête. Elle aime garder le contrôle de la situation, ne pas s'investir outre mesure, passer au suivant quand elle en a marre. Je ne l'ai jamais vu s'inquiéter d'un silence ou supplier qui que ce soit. Ce Patrick a réussi à l'accrocher sérieusement.

Je décide de faire diversion.

— Hé ! Regarde Sophie ! dis-je en pointant le menton dans la direction de cette dernière.

Claudia se retourne et pouffe de rire. Sophie est complètement accaparée par Marco qui la fait tourbillonner en se frottant contre elle. L'éclat dans les yeux de celui-ci trahit l'érection dans son pantalon. *Il n'est peut-être pas gai, finalement.* Ils détonnent du reste des danseurs car, dtttttécidément, ce n'est pas l'élégance qui fait qu'on les remarque. Claudia braque son cellulaire sur eux.

— Qu'est-ce que tu fais ?

— Chut ! s'exclame-t-elle, les yeux pétillants. Je vais les filmer.

Impossible d'avoir une vie privée avec ces machins. Il y a toujours quelqu'un, quelque part, pour immortaliser nos conneries. Claudia manigance un mauvais coup. Je comprends rapidement ce qu'elle mijote en la voyant fureter sur Facebook.

Tu ne vas pas mettre ça sur ton profil ? m'écrié je, certaine que ce n'est pas une bonne idée.

— Non, sur le sien ! répond-elle en gloussant.

— Tu ne peux pas faire ça !

Claudia rit de plus belle. Je me détourne pour ne pas être témoin du crime.

— Sophie sera furieuse !

— Je sais, mais elle est tellement drôle quand elle est en colère !

Claudia prend plaisir à titiller Sophie ; ç'a toujours été ainsi. Et c'est réciproque, d'ailleurs. C'est une chimie explosive qui bouillonne entre elles. Un méfait après l'autre, les deux se renvoient la balle avec habileté. Deux guerrières futées. Cependant, ce que Claudia s'apprête à faire, ce n'est pas une bonne idée. Sophie n'est pas une adepte des réseaux sociaux. Elle a un compte par principe, parce que tout le monde en a un. Elle échange un peu avec nous, mais elle n'y inscrit jamais rien de personnel, ni ne partage aucune information. Sa photo de profil est un petit canari jaune. Une vidéo d'elle aussi compromettante dans les bras d'un homme sur sa page Facebook la fera sortir de ses gonds. Claudia risque le bannissement éternel. J'avale ma salive tout en ayant une pensée pour Tristan…

*J'espère qu'il n'est pas sur Facebook !*

Sinon, je prie pour qu'il soit doté d'un sens de l'humour à toute épreuve. Ce dont je doute. Aucun homme n'aimerait voir sa douce se donner en spectacle dans les bras d'un autre. D'ailleurs, ça m'étonne de Sophie, car une telle attitude ne fait pas partie de ses principes. Et Patrick qui n'arrive toujours pas… Je tape du pied nerveusement.

— Allez, viens ! m'invite Claudia en tirant sur mon poignet.

Avant d'avoir pu empêcher Claudia de commettre sa bêtise, je me retrouve dans la mêlée. Les filles autour de moi serrent les fesses et sortent leur poitrine. *Moi aussi, je suis capable de faire ça !* Je suis un peu raide au début, mais l'alcool qui circule dans mes veines donne rapidement du mouvement à mes hanches. Les bras dans les airs, je trémousse mon popotin de gauche à droite. Je m'accroche au rythme, fais le vide dans mon esprit. Le souvenir de David et de Vincent s'efface avec la musique et les cris qui m'entourent. Claudia, toujours aussi sensuelle, me sert de modèle. Elle vole aisément la vedette à toutes ces filles en talons aiguilles et en chandail trop serré. Les hommes la regardent avec envie. Je reste dans sa bulle, m'imprègne de son énergie. J'ai chaud, la tête me tourne, mais je ne peux plus m'arrêter. Je fusionne avec le tempo qui résonne sous mes pieds.

Je ne me souviens plus de la dernière fois où j'ai lâché mon fou. Ce n'était certainement pas à la dernière fête de Noël organisée par le directeur de l'école. Le personnel est vieillissant, nous avons donc mangé tôt, puis nous avons joué à des jeux ridicules : mimes, Fais-moi un dessin, chaise musicale. Le pauvre Claude s'est presque étouffé lorsque j'ai atterri sur ses genoux pour gagner ma place. Heureusement, ils n'ont pas sorti Twister. Je ne me serais pas vu le visage dans le derrière de sœur Colette. À vingt-deux heures, tout était terminé.

En fait, notre sortie de filles annuelle est probablement le seul événement dans mon quotidien qui sorte de l'ordinaire, qui me permette de m'éclater sans me soucier d'être vue ivre par mes collègues. À part quelques connaissances, je n'ai pas beaucoup d'amis au Lac. Je patauge dans plusieurs comités, je prends des cours d'aquaforme, mais rien de tout ça ne me procure une entière satisfaction. Je suis mon petit chemin, ma lisière de bois bien alignée, sans créer de vagues.

*Méfiez-vous des eaux tranquilles. C'est un tsunami qui se prépare si je quitte David, si je reste en ville, si je gagne mon million.*

Sophie me sort de mon cocon en me tapant sur l'épaule. Où est Marco ? Elle a bu une sangria de trop : ses yeux sont vitreux. *Vitreux ou larmoyants ?* Je la pousse un peu pour mieux la voir. Elle a une mine épouvantable. Tristan a-t-il vu la vidéo ?

— Qu'est-ce qui se passe ? demandé-je en espérant ne pas déjà connaître la réponse.

*Où est Marco ?*

— Justement, veux-tu me dire pourquoi c'est à moi que ça arrive encore ?

*Et pourquoi c'est toujours à moi de ramasser les pots cassés ?* Je l'entraîne doucement à l'écart. Elle s'adosse au mur.

— J'ai essayé de l'en empêcher, mais tu connais Claudia…

— Quoi ? Qu'est-ce qu'elle a fait, cette fois ?

— Euh…

Visiblement, Sophie ne faisait pas allusion au mauvais tour de notre amie.

— Tu le sauras bien assez tôt. De quoi parlais-tu, toi ?

Elle grimace amèrement.

— De tous les bars de la ville, il fallait qu'il passe par celui-ci, gémit-elle.

— Qui?

Elle pointe un couple qui s'installe à une table. Le jeune homme, plutôt bien bâti, retire la veste de la belle blonde qui l'accompagne. Leurs vêtements sont du dernier cri, leurs gestes sont gracieux, ils ont l'air tout droit sortis d'un magazine. Même les gens autour s'arrêtent pour les admirer. Ils rigolent en se tenant amoureusement les mains.

— C'est qui? m'enquis-je sans arriver à les quitter des yeux.

— Tu ne le reconnais pas?

Je porte une attention particulière au visage de l'homme, mais je ne le vois pas bien dans l'ombre des projecteurs. Soudain, il se redresse pour serrer la main d'un homme venu à sa rencontre. Je distingue ses pommettes hautes, son nez droit, ses yeux irrésistibles.

Pierre-Alexandre Leboutiller-Pelletier.

Sophie ne pleure pas souvent pour un homme, elle est plutôt du type blasé. Elle n'a encore jamais connu de fin à la Cendrillon. Après une rupture, elle nous sort des réflexions comme: «Un de perdu, dix de retrouvés», «De toute façon, il avait une haleine de cheval», «Il ne sait pas changer une crevaison.» Dans les conclusions de Sophie sur sa série d'échecs amoureux, les hommes sont toujours trop petits, trop grands, trop intelligents ou pas assez, trop manuels, trop soignés. Bref, les excuses fusent, et elle passe au suivant sans plus tarder. «C'est mieux comme ça», affirme-t-elle en haussant les épaules.

Si Sophie ne pleure plus pour les hommes, c'est qu'elle a déversé tout son torrent sur Pierre-Alexandre. Un coup de foudre inattendu dans l'ascenseur de l'immeuble B de l'université un lundi matin. Comme dans les films ! En retard, Sophie courait vers les portes qui se refermaient. Un bras avait retenu le battant et voilà, un conte de fées était né. Nous ne l'avions pas vue à l'appartement pendant trois semaines ; elle vivait d'amour et d'eau fraîche. Puis, le jour de la Saint-Valentin, elle était revenue dévastée. C'était terminé. Pour lui, ce n'était qu'une histoire de cul, mais elle voulait plus. Pyjama de flanelle, montagne de mouchoirs, cheveux en brosse, c'est ce que nous avions dû supporter sur notre divan pendant trop longtemps. Elle ne mangeait plus, ne dormait plus. Le téléviseur surchauffait, notre patience aussi. C'est la seule fois où je l'ai vraiment vue s'effondrer après une aventure ayant mal tourné.

Comme s'il avait senti notre regard sur lui, le type lève la tête. Sophie se retourne honteusement.

— Est-ce qu'il m'a vue ? demande-t-elle nerveusement sans oser regarder par-dessus son épaule.

Il nous dévisage quelques secondes, puis reporte son attention sur madame je-me-suis-fait-refaire-les-seins-deux-fois. On dirait du plastique. *Même pas beau !*

— Non, je ne crois pas.

S'il nous a reconnues, il est resté complètement imperturbable. Il faut dire que l'histoire entre Sophie et lui date de plusieurs années.

— Qu'est-ce que vous faites? se renseigne Claudia en nous accostant.

Je lui lance un regard noir qui lui annonce que l'heure est grave. Sophie est dans la brume. Je mime sur mes lèvres le prénom de l'imbécile. Claudia jette un œil derrière moi. Ses cheveux se dressent sur sa tête.

— Je crois qu'il est temps de passer à l'autre étape de la soirée, décrète-t-elle avec entrain. On n'a plus rien à faire ici.

— Bonne idée, Claudia. J'approuve! acquiesce Sophie. Vaut mieux que je sorte avant d'avoir des envies de meurtre.

*NON!*

Les filles se dirigent vivement vers nos vestes. Sophie fait ses adieux à Marco au passage. Il a l'air triste. Il baisse la tête pour faire pitié, et Sophie lui caresse la joue comme on console un enfant. Je regarde furtivement autour de moi. Aucune trace de Patrick. Nous ne pouvons pas partir, je lui ai promis de l'attendre ici. Je ne dis jamais de gros mots, mais en ce moment, c'est tout le chapelet catholique qui défile dans ma tête. C'est impossible qu'il ne soit pas arrivé après tout ce temps. Le milieu de la nuit a sonné; il a sûrement eu un problème. Il a peut-être carrément changé d'idée. Pourquoi suis-je mêlée à tout ça?

— Mahée, tu viens?

Sophie et Claudia sont prêtes à s'en aller. Pour ma part, je n'ai pas bougé d'un centimètre. Mes amies me scrutent étrangement; j'ai sûrement une tête d'enterrement. Je dois trouver une excuse pour les retenir. Une excuse que je n'ai pas encore dite dans la dernière heure. Feindre un évanouissement ? Une crise d'allergie au parfum ambiant ? Une soudaine ivresse qui m'empêcherait de marcher ? J'avance prudemment jusqu'à elles.

— Avant, je vous offre la tequila. C'est ma tournée ! dis-je en prenant un ton faussement joyeux.

Je n'ai pas convaincu mes comparses, car elles me regardent comme si j'étais folle. Elles ont raison. *Je vais l'être avant la fin de la soirée.*

— Dans les circonstances, il est plus sage de faire ça ailleurs, souffle Claudia à mon oreille. Je n'ai pas envie de réentendre l'histoire de Pierre-Alexandre le méchant pour la millième fois.

*Il est où, Patrick ?*

Sophie plisse les yeux. Nous tenons une conversation silencieuse. J'espère qu'il lui reste un minimum de lucidité pour saisir mon appel à l'aide. Je ne sais par quelle intervention du Saint-Esprit, peut-être que mes prières ont été entendues, mais elle semble comprendre que quelque chose se trame. Elle retire sa veste promptement.

— Pourquoi pas ? Mahée a raison : un peu de tequila me fera du bien.

Les muscles de mon cou se détendent, et l'air que je retenais dans mes poumons depuis deux heures circule enfin librement. *J'ai vraiment besoin d'une tequila.* Je lance un merci muet à Sophie. *C'est ta dernière chance, Patrick le militaire qui ne sait pas conduire une Camaro.*

— Bon, si c'est ce que tu veux, cède Claudia.

Nous nous perchons sur les tabourets qui longent le comptoir un peu collant. Le serveur aligne trois portions de tequila devant chacune de nous, quartiers de citron et sel. Nous sommes prêtes pour le coup d'envoi. Nous entrechoquons nos verres sans renverser une goutte. *Quand même !*

— Pour Pierre-Alexandre, le trou de cul ! s'écrie Sophie.

Je passe la langue sur mon poignet, avant de le saupoudrer de sel. Il a un arrière-goût de mon parfum. *Non !* Je me rends compte que j'ai léché le numéro de téléphone de Vincent. L'encre est brouillée par ma salive. Le liquide brûle mon œsophage, puis mon estomac. Le citron me fait grimacer, tous mes sens sont secoués. *Est-ce que je peux encore respirer ?* Je n'ai pas le temps de reprendre mes esprits que Claudia agite son deuxième verre au-dessus de sa tête.

— Pour David, l'enculé !

Le numéro de Vincent s'efface un peu plus, mais l'alcool me brûle moins, cette fois. Sophie avale sa gorgée.

— C'est quoi cette histoire ? demande-t-elle avant de croquer dans un morceau de citron. Je l'ai toujours dit que David était un bon à rien.

— C'est une trop longue histoire, justement.

— Il baise sa collègue, avance Claudia sans retenue. Dans son propre lit, en plus !

Les barrières de la décence commencent à tomber. Il faudra surveiller nos arrières. Sophie reste bouche bée.

— C'est pire que ce que je croyais.

— Hé ! les filles…

— Il est encore plus stupide que je l'imaginais. Mahée, si tu veux un conseil, fais-moi plaisir et sors-le par le fond de culotte. Laisse-le geler sur le balcon en pleine nuit, lance-lui ses vêtements au visage. Non, mieux, balance ses précieuses affaires dans le bac vert. Tu veux que je m'en charge ?

Je roule les yeux, puis j'empoigne mon dernier verre.

— À Patrick…

Claudia suspend son geste. Intriguée, elle attend la suite. Sophie aussi. *À Patrick, cet emmerdeur qui ne respecte pas ses promesses.* Je mords l'intérieur de ma joue. Ouf ! J'ai failli dire une connerie.

— À Patrick, tout simplement, bafouillé-je.

— À mon amour !

Le numéro de Vincent n'est plus qu'une pauvre tache rouge sur mon poignet. Claudia repose durement son verre devant elle.

— On peut partir maintenant ?

*Où est Patrick, l'emmerdeur ?*

— Je vais à la toilette avant, dis-je pour gagner un peu de temps.

Sophie soupire. Je me lève doucement. J'ai l'impression que l'alcool me démange jusque dans mes yeux.

# 13
# Rick Cartier

Je monte l'escalier qui mène aux toilettes. *C'est quoi l'idée de construire les toilettes au deuxième étage quand on reçoit des gens ivres qui ont des ampoules sous les pieds ? Et puis, pourquoi est-ce que la salle des dames est toujours plus éloignée que celle des hommes, hein ?*

Je tiens solidement la rampe. Je grimace en faisant attention à ce que mon soulier ne touche pas le derrière de mon pied. Je reporte tout mon poids sur le bout de mes orteils. *C'est mieux.* Je contourne un petit groupe de filles qui se tortillent comme si elles étaient sur la piste de danse. Un bref regard à mon soutien-gorge me fait sursauter. Mon billet de loterie a disparu. Je plonge ma main sans gêne sous mon chemisier. Non, il n'est vraiment pas là. Pourtant, il y était, il y a trente secondes. Je le sais, parce que c'est la fréquence à laquelle je vérifie sa présence.

Alors que je balaie le sol des yeux, que je tourne sur moi-même et me retiens de ne pas m'agenouiller pour fouiller le lieu de fond en comble, une épaule solide me heurte le bras.

— Oh ! Ça va ?

L'homme devant moi me foudroie de ses yeux verts. Un vert perçant comme on en voit rarement. Dommage qu'ils soient à demi cachés par les mèches blondes qui s'échappent de sa casquette. Je le reconnais: c'est lui qui dansait divinement bien plus tôt. Il se penche pour ramasser quelque chose à ses pieds.

— C'est à toi?

Je bats des cils tandis qu'il me tend un bout de papier froissé bleu et blanc. Je voudrais le lui arracher des mains, mais j'en suis incapable. J'avance doucement, mes doigts frôlent les siens.

— Oui, merci.

Il enfonce ses poings au fond de ses poches, puis m'adresse un sourire en coin.

— Ton chemisier est…

*Ouvert, je sais.*

Je lève les yeux au ciel, puis j'attache encore une fois le bouton coupable. Les filles passent entre nous, gloussent en observant l'inconnu qui ne leur porte aucune attention.

— Est-ce que je peux t'offrir un verre pour te remercier?

Les mots sont sortis tout seuls de ma bouche. Il s'apprêtait à déguerpir, mais se ravise.

— Tu veux me remercier d'avoir retrouvé un billet de loterie?

Je sens la moquerie dans son ton. Je baisse les yeux. Effectivement, mon affection pour ce billet est démesurée. Et il a probablement mieux à faire.

— En effet, quelle drôle d'idée ! Laisse-moi tes coordonnées. Si je gagne, je t'envoie une part du magot.

Amusé, il sort un crayon de sa poche d'une main, empoigne le billet de l'autre. Il prend appui sur le mur pour gribouiller une adresse courriel.

— Voilà, dit-il en repliant le papier.

Il s'éloigne d'un pas nonchalant pendant que je jette un coup d'œil au dos du billet, là où normalement j'aurais déjà dû signer mon nom. Je plisse les yeux. Qu'est-ce qu'il écrit mal, cet homme !

*rick_cartier@gmail.com*

Rick Cartier ? C'est un nom qui m'est familier ; je l'ai déjà entendu plus d'une fois, mais où ? Je n'ai pas le temps de réfléchir que Claudia me happe de plein fouet, haletante. Elle a couru dans l'escalier. *En talons hauts !*

— Mahée, tu ne devineras jamais qui je viens de croiser ?

Elle me secoue comme une poupée de chiffon. Ses yeux sont un peu flous, son haleine de tequila me jette à la renverse. *Elle en a bu combien ?*

— Quoi ? Qui ?

— Rick Cartier !

— Ce n'est pas une grande primeur, Claudia. Je viens de lui parler.

Je fronce les sourcils. Comment sait-elle qui il est ? Je crois qu'elle est sur le point de défaillir.

— Tu lui as parlé ?

— Mais oui ! Quelque chose m'appartenant était tombé, et il l'a ramassé…

— Oh mon Dieu ! Il t'a touchée aussi ?

Par précaution, je décide de la soutenir. Elle s'accroche à mes bras pendant qu'elle attend ma réponse avec des étoiles dans les yeux.

— Oh mon Dieu ! m'exclamé-je. Quoi ? Qui est-il, ce Rick Cartier ?… Oh ! m'écrié-je lorsque la mémoire me revient.

Pourquoi n'ai-je pas saisi plus tôt ? Non seulement je lui ai parlé et je l'ai touché, mais j'ai son courriel derrière un papier plié en quatre. J'avais devant moi le frère du célèbre Sacha Cartier, le chanteur que j'affectionne depuis des années et dont j'ai les billets de spectacle bien cachés au fond de mon sac à main sous le lit de Sophie. Pourquoi ne l'ai-je pas reconnu ? La ressemblance est pourtant si frappante. *Sa casquette.* Pire, je n'ai rien fait d'autre que de rattacher un bouton au niveau de mon soutien-gorge. *Il a vu mon soutien-gorge.* On ne peut pas dire que je l'aie impressionné. Je m'appuie contre la rampe qui surplombe le bar et le cherche des yeux. Je le repère facilement. Les gens le dévisagent, mais il ne s'en formalise pas. Il s'arrête au comptoir, discute quelques instants avec le serveur.

Mon billet de loterie devient doublement précieux. Je devrais le faire encadrer. *Surtout s'il est gagnant !* Je le tiens toujours solidement entre mes doigts quand Claudia s'en empare d'un coup sec.

— Il t'a laissé son courriel ? crie-t-elle d'une voix aiguë.

L'air angélique, elle admire le gribouillis, mais je sais qu'elle manigance un autre mauvais coup. Elle serait capable de prendre le téléphone de Sophie pour lui écrire sur-le-champ. Cependant, le beau, riche et célèbre mec a-t-il daigné inscrire sa vraie adresse ? Aurai-je le courage de lui envoyer un message ? Les possibilités déferlent à l'infini dans mon esprit. Je me vois déjà lui quémander une rencontre privée avec son frère lors du spectacle à Québec.

— Ça vaut sûrement cher sur eBay cette information-là ?

C'est à mon tour de reprendre sèchement mon dû. Il est hors de question que je la laisse faire des conneries avec un courriel si précieux. Je remets le billet en place, bien au chaud.

— Oh non !

Claudia enfonce ses ongles dans mes avant-bras, puis elle pointe du menton la piste de danse au loin. Je ne remarque rien d'anormal ; le visage des danseurs qui se font marcher sur les pieds passe du vert au rouge ou au bleu selon l'humeur du DJ et des projecteurs. Les plus intoxiqués tombent comme des mouches au soleil. Marco, qui a retrouvé Sophie, fait montre d'autant d'incompétence que tout à l'heure en matière de rock and roll.

— Vois-tu qui arrive, là-bas ? me demande Claudia en accompagnant sa question d'un signe de la tête.

*C'est confirmé : Tristan a un compte Facebook.*

— Hum ! Il n'a pas l'air de bonne humeur, le footballeur.

— Tu crois que Marco peut se défendre ?

Je retourne un coup d'œil incertain à Claudia.

— Tu as même eu la délicatesse de mentionner l'endroit où nous sommes ?

— Euh… oui… marmonne-t-elle d'un air coupable.

Dans la seconde qui suit, Tristan se retrouve devant Marco, qui recule sous la force de son regard. Il a peur de se faire secouer comme un cocotier. Sophie gesticule près d'eux, mais le footballeur et le hockeyeur ne se quittent pas des yeux. En ce moment, pour eux, Sophie n'a aucune importance.

— Viens !

Claudia prend ma main et m'entraîne dans l'escalier beaucoup trop abrupt pour mon talent à me tenir sur des talons. Je m'accroche à mon amie qui descend avec une grâce qui lui est propre. *Comment fait-elle ?* Je n'ai jamais eu une belle relation avec les chaussures qui nous grandissent de cinq centimètres. De toute façon, David n'aime pas que j'en porte parce que ça le fait paraître plus petit que moi.

*David qui, déjà ?*

Lorsque je lève les yeux, après avoir concentré mon attention sur chacune des marches, je vois Marco planer au-dessus des danseurs. En fait, il est retenu au niveau de son collet par Tristan, et ses pieds se balancent dans le vide. Son visage retrouve l'air malheureux du petit gros humilié qu'il était jadis dans la cour d'école.

— Qu'étais-tu en train de faire avec ma copine ? s'écrie Tristan en secouant un Marco blême à bout de bras.

— Tristan, ce n'est pas ce que tu crois ! s'indigne Sophie. On ne faisait que danser.

*S'il savait ce qu'elle fait avec son patron...*

Même si Marco est costaud, Tristan le tient sans effort.

— Danser, hein ? Tu la tripotais ! Sur Internet, en plus, devant toute la planète.

— La planète ? cafouille Marco, de plus en plus confus.

— Internet ? répète Sophie, choquée.

Quelques jeunes hommes en pantalon noir et en chandail moulant s'approchent avec prudence. Ils se demandent clairement s'ils doivent intervenir ou non. J'ai un doute, moi aussi. Tristan ne ferait qu'une bouchée de leurs têtes de mannequins d'une publicité de rasoir jetable.

Une main s'abat soudainement sur l'épaule de Marco, le ramenant au sol.

*Oh ! Vincent !*

— Il y a un problème, ici ?

Les gens autour reculent, impressionnés. Pendant que Marco reprend son aplomb, Tristan lance un regard noir à Vincent. Celui-ci ne s'en formalise pas ; son visage demeure impassible. Il n'y a aucun signe d'appréhension sur ses traits, ce que Tristan constate rapidement. Je suis surprise que Vincent soit revenu aussi vite. A-t-il réglé le problème qui l'a forcé à partir tantôt ? Dan n'est pas dans les parages.

— De quoi tu te mêles ? grince Tristan à l'intention de Vincent.

— Tristan, arrête ! Allons discuter dehors, supplie Sophie comme une petite fille le ferait devant son père qui la gronde.

Elle ne veut surtout pas perdre la face et voir son homme se battre comme un sauvage contre Marco. *Il va l'achever !* Le grand quart-arrière pose son regard sur elle ; sa victime en profite pour se fondre dans la foule qui scrute la scène avec curiosité. Il ne m'en faut pas plus pour mesurer le courage de Marco. Le naturel n'est jamais bien loin. *Il a dû faire dans son pantalon.*

Sophie et Tristan sont sur un ring de boxe, prêts pour la guerre. S'il frémit, excité par le combat à venir, mon amie se recroqueville sur elle-même.

— Tu n'es qu'une pauvre petite salope, commence Tristan, la voix brisée.

Sophie tente de le toucher, mais il laisse une distance entre eux. Un mur invisible les sépare.

— Attends ! Allons nous expliquer ailleurs.

Étrangement, comme dans les films, on dirait que la musique est tout à coup moins forte, pour nous permettre de mieux apprécier le spectacle. Impuissante, je rencontre le regard de Vincent qui me toise en silence. Après un hochement de tête de sa part, le portier de tout à l'heure surgit à ses côtés. Il fait un pas vers Tristan qui ne s'en laisse pas imposer. Ce dernier se penche pour dire quelque chose à l'oreille de Sophie, puis il se dirige en direction de la sortie, suivi par l'employé qui l'incite à marcher plus vite d'une tape peu amicale sur l'épaule.

Mon amie cligne des yeux, dépassée par les événements. Elle est stoïque. Claudia est déjà auprès d'elle. Vincent me rejoint d'un pas nonchalant.

— Il cause des ennuis, le lâche qui vient de partir? me demande-t-il.

— Tristan? Euh…

— Je n'ai qu'un coup de fil à passer et son cas sera réglé! indique-t-il avec conviction.

Ses yeux s'embrasent; il est prêt à bondir sur sa proie. J'ouvre la bouche pour lui répondre, puis la referme, intimidée. Qui est réellement cet homme? J'ai l'impression que tout le monde connaît Vincent Grandbois. Comme un fauve, il rôde partout, tout lui semble facile. *Ce n'est pas pour rien que tant de rumeurs courent* à *son sujet.*

— Je crois que ça ira, dis-je finalement avec hésitation.

Sophie sait se défendre. Elle a une formation de base en judo, alors elle devrait être en mesure de foutre une raclée à Tristan au besoin. *Je m'étonne d'ailleurs que ce ne soit pas déjà fait.* Vincent s'adoucit, ses épaules se relâchent, il desserre les poings.

— J'avais peur que vous soyez déjà parties, murmure-t-il d'un ton feutré.

Pendant un instant, je suis subjuguée par sa proximité. J'oublie le trouillard qui frôle les murs au loin, j'oublie le tyran qui s'est fait gentiment mettre à la porte. J'oublie aussi Patrick qui brille par son absence, David qui doit maintenant faire la vaisselle avec Charlotte. *Ou autre chose.* La seule personne que je n'arrive pas à oublier complètement, c'est Sophie.

— Attends une seconde.

Je laisse Vincent en plan pour rejoindre mes copines. Les gens ont recommencé à danser autour d'elles, l'incident a déjà été remisé aux oubliettes. Claudia frotte doucement le dos de Sophie qui ne comprend pas encore ce qui vient de lui arriver.

— Comment a-t-il pu savoir où nous étions ? demande-t-elle en secouant la tête, complètement perdue. Il a parlé d'Internet, de la planète…

Je lance un regard assassin à Claudia qui s'étrangle avec ses remords. Derrière elle, j'ai dans ma mire Vincent qui se déplace vers le bar. Il commande une bière.

— Je m'excuse, Sophie. Je ne voulais pas te faire du tort, bafouille Claudia devant les yeux de Sophie qui s'agrandissent. J'ai mis sur ton profil une vidéo de toi et Marco en train de danser…

Je grimace. Sophie est sur le point d'exploser. *Ça va être laid!* Quand le mélodrame l'emporte, elle devient incontrôlable. Elle fait un geste brusque qui incite Claudia à cesser de la toucher. Sa bouche forme un rictus de colère.

— Sur mon profil ?

— Oui...

— Alors que tu connais la complexité de ma situation amoureuse, tu as pris l'initiative d'en rajouter, c'est ça ? En mettant une connerie sans importance sur MON profil ?

*Oh ! Ce sera plus laid que je ne le pensais.*

— C'est facile pour toi, Miss gros seins, tu as le monde à tes pieds !

— Sophie...

— Ça, c'est de l'amitié. Merci ! Mon mur Facebook, c'est mon territoire, mon intimité. Tu n'avais aucun droit de m'exposer de la sorte. Tu es idiote ou quoi ?

Le visage rougi par la fureur, Sophie fait volte-face vers l'escalier qui mène aux toilettes à l'étage. Elle trébuche plusieurs fois dans sa montée précipitée. Claudia lève les yeux au ciel avant de la suivre. Je comprends Sophie et je trouve qu'elle a été gentille avec notre amie. Moi, je lui aurais arraché la tête.

Je cherche brièvement Vincent du regard. Il se trouve quelques mètres plus loin, et échange une poignée de main enjouée avec Rick Cartier. Ce dernier lui tape joyeusement sur l'épaule. Les deux hommes semblent plutôt familiers. On dirait des ados heureux de se revoir. Tout ça me fait penser au billet de loterie. *Il est toujours en place.*

J'hésite à les déranger dans leurs retrouvailles. Vincent est peu démonstratif, comme d'habitude, mais Rick lui parle avec animation. Ils entrechoquent leurs bières, boivent à leur amitié. Je décide d'aller voir si Sophie a égorgé Claudia. Plus la soirée avance, moins les choses se passent comme prévu. Et Patrick… *Je ne veux même plus en entendre parler.*

Je décrète à l'instant que l'an prochain, notre sortie de filles se déroulera dans le confort de l'appartement de Sophie. Nous boirons du vin et regarderons *Mon fantôme d'amour* en boucle, comme au bon vieux temps.

Claudia tambourine sur la porte d'une cabine.

— Sophie, si tu ne déverrouilles pas tout de suite, je vais ramper dans l'ouverture sous la porte jusqu'à toi.

*J'ai une étrange impression de déjà-vu.* Sophie est moins docile que moi, car le battant ne bouge pas.

— Sophie, c'est la dernière fois que je le dis : ouvre !

*Silence.*

Seul le bruit des chasses d'eau et des portes qui se rabattent se fait entendre. Je m'approche doucement pour faire une tentative. Les statistiques jouent en ma faveur pour ce qui est de désamorcer la bombe Sophie Carrier. Claudia se pousse sur le côté pour me laisser la place.

— Sophie, c'est Mahée. Tu sais bien qu'il faut toujours prendre Claudia au mot. Ouvre avant qu'elle ne me fasse honte, risqué-je avec une pointe d'humour pour alléger l'atmosphère.

Encore une fois, nous sommes le centre d'attraction de toutes les filles guindées qui passent dans la pièce pour se remettre du rouge sur les lèvres ou du noir sur les cils. Décidément, avec notre trio infernal, aucun bar n'aurait besoin d'un animateur de foule. Nos histoires suffisent à divertir tous ces jeunes gens ivres et euphoriques. *Un vrai* soap *américain, notre affaire!* Il ne manque plus qu'Albert, le patron de Sophie, pour que le portrait soit parfait. Je me fige à cette idée. J'espère qu'il n'a pas de compte Facebook.

— Claudia, retourne sur le profil de Sophie et efface la vidéo avant qu'elle n'engendre d'autres catastrophes, murmuré-je. Imagine si son patron voyait ça. Il y a eu suffisamment de dégâts pour ce soir.

— Je veux bien, mais j'ai besoin du téléphone de Sophie pour ça, car le mien est mort, explique Claudia dans l'espoir de faire réagir notre amie.

Sophie ne bouge toujours pas. J'espère qu'elle ne s'est pas noyée dans la cuvette. D'un geste vif, Claudia relève ses pantalons. Puis, elle me lance son sac à main avant de s'agenouiller.

— Tu ne vas pas faire ça? m'écrié-je, horrifiée par l'idée.

— Tu vois une autre solution?

Avec un certain dégoût, elle pose ses mains sur le sol crasseux de «on ne sait trop quoi». Rien de plus louche qu'une substance visqueuse non identifiable sur un plancher de salle de toilettes. *Dans un bar, en plus.*

— Je ne vais pas attendre ici toute la nuit.

Les filles qui se recoiffent en ont pour leur argent. J'évite de les regarder, mais j'imagine leurs sourires pendant que Claudia, le derrière dans les airs comme une chatte, passe la tête dans l'espace sous la porte.

Je soupire. *Eh misère!*

Je perçois les sanglots de Sophie. *Première bonne nouvelle, elle est vivante.* Je patiente, mais le temps s'étire. Je pousse quelques blondinettes du coude pour me faire une place devant le miroir. Elles me dévisagent avec un sourire hautain; je comprends rapidement pourquoi. J'arrondis les yeux en voyant mon reflet: ma coiffure post-tempête n'a rien d'élégant. Me suis-je promenée comme ça toute la soirée? Rick Cartier a bien pu déguerpir. Je replace les mèches rebelles derrière mes oreilles, puis je fouille dans le sac de Claudia. Un peu de mascara, je pince mes joues. *Voilà qui est mieux.*

Plutôt que de faire la potiche devant une cabine en plein ouragan de larmes, j'émerge sur la mezzanine d'un pas las. Ai-je vraiment envie de savoir si Patrick est enfin arrivé? Je traîne des pieds; ils sont si lourds. Il n'y a pas que le temps à l'extérieur qui ramasse tout sur son passage, c'est également la tempête dans ma tête. J'ai peine à croire tout ce qui s'est produit en une seule journée.

— Ça va?

Je cherche la voix rauque. Vincent est appuyé à la rampe ; son regard est tranquille. Je hausse les épaules. *Il se soucie vraiment de comment je vais ?* Il parle probablement de Sophie. Tellement de choses se sont passées en si peu de temps que je ne sais plus à quoi m'accrocher. Vincent semble comprendre mon hésitation, puisqu'il m'entraîne lentement dans l'escalier.

— Allons boire un verre.

Le contact de nos avant-bras qui se touchent me trouble profondément. *Il dégage une telle chaleur.* Je serre les doigts sur le sac de Claudia. J'ai chaud, j'ai soif. Peut-être que j'ai faim ? Je vois quelques points noirs danser devant mes yeux. Je me concentre sur une marche après l'autre, puis encore une… Soudain, je sens du mouvement sous mes pieds, je me crois dans un escalier roulant. Je m'accroche à la rampe. *Note à moi-même : ne plus jamais boire de tequila dans une soirée aussi trépidante.*

Une main atterrit sur ma hanche et je suis solidement plaquée contre un torse de béton. J'ai l'impression de voler. Je n'entends plus la musique, qui a été remplacée par un sifflement dans mes oreilles. C'est maintenant naturel : je laisse Vincent Grandbois me traîner au bout du monde. Le bout du monde se trouve finalement de l'autre côté de la porte, dans la section plus sobre et plus calme du bar. La pièce valse autour de moi.

— Élaine, un verre d'eau et quelque chose à manger, s'il te plaît.

Il n'y a pas de doute, c'était un ordre. La jeune femme s'exécute avec ferveur. Quelqu'un d'autre demande nerveusement à Vincent si nous avons besoin d'un sac de plastique. *Il veut prévenir la nausée qui soulève mon estomac et n'a surtout pas envie de laver son plancher.* Vincent me glisse sur une banquette avec lui tandis que j'enfonce ma tête au creux de mon coude. Le peu de dignité qui me restait devant cet homme s'effrite avec ma respiration qui se fait de plus en plus haletante.

— Mahée, as-tu besoin de ta pompe ?

Même s'il maîtrise la situation, Vincent se fait insistant. Il s'apprête à arracher le sac à mon épaule et à y fouiller pour trouver ma pompe, mais je gémis un « non » dont mon bras camoufle la portée. J'entends un bruit près de mon oreille. Quelque chose vient d'être déposé brusquement sur la table.

— Allez, bois ça.

*Encore un ordre.*

Je lève doucement la tête, luttant contre l'étourdissement qui me secoue. Vincent me tend un verre d'eau. À son air, je comprends qu'il me le fera boire comme à une enfant si j'oppose de la résistance. *Plutôt mourir !* Je prends le verre d'une main tremblante, avale une première gorgée en réprimant un haut-le-cœur.

Élaine revient avec du fromage et des bretzels.

— Bordel, c'est vrai, elle est allergique à tout ! s'exclame Vincent en passant la main dans ses cheveux. Mahée, que peux-tu manger ?

Je rassemble mes pensées éparpillées. Je ne suis pas allergique à tout. *Du moins, pas à lui*… L'eau fraîche me fait du bien ; je la sens se répandre dans tout mon corps. Je vais déjà mieux. Je traîne habituellement quelques barres tendres faites maison pour mes petites baisses d'énergie, mais j'ai omis d'en mettre dans le sac de Claudia.

— Ça va, ce n'est qu'une faiblesse, dis-je timidement devant son regard effrayé. Je supporte mal l'alcool et j'ai bu un peu trop vite.

Je force un sourire faiblard sur mes lèvres. Vincent était vraiment inquiet. Sa mâchoire se desserre enfin, et il se détend.

— Il n'y a pas grand-chose que tu puisses manger ici. Des carottes, peut-être ? Ou une orange ? On en met dans les cocktails...

Élaine attend toujours impatiemment à côté de la table. Vincent lui fait un simple signe de la main et elle tourne les talons. *Elle va me faire bouffer les céleris qu'on met dans les Bloody Ceasar ?* L'alcool a rendu tout mon corps paresseux. Pour me ravigoter, je pose le verre froid contre mon front. Le frimas qui s'en dégage calme aussitôt la pression qui bouillonne dans mon cerveau.

— Les gens semblent vraiment bien te connaître, ici, articulé-je difficilement.

— Oui, je viens souvent dans ce bar.

Son visage se crispe à nouveau.

— Trop souvent... ajoute-t-il avant de prendre une longue gorgée.

## 14
# Il ne manquait plus que lui...

Je bois un peu d'eau pour m'éclaircir les idées. Pourquoi Vincent Grandbois vient-il souvent ici si ça le rend triste ? Je n'aime pas son regard morose.

— Comment va ta mère ? m'enquiers-je pour changer de sujet.

Il fronce les sourcils ; je rougis. *Mauvaise question.* Je songe sérieusement à la possibilité de me laisser choir sous la table et de fuir en douce en rampant sur le sol. Je pourrais aller voir comment Claudia s'en sort avec Sophie.

— Ma mère va bien. Dan est avec elle.

Vincent sirote une autre gorgée, puis me regarde.

— Crise d'angoisse, rien de bien sérieux, dit-il, légèrement amusé.

— Tant mieux.

Il pose son menton dans sa paume en se tournant vers moi. Je me sens parfaitement remise de ma faiblesse maintenant.

— Mis à part tes copines, tes allergies et le fait que tu arrives du Lac-Saint-Jean, je connais très peu de choses de toi.

Sa réflexion me fait penser à David. Une ombre assombrit mon visage.

— Tu n'es pas obligée de me répondre, tu sais, indique-t-il doucement.

— J'enseigne au primaire.

Pendant qu'il attend patiemment la suite, son expression demeure indéchiffrable. Que puis-je dire d'autre qui soit intéressant ? Je n'ai pas envie de parler de David, même si Vincent aspire probablement à savoir si j'ai quelqu'un dans ma vie. *Est-ce que j'ai encore quelqu'un dans ma vie ?*

— J'aime faire du vélo.

*J'aime faire du vélo ?*

Il affiche un air moqueur. Il a raison. Et puis quoi encore ? Je m'adonne au tricot les soirs d'hiver pendant que l'homme de la maison regarde le hockey. Ma vie n'a rien de trépidant, j'en ai eu la preuve avec Valérie. *À l'exception peut-être des jours où je frôle une vedette du bout des doigts.*

— Moi aussi. Je fais dix kilomètres tous les matins, m'apprend-il entre deux gorgées. Cependant, je préfère le vélo de montagne. As-tu déjà grimpé le mont Tremblant ?

— Non, mais j'aimerais bien, un jour.

*Il doit avoir des cuisses d'acier alors.* Le mont Tremblant ? Je ne suis pas de taille. Pour ma part, j'apprécie ce sport, mais je me contente de quelques promenades autour du lac quand l'été nous offre une petite brise. Les cheveux dans le vent, je chante à tue-tête comme une gamine. Malheureusement, je rencontre trop souvent les chaînes de trottoir. M'aventurer dans un sentier pourvu de roches et de branches serait catastrophique.

— Tu es ingénieur, restaurateur... Y a-t-il autre chose que je devrais savoir ?

*Une femme ?* Surpris par ma question, il m'observe par-dessus son verre.

— Je travaille à mon compte comme ingénieur civil, dit-il. J'œuvre surtout en structures et fondations. Et non, je ne fais pas dans les pots-de-vin, ajoute-t-il avec un sourire aigre.

Il s'arrête un instant, conscient que je ne comprends rien à son allusion. Je finis toutefois par saisir que sa remarque se rapporte aux scandales qui éclatent un peu partout au Québec. Il poursuit sur une note plus obscure.

— Le restaurant appartenait à ma femme.

Vincent est soudainement songeur ; il s'est retiré dans un autre monde. Je termine mon verre d'un trait. Mon cœur a bondi. Il a parlé de sa femme au passé. Je me rappelle alors ce qu'a raconté Sophie plus tôt chez elle : « On dit qu'il a déjà été marié, mais que sa femme a disparu sans que personne retrouve sa trace. » *C'est peut-être vrai ?* L'alcool accumulé dans mes veines depuis le début de la soirée me donne le courage nécessaire pour satisfaire ma curiosité.

— Je peux te poser une question ?

Il me fixe, un mince sourire aux lèvres et l'œil curieux.

— Bien sûr ! accepte-t-il.

— Pourquoi tu m'as dit tantôt qu'aujourd'hui était une mauvaise journée ?

Son visage se vide de son sang, ses yeux deviennent de glace. Son changement d'attitude me fait aussitôt regretter ma question indiscrète. Je m'attends à toutes les éventualités. Est-il en colère ? Va-t-il se lever et partir sans dire un mot ? Finalement, il plonge :

— En fait, c'est…

Vincent marque une pause, probablement parce que mon regard est rivé sur Claudia de l'autre côté de la vitre. Elle me fait de drôles de signes. Avec une moue horrible, elle fait le geste de se trancher la gorge avec son index. *Quoi encore ?* Pourquoi a-t-elle surgi au moment où l'homme mystérieux à mes côtés s'apprêtait à se lancer dans les confidences ?

Ennuyé, Vincent se lève pour me libérer le passage.

— Tu devrais peut-être aller voir.

— Excuse-moi, bredouillé-je en passant devant lui.

Les clients autour observent les simagrées de mon amie. *Celles-ci donnent à penser que quelqu'un est mort.* La bouche de Claudia est ouverte, ses yeux sont renversés vers l'arrière, ses traits sont crispés. J'accélère le pas sans arriver à déterminer si je suis inquiète ou si je suis en colère qu'elle soit venue me déranger. *J'espère vraiment que c'est un cas de vie ou de mort.*

Je suis sur le point de poser ma main sur la poignée pour ouvrir la porte quand quelqu'un me précède. *Ah! Vincent m'a suivie.* Je passe le seuil, aussitôt assommée par les décibels dans l'air qui usent mes pauvres petits tympans. J'ai toujours eu du mal à supporter le bruit. Adolescente, j'étais plutôt le genre à embrasser une affiche de Roch Voisine que de taper sur des casseroles avec Metallica. *Au grand désespoir de Sophie, d'ailleurs.*

— Qu'est-ce que tu veux, Claudia? Où est Sophie?

Claudia tourne la tête vers la droite. Sophie est accroupie entre une bouteille de bière vide et un vieux papier chiffonné derrière le muret qui sépare le bar de la piste de danse. Elle-même ne semble pas comprendre ce qui lui arrive.

— Qu'est-ce qu'elle a? Elle est malade?

Vincent nous observe tour à tour avec un air signifiant clairement: «Est-ce que j'ai vraiment envie de savoir ce qui se passe?»

— Non, c'est pire!

Qu'est-ce qui peut arriver de pire que nous n'ayons pas encore vécu? Je lève les yeux. Oh non! Richard Gere... euh... Albert! Vincent se penche à mon oreille.

— Qui est-ce?

— Le patron de Sophie, réponds-je en refoulant le frisson qu'a provoqué son souffle contre mon lobe.

La bouche de Vincent s'arrondit de surprise. Sa réaction annonce déjà le drame du prochain épisode de notre roman-savon.

La démarche de l'homme d'affaires est fluide, mais pressée. Son expression freinerait toute personne qui pourrait avoir envie d'aller à sa rencontre pour le saluer. J'ai de la difficulté à croire qu'il puisse avoir un compte Facebook. *Sa femme ou sa fille, peut-être...* Visiblement, il n'est pas ici pour danser ni pour boire un verre. Il détonne au milieu de tous ces jeunes adultes enflammés par la soirée bien avancée. Même s'il est minuit passé, il est frais et dispos comme s'il se présentait à un 5 à 7. *Je croyais que les vieux se couchaient après le bulletin de nouvelles.* Il porte d'ailleurs le même complet noir que tout à l'heure chez Sophie. On pourrait jurer qu'il sort d'une réunion au sommet. *Ou du lit d'une autre de ses employées ?*

— Qu'est-ce qu'on fait ? demande Claudia en implorant Sophie de rester cachée.

— J'ai mal aux pieds, se plaint-elle.

Elle se tait sous le regard sévère de Vincent. *On essaie de t'aider, ma chouette.*

— Attendons. Il est peut-être vraiment ici pour boire un verre, dis-je, pleine d'espoir.

— Ou il vient cueillir sa fille encore mineure qui s'est fait prendre à baiser dans les toilettes ? renchérit Claudia sur le même ton.

Nous restons là à le dévisager alors qu'il s'avance vers le bar. *Il cherche clairement quelqu'un.* Rick Cartier passe près de nous. Il me fait un clin d'œil étrange qui cache un secret. Il sait quelque chose que j'ignore. Qu'est-ce que Vincent lui a raconté ? Claudia l'accroche par le bras et s'en sert comme écran pour nous dissimuler à l'éventuel regard d'Albert. Il s'arrête volontiers. On dirait qu'il est venu ici en solitaire. Depuis tantôt, il erre sur la piste de danse ou près du bar. Il s'est même permis de passer de l'autre côté du comptoir pour préparer quelques cocktails.

— Et puis, avons-nous gagné le gros lot ?

Il est mignon quand il sourit.

— Je n'en doute pas une seconde, déclaré-je, mais je n'ai pas vérifié encore.

Je veux un téléphone intelligent. *Tout de suite.* Rick en possède sûrement un. Aurai-je l'audace de lui demander ça ? Et de plonger mes doigts dans mon soutien-gorge devant lui pour trouver le billet ? Claudia trépigne pour que je la présente.

— Rick, voici Claudia, mon amie.

— Ça me fait plaisir.

*Poli.*

Hou là ! Quelle étreinte chaleureuse elle lui fait ! Je remarque qu'il recule discrètement. *Ce n'est pas la première fois qu'il fait face à une telle réaction.* Lorsqu'un homme lui tape sur l'épaule, il se détourne de nous. Claudia bave encore, mais moi je surveille Albert. Ce dernier s'entretient un instant avec une serveuse qui passait près de lui avec un plateau rempli de consommations. Elle fouille la salle des yeux, puis secoue la tête. Claudia agrippe ma main au moment où Albert ouvre un pan de sa veste pour en sortir une feuille de papier qu'il déplie lentement.

*Une photo ?*

Pas besoin d'avoir un baccalauréat en psychologie, option patron jaloux, pour prévoir la suite. Vincent foule le plancher jusqu'à Sophie, prend sa main et disparaît avec elle dans la section tranquille du bar. *Une tranquillité drôlement perturbée avec toutes nos histoires.*

Je croise les yeux fiévreux d'Albert à travers la mêlée de danseurs qui nous séparent.

*Oh ! Il m'a reconnue.*

Dans un temps record, il traverse la piste de danse à la façon d'un militaire et se poste devant moi. Il est beaucoup plus intimidant de près. J'aurais préféré que Vincent soit encore derrière moi. Claudia serre toujours mes doigts, malgré mes efforts pour me libérer.

— C'est toi qui étais chez Sophie, tantôt ? demande-t-il d'une voix calme qui ne se reflète pas dans son regard.

Sa question n'en est pas vraiment une, car il sait qui je suis. Mais comment peut-il être si sûr de lui ? Nous nous sommes à peine entrevus dans un cadre de porte plusieurs heures plus tôt. Il avait l'esprit embrumé par son moment d'extase sur la table de la cuisine de mon amie. Les murs en tremblent encore.

Je suis tentée de répondre par la négative à sa question en levant mon majeur devant sa grosse face d'escroc. Il y a quelque chose de pas net chez cet homme. *Laisse Sophie tranquille ! On ne s'en prend pas aux amis de Mahée Tremblay.*

— Euh... oui...

Toujours prise entre l'arbre et l'écorce. *C'est l'histoire de ma vie!* Pendant un moment, une vague de soulagement traverse les traits d'Albert, mais sa mâchoire se resserre aussi vite.

— Je dois lui parler, rétorque-t-il sèchement.

— Elle est partie, indique instantanément Claudia.

Albert la fixe un instant. J'ai l'impression d'entendre ses pensées: «De quoi te mêles-tu, Miss gros seins?» Comme si elle avait compris, Claudia redresse sa généreuse poitrine. *Elle essaie de le prendre par les sentiments.* Elle perd son temps. Pour que ça fonctionne avec les hommes de cette trempe, il leur faut une situation de pouvoir, une chaise de président bien rembourrée. *Ce n'est que lorsque tu seras une employée insouciante rampant sous son bureau que tes gros seins te serviront, Claudia.*

Albert pose son regard froid sur moi.

— Elle est chez elle?

Je demeure interdite quelques secondes. Je cherche la bonne réponse pendant que les narines d'Albert s'agrandissent sous sa respiration irrégulière. Est-ce que je l'envoie se ruer sur une porte verrouillée et un appartement vide? *Au moins, on en serait débarrassé.*

— Non, chez son petit ami, tranche Claudia d'un ton sarcastique.

*Tais-toi!*

J'enfonce mes ongles rouges dans sa chair. Elle étouffe un cri de douleur. Le patron cinglé la foudroie du regard une fois de plus.

— Le type qui dansait avec elle ?

Claudia acquiesce avec toute l'arrogance dont elle est capable. Si Tristan a été peu commode avec Marco, je n'ose pas imaginer ce que pourrait lui faire la version corrompue de Richard Gere. Ça dégénère, nous aurons besoin d'une ambulance si ça continue. La figure d'Albert tourne au rouge. Quelles sont les statistiques d'infarctus chez les hommes d'un certain âge ? *Je me vois déjà crier : « Est-ce qu'il y a un médecin dans la salle ? »*

— Je vois.

*Il voit ? Il voit quoi ? Merde !* Il sait probablement que Tristan est le petit ami de Sophie et non l'homme qui dansait avec elle dans la vidéo. Albert considère toujours Claudia d'un œil mauvais, mais je sais que c'est à moi qu'il s'adresse.

— Dans ce cas, tu peux lui faire un message de ma part ?

— Bien sûr.

*Papier, crayon…*

— Elle est virée, articule-t-il posément.

Il se permet un hochement de tête autoritaire en guise de salutation, puis tourne les talons pour disparaître sous les boules argentées qui scintillent. Claudia et moi le fixons comme deux idiotes, la bouche ouverte.

— Attendons à demain pour lui annoncer ça, prononce enfin Claudia avant de se mettre à ronger l'un de ses ongles rouges.

— Tu es bonne pour l'enfer. Elle va t'arracher une dent après l'autre.

— Hé! C'est un «croche», son patron. J'ai rendu service à Sophie en mettant cette vidéo sur le Net. Voir si on renvoie une employée parce qu'elle sort danser un samedi soir.

Claudia traverse du côté sobre de l'endroit; je la suis de près. La serveuse me lance un regard attentif en essuyant ses coupes, comme si j'apportais mon lot de malheurs dans son havre de paix. Les clients se font plus rares à cette heure. Ceux qui s'étaient arrêtés pour boire tranquillement un verre ou deux en regardant le hockey ont déserté l'endroit. Les autres sont soit ivres au comptoir où ils racontent des blagues sur les blondes, soit ils ont choisi la piste de danse.

On retrouve Sophie et Vincent assis à une table dans un coin. Ils ne discutent pas vraiment. Les bras croisés, Vincent hoche périodiquement la tête en réaction au babillage de Sophie. D'après le regard un peu perdu de mon amie, j'en déduis qu'elle a avalé un martini après l'autre durant les vingt dernières minutes.

— Et puis, je suis virée, c'est ça? ironise-t-elle d'une voix neutre.

Je mords ma lèvre inférieure jusqu'au sang. Il n'en faut pas plus à Vincent pour comprendre la situation.

— Quoi? C'est ça? continue Sophie.

— Il te cherchait…

— On lui a dit que tu étais partie.

Heureusement, Élaine sauve la mise en échangeant le verre vide de Sophie contre un plein. Elle s'en empare aussitôt. Une belle crise évitée de justesse. *Merci Élaine, tu auras mérité ton pourboire.*

— Finalement, les filles, je crois que c'est suffisamment d'émotions pour aujourd'hui, commente Claudia. Si on terminait la soirée tranquillement ici, au lieu de se rendre au Candi Bar? ajoute-t-elle en s'asseyant lourdement à côté de Sophie. On peut rentrer aussi, si vous êtes crevées…

Une sortie de filles, c'est un état d'esprit, c'est l'occasion de s'éclater sans élément extérieur venant perturber notre insouciance. Boire à se défoncer, danser jusqu'à ne plus tenir debout. Sans aucun doute, nous n'avons pas réussi à créer cet instant magique cette année. Cette ambiance s'est évanouie avec la ribambelle d'hommes qui ont percé notre bulle rose bonbon depuis le moment où nous avons mis le bout de nos talons hauts dans cette boutique du centre-ville.

— Je suis d'accord pour rester ici, confirmé-je en me glissant près de Vincent.

Étonnamment, il ne se déplace pas sur le siège pour me donner de l'espace. Ma jambe droite se colle contre la sienne. Il passe un bras – possessif ? – sur le dossier derrière moi sans me toucher.

— Vieux vicieux… Âge d'or… Doigts experts…

Déroutée par cette nouvelle proximité et ma propre confusion face à ce développement soudain, je n'entends que des bouts de la complainte de Sophie. Je voudrais être seule avec Vincent, reprendre notre conversation là où Claudia l'a interrompue. Je veux savoir pourquoi aujourd'hui est une mauvaise journée, pourquoi il est aussi triste et distant. *Je veux tout savoir de lui.*

Mes amies sont de trop.

Une tache noire qui fragmente le décor sur ma gauche me tire de ma rêverie. Un homme, surgi de nulle part, examine la pièce du regard. Agité, il se dirige vers nous d'un pas décidé. Naturellement, j'esquisse un mouvement de recul, ce qui me rapproche de Vincent. Une veste luisante de pluie, une gueule de mauvais garçon, des cheveux bruns très courts…

*Patrick !*

J'avais réussi à l'oublier avec toutes ces péripéties.

# 15
# Fièvre et ivresse

L'arrivant ralentit l'allure au fur et à mesure qu'il s'approche de nous. Je cherche Claudia des yeux pour voir sa réaction. *Où est-elle ?*

— Excusez-moi, dit Patrick. C'est bien le sac à main d'une certaine Claudia ?

Le nouveau venu pointe le sac coloré près de Sophie. Claudia s'est évaporée dans l'air. Même Sophie, qui sort du brouillard, regarde à gauche, à droite, au plafond…

— Où est passée Claudia ? demande-t-elle.

Vincent est le seul qui puisse répondre.

— Aux toilettes.

— Ah ! nous écrions-nous en chœur, Sophie et moi.

La joie de Patrick est palpable. Après tout ce retard, je juge qu'il peut bien languir encore un peu. Il est beaucoup plus grand que je ne l'avais pensé, mais moins beau. Pour Claudia, c'est le plus bel homme de la planète. Je m'en étais fait l'image d'un héros de guerre : une barbe naissante, des yeux sauvages et une cicatrice le long de la mâchoire comme preuve de courage. Finalement, ses traits sont sérieux et ses lèvres sont minces. *Il a une tête de comptable.*

La porte qui sépare les deux côtés du bar s'ouvre. Claudia, toujours resplendissante même en fin de soirée, passe le seuil en regardant derrière elle. Souriante et innocente, elle fait sa coquette. *Elle n'est pas seule.* Je ferme brièvement les yeux en voyant la carrure de l'homme qui l'accompagne. Patrick reste figé.

Rick Cartier nous fait un signe de la main, heureux de voir Vincent. Ce dernier représentait probablement l'appât de Claudia pour attirer Rick jusqu'ici.

— Mon bébé ! s'écrie Claudia en sautant dans les bras de Patrick.

Celui-ci la soulève de terre et la fait tournoyer sur place. Ils échangent un sourire radieux, rempli d'amour. *Ou d'admiration.* Tous les Rick Cartier de ce monde n'existent plus. Déjà, je peux sentir la décharge électrique qui consume Claudia et Patrick. Ils s'embrassent comme s'ils avaient été séparés pendant des mois. Claudia passe ses jambes autour de la taille de Patrick qui ne vacille pas d'un millimètre. *Dépêchez-vous de prendre une chambre !* Ils sont si beaux à voir que j'en ai les larmes aux yeux.

*On peut assurément dire adieu à notre soirée de filles.*

Je jette un coup d'œil à Vincent. Ses lèvres se déploient dans un sourire timide. *Vincent Grandbois timide, c'est possible ?* Peut-être que lui aussi ne cesse de penser à notre baiser manqué dans les toilettes du restaurant en début de soirée. Son pouce forme de légers cercles sur mon épaule…

Je toussote pour attirer l'attention des tourtereaux avant que Sophie ne se roule en boule sur son siège en pleurant sur ses amours perdues. *Surtout avant que je ne saute sur les genoux de l'Amérindien à mes côtés pour emprisonner sa bouche dans la mienne.*

— Qu'est-ce que tu fais ici, mon chéri? demande Claudia, haletante, son front contre celui de l'homme qui semble être un dieu pour elle en ce moment.

— Je ne supporte pas d'être loin de toi.

Ils s'embrassent encore. Sophie lève les yeux au ciel. Rick ne se joint pas à nous, il s'installe près d'une table de billard. Les deux hommes qui jouent déjà l'accueillent comme s'ils le connaissaient depuis toujours. Il prend la tige de bois qu'on lui tend, étire le bras, plisse l'œil pour vérifier si elle est droite.

Vincent ne cesse pas ses caresses sur mon épaule. Sa respiration se fait de plus en plus saccadée. Les muscles de mon ventre se crispent sous sa main. C'est une sensation agréable, troublante. J'ai envie de me lover contre lui. Je ne me suis jamais demandé si j'éprouvais du désir pour un autre homme. David était dans ma vie, point final.

*Était?*

— Bon, tu nous le présentes, ton mec?

Sophie a remonté un pied sur son siège afin de poser sa tête sur son genou. Elle a l'air d'une petite fille dans cette position. *Pauvre Sophie, elle n'est pas au bout de ses peines.*

Patrick repose délicatement Claudia sur ses talons hauts tout en gardant un bras autour de sa taille. Elle fait de même, coinçant sa main dans la poche arrière du jean de celui-ci. Dans un synchronisme parfait, ils font deux pas vers nous.

— Voici le Patrick dont je vous ai tant parlé, dit-elle fièrement.

— C'est peu dire! Claudia nous a cassé les oreilles toute la journée avec toi, pousse Sophie avec un brin de jalousie. On sait la couleur de tes caleçons, et même plus.

Patrick rigole en embrassant doucement Claudia dans les cheveux.

— Qu'est-ce que tu leur as raconté?

Claudia passe une main sur la joue de l'homme qui la regarde intensément.

— Plein de choses, mon amour.

— Je n'en doute pas.

Je tends une main à Patrick, qu'il serre à bout de bras.

— Enchantée! Moi, c'est Mahée.

— Ah! C'est donc à toi que je dois dire merci de l'avoir attachée ici jusqu'à ce que j'arrive.

— Oui, et ce ne fut pas chose facile.

Claudia prend un air perplexe, mais Patrick l'ignore complètement.

— Désolé d'avoir mis autant de temps. J'avais quelques détours à faire.

J'ai ragé sur son cas toute la soirée, pourtant, son sourire sincère me donne envie de lui pardonner. Patrick me plaît. Il semble être un type bien pour Claudia. Quelqu'un qui apprécie pleinement la personnalité vivante de mon amie, qui rit de ses nombreuses folies. Après tout, il est capable d'en faire lui aussi. Il l'a prouvé en venant ici sur un coup de tête. Je suis certaine qu'il sera le premier à se lancer dans toutes les aventures que Claudia voudra bien lui faire essayer.

Vincent lui tend la main à son tour. Je suis curieuse de voir comment il se présentera.

— Vincent Grandbois.

Évidemment, c'est simple. *Je m'attendais à... à quoi, au juste?*

Patrick fait un tour de table rapide; il se présente en gentleman à tout le monde. Aucune nervosité ne tend ses épaules, il est parfaitement à l'aise. Ce serait bien la première fois qu'un homme ferait l'unanimité au sein de notre trio. Le test est habituellement pénible à passer. Même Sophie semble apprécier l'amoureux de Claudia.

Vincent tire son téléphone de sa poche. Il devait être sur vibration parce que je ne l'ai pas entendu sonner. Sa voix est tendue. Je fige un sourire sur mes lèvres pour faire croire à Claudia que je l'écoute. En réalité, je suis en mode décodage des monosyllabes de Vincent. *Et j'observe Rick Cartier s'incliner sur la table pour fracasser les boules d'un coup franc.*

— Où?... Avec qui?... Quand?

*Comment, pourquoi...?*

Je n'arrive pas à savoir à qui il parle. Claudia et Patrick recommencent leurs cochonneries, Sophie commande un nouveau martini. Marco, le joueur de hockey, passe la tête dans le cadre de la porte. Son visage s'illumine. Il n'a probablement pas eu conscience de la visite-surprise d'Albert. *Il l'a échappé belle !*

— Vous êtes là ! s'exclame-t-il en s'approchant d'un pas pressé, impatient de retrouver Sophie.

Maintenant que Patrick et Claudia se dévorent les amygdales, que Marco et Sophie discutent de l'incident de la vidéo compromettante, je reporte mon attention sur Vincent. J'ai rarement vu une telle immobilité. Il raccroche sèchement.

— Un problème ?

*Encore ?*

— Allons danser ! propose-t-il d'un ton faussement enjoué.

Je suis déçue. Le doux climat propice aux confidences s'est dissipé. Je n'en saurai pas plus sur le mystérieux appel, ni sur la raison pour laquelle il s'oblige à venir dans ce bar. Pressé de changer d'atmosphère, Vincent me pousse. Je n'ai donc pas le choix de me lever pour lui céder le passage.

— Ça va ? glissé-je tout bas alors que nous traînons derrière les autres.

Il me regarde comme si ma question était totalement inappropriée, voire déplacée. Je n'insiste pas, alors que nous passons dans la section plus vivante du bar. À cette heure-ci, les danseurs sont moins rapides mais plus sensuels. *Il y a du frottement de bassins ici.* Claudia et Patrick volent déjà la vedette.

Sophie trouve réconfort dans les bras de Marco. *Sacrée Sophie, je lui prédis un lendemain de veille brutal.* Sa jambe droite est remontée sur la hanche du joueur de hockey, ses mains parcourent son dos. Ça donnerait de belles images à diffuser sur YouTube dans les vidéos du jour. Se rend-elle compte, au moins, qu'il n'est même pas beau et probablement gai ? *Je crois qu'elle ne voit plus rien.*

Vincent bifurque de sa trajectoire au moment d'atteindre la piste de danse. Il se rend plutôt au comptoir. Le serveur dépose une bouteille d'eau devant lui.

— Tu viens danser ? demandé-je en m'approchant.

— Non... Je ne danse pas.

Il m'a donné un faux prétexte pour que nous venions ici. Et puis, à voir son air, je ne suis même pas certaine qu'il souhaite que je lui tienne compagnie. Je rejoins donc les autres, bredouille. C'est ridicule : je connais cet homme depuis seulement quelques heures et pourtant, son attitude me blesse profondément. Sa froideur vient de me glacer le sang, ramenant ma conscience à l'ordre. Au fond, il n'est qu'un étranger rencontré par hasard sur un quai de gare. Il n'a pas à faire des pirouettes devant moi, ni à me raconter sa vie. Lorsque je jette un coup d'œil au-dessus de mon épaule, il me regarde, impassible, les yeux légèrement plissés. Sophie a raison ; il peut faire peur, parfois.

Je me mélange aux danseurs exubérants. Je vois des coudes, des bras et des cheveux de près. J'essaie de me laisser emporter par la musique, de ne plus penser à rien. Ça sent le parfum bon marché et la sueur de fin de soirée. Je n'ai pas la grâce de Claudia sur un rythme endiablé, mais je me débrouille. J'avais oublié à quel point le jeu de la séduction est particulièrement excitant sur un plancher de danse. Les hommes tournent autour des femmes, on s'accorde sur le tempo, on échange des regards entendus, paupières mi-closes. L'alcool me rend légère, je me laisse guider par les jeunes gens qui tourbillonnent près de moi.

Soudain, la nuit tombe sur nous. Telle une vague, comme si un technicien prenait plaisir à couper les interrupteurs un à un, le décor disparaît progressivement. Les projecteurs s'éteignent, les boules argentées ne brillent plus. La musique s'arrête aussi, laissant place à des murmures de consternation, puis à des cris d'effroi ou d'excitation. Certains croient à un coup monté de l'animateur de foule. Je scrute le plafond sans lumière à la recherche d'un homme déguisé en Spiderman ou d'acrobates faisant des pirouettes. Je m'attends à quelque chose de vraiment divertissant. *Ils ont du budget!* C'est le noir total dans le bar pendant des secondes qui me paraissent des heures. Finalement, c'est peut-être la fin du monde? *J'espère que non!* Je serre une main que je crois être celle de Vincent.

## 16
# Panne électrique

Je sens un homme dans mon dos; cette proximité est rassurante. Je le heurte d'ailleurs tel un mur lorsque j'essaie de reculer. De sa main, il me garde bien en place et m'ordonne de ne pas bouger. Mon cœur rate un battement. *Ce n'est pas Vincent.* Il est si près que je perçois sa respiration sur ma nuque. C'est chaud, presque invitant. Je demeure immobile. Il y a du mouvement autour de nous, les gens se mêlent les uns aux autres dans l'énervement. C'est déstabilisant, ce moment où l'on ne voit rien. Je cligne des yeux afin que mes pupilles combattent l'obscurité.

Sophie et Claudia n'étaient pas très loin de moi. En tendant le bras, je pourrai peut-être les repérer. Mais les voix qui ne cessent de crier couvrent mes tentatives de ralliement avec mes amies. Comme s'il avait lu dans mes pensées, l'homme qui me serre toujours la main s'incline pour me parler à l'oreille.

— Tiens-toi tranquille si tu ne veux pas être piétinée.

*Où est Vincent?*

Nous sommes violemment bousculés par des êtres hystériques. Quelqu'un tombe sur mes pieds. Pendant une seconde, je ne sens plus la présence apaisante près de moi. *Nous avons été séparés.* Puis, quand un bras entoure mes épaules, je passe instinctivement mes bras autour de la taille de l'homme. Les lumières de secours scintillent dans les coins de la pièce, levant ainsi le voile sur l'obscurité. Une lueur fluorescente nous permet de distinguer les humains des objets, et la porte de sortie. Une voix dans un haut-parleur se veut rassurante.

— Ce n'est qu'une panne électrique causée par le mauvais temps…

Je repère facilement mes amies. Claudia a grimpé sur Patrick, Marco sur Sophie. *OK, pas tant que ça.* Un bruit ahurissant est projeté dans l'enceinte, la musique reprend, les projecteurs clignotent de nouveau. C'est le chaos. Les gens se regardent, perplexes. Certains se précipitent à l'extérieur, d'autres haussent les épaules puis reprennent leurs déhanchements.

— Alors, tu trouves que mon jean me sied bien ? souffle l'homme auquel je suis encore accrochée.

Je me retourne vivement pour voir qui me tient dans ses bras. Ma bouche s'assèche.

*Oh mon Dieu !*

Rick Cartier pose son regard vert sur moi. Ma peau vire au rouge lorsque je constate que je me tiens sur ses souliers de six cents dollars, que j'ai froissé sa belle chemise en soie. Son parfum sent « le riche ».

Qu'est-ce que Claudia lui a raconté ?

— Ça va ? me demande-il en ramenant une mèche de cheveux derrière mon oreille.

— Ouais... J'imagine que ça va aller.

Je me redresse en cherchant Vincent des yeux. Il ne danse pas. *Évidemment !* Il n'est pas non plus au comptoir. Rick se déplace légèrement, afin de me laisser un peu d'espace sans toutefois s'éloigner. Il regarde sur son téléphone dont l'écran vient de s'illuminer d'un message texte.

— Vincent a dû partir.

Je ne suis même pas surprise. Il n'a fait que ça, partir et revenir, toute la soirée. *C'est quoi, maintenant ?* Je reporte mon attention sur Rick qui soulève sa casquette pour secouer vivement ses cheveux avant de la remettre.

— Ah bon !

J'aurais aimé le voir plus longtemps sans cette casquette aussi blanche que sa chemise. Ses cheveux sont d'un blond incroyable.

— Un problème au restaurant, à cause de la panne, dit-il simplement en hochant la tête. Il m'ordonne de ne pas te lâcher d'une semelle jusqu'à ce qu'il soit de retour.

Je suis étonnée. Les deux hommes se connaissent-ils au point de s'envoyer des messages textes à mon sujet ? Et puis, pour qui se prend-il, Grandbois ? Rick serre les lèvres, visiblement embarrassé. Il se dépêche de changer de sujet.

— Je t'offre un verre en attendant, alors ?

Boire une sangria en compagnie de Rick Cartier ? Je secoue la tête. Quelle soirée insensée ! Mais il y a une question qui me chicote…

— Personne ne t'accompagne, ce soir ? lui demandé-je. Inutile de perdre ton temps, si tu as mieux à faire. Je suis parfaitement capable de m'occuper de moi.

Il se met à rire. Cet homme respire la sérénité, la légèreté, la jeunesse éternelle. Rien ne semble l'atteindre ; il se laisse pousser par le vent au gré des événements.

— Je connais bien Vincent et, crois-moi, c'est préférable d'obtempérer. Ne t'en fais pas, personne ne m'attend ce soir.

Il me fait gentiment passer devant lui et m'entraîne dans l'autre section du bar. Élaine, la serveuse, me regarde de son air : « Pas encore toi ! » C'est évident qu'elle compte les heures qui lui restent avant de mettre la clé dans la porte.

Rick commande un Pepsi sur glace. Encore une fois, il me surprend. Ce jeune homme a fait les manchettes des journaux plus d'une fois, et sa réputation de joyeux fêtard le précède. Devant mon air surpris, il déclare avant même que j'aie eu le temps de prononcer un mot :

— Je dois conduire, avoue-t-il à voix basse, comme s'il avait honte.

— Consciencieux, alors ! répliqué-je pour alléger l'atmosphère.

Il boit une gorgée. Je fais de même avec ma sangria. Le fort goût d'alcool me fait grimacer. *Élaine veut me soûler, ou quoi?* Le visage de Rick s'assombrit. Il tourne son verre sur lui-même pour faire s'entrechoquer les glaçons.

— Disons que la vie m'a donné une bonne leçon...

Je m'étouffe avec ma gorgée. J'avais oublié qu'il avait eu un grave accident de voiture quelques années auparavant. Conduite avec facultés affaiblies. Un autre véhicule était impliqué, des accusations criminelles avaient été portées contre lui. Les journaux en ont parlé pendant des semaines. Une histoire d'horreur. Je décide de passer vite sur le sujet.

— Tu connais bien Vincent?

Rick hausse les épaules, mais son humeur semble meilleure.

— Adolescents, nous nous sommes croisés à plusieurs reprises sur la glace. Un tournoi de hockey en amenait un autre. Ce sont souvent les mêmes équipes qui se rencontrent.

— Vincent jouait au hockey?

Je l'aurais imaginé dans un sport plus solitaire. Je sais déjà qu'il aime le ski et le vélo. Enfant, il aurait très bien pu s'adonner à la natation ou au lancer de javelot.

— Il était un adversaire redoutable; personne ne pouvait l'arrêter. Il contournait les joueurs et, évidemment, marquait à tous les coups. Il avait une belle carrière devant lui, mais une blessure au genou a ruiné ses chances de jouer dans la grande ligue. C'est dommage! Bref, nous sommes toujours restés en contact. C'est un homme bien.

— Ton frère jouait aussi?

La question m'a échappé. Je rougis. Depuis le début, je me retiens de prononcer le nom de son frère, de lui demander tout ce que j'ai envie de savoir. C'est grisant de pouvoir explorer un côté plus intime d'une vedette. *Je l'avoue, je suis une* groupie *sans limites.* Rick lève un regard amusé. Il est probablement habitué à se faire interroger sur son aîné.

— Lequel?

Sa riposte me surprend, encore une fois. Zut! C'est vrai, il a deux frères. Un rire malicieux souffle entre ses lèvres. *Il se moque de moi.*

— Oui, Sacha jouait au hockey, mais pas dans la même catégorie, m'explique-t-il. Il est plus vieux de trois ans, ajoute-t-il posément en reprenant son sérieux. C'est bien malheureux, car nous aurions fait une équipe d'enfer, lui et moi, si nous avions joué sur la même ligne.

Rapidement, je calcule mentalement l'âge de Vincent. *Mon maniaque des chiffres m'a appris.* Tout le monde sait que Sacha Cartier a vingt-neuf ans. *Tout le monde sait aussi qu'il aime la pizza et la crème glacée au chocolat.* Si Rick et Vincent ont sensiblement le même âge, ils ont vingt-six ans. *Environ!* Le bel Indien est donc beaucoup plus jeune qu'il n'en a l'air. *Jeune pour avoir été marié.* Le vécu transperce ses yeux. Tout compte fait, je pourrais en dire autant de l'homme assis en face de moi.

— Vous habitez toujours Toronto?

— Oui, pour l'instant. J'ai encore mon bar là-bas, mais celui-ci est à vendre.

Il passe la pièce en revue avec le regard soucieux d'un homme d'affaires. Vraiment, il dégage une maturité déconcertante pour son âge.

— Si je gagne le million, je te l'achète. On pourrait s'associer? dis-je sans grand sérieux.

— Sors ton billet qu'on vérifie les résultats tout de suite!

Rick porte une main à sa taille en rigolant, mais son air change lorsqu'il pose les yeux sur son écran. Il pianote aussitôt quelque chose, gardant son téléphone à plat devant lui. La réponse ne tarde pas, et il retourne un autre message. Sa légèreté a disparu, son corps est tendu, il a oublié mon stupide billet de loterie. Nous sommes presque seuls; Élaine, qui balaie derrière son comptoir, nous tient compagnie. Au même instant, la voix de Sacha Cartier, le frère de Rick, emplit la pièce de son dernier succès. *Mon préféré.* Ça n'impressionne pas mon interlocuteur une seconde.

— Désolé. C'était mon frère...

Je comprends qu'il parle du message reçu et non de la chanson qui passe. J'ai une petite pointe d'excitation au creux de l'estomac en sachant qu'il vient de parler à Sacha en direct sur son téléphone. *Ce dernier est à une touche de moi.* Cependant, les traits tirés de Rick m'inquiètent.

— Il va bien?

Il dépose sa casquette sur le comptoir, passe une main énervée dans ses cheveux rebelles.

— Il va bien. Il a seulement de drôles d'idées parfois.

— À cause de sa maladie, c'est ça?

— Ouais…

Sacha Cartier ne s'en cache pas auprès du public: il est bipolaire. Il a lancé plusieurs messages d'espoir sur le sujet, donné des conférences. On connaît son histoire. Je me demande ce que ça représente d'avoir un frère populaire, qui fracasse tous les records, qui chante partout dans le monde. En ce moment, je devine que ce n'est pas cet aspect-là qui est le plus difficile à gérer pour Rick. Il ajoute sur un ton plus léger:

— Il va mieux, beaucoup mieux.

Rick est visiblement soulagé à ce propos, mais il ne tient pas à me donner plus de détails. Je n'ai jamais côtoyé de bipolaires, mais il est évident que ce n'est pas de tout repos.

— Et toi, tu viens du Saguenay? demande-t-il, fier d'avoir saisi l'origine de mon accent.

— Non, du Lac-Saint-Jean. Je suis une puriste, comme tu vois…

Il fronce les sourcils, déstabilisé.

— Ce n'est pas la même chose?

— Alors non, vraiment pas! déclaré-je en riant doucement.

— Ah !

Sa naïveté est si charmante. Il me vient une idée en tête. Je le regarde un instant, puis tente une tactique purement féminine : le détournement de questions. Sous-entendre un élément dans le but d'obtenir l'information souhaitée. L'espèce mâle est facile à embobiner avec cette technique. J'enfile mon costume de femme compatissante.

— Pour en revenir à Vincent, tu as raison. Il semble être quelqu'un de bien, malgré tous les problèmes qu'il peut avoir.

Songeur, Rick étend un bras sur le dossier derrière lui, puis il croise les jambes. Une position totalement décontractée, propice aux confidences. *Oui, je vais en apprendre un peu plus.*

— Il y a des gens qui, malgré les problèmes, s'en sortent plutôt bien.

Je camoufle une moue déçue. Rick n'a pas mordu à l'hameçon. J'opte pour une approche plus directe.

— C'est à propos de sa femme, c'est ça ? Elle est décédée ?

*Allez,* come on, *parle-moi !* Je veux savoir ce qui trouble tant Vincent Grandbois. Rick pose ses deux mains sur son verre, il entrouvre la bouche...

— En fait, on ne sait pas vraiment.

J'ai l'impression de devoir aller lui chercher chaque mot au fond de la gorge. Il se tortille un peu sur son siège. Visiblement, le sujet le met mal à l'aise.

— Il a toujours gardé espoir de la revoir.

Ça a tout l'air d'une histoire d'horreur nébuleuse. Sophie choisit ce moment pour passer la porte. Elle s'adosse contre celle-ci, une main sur son cœur. J'écarte grand les yeux. *Va-t-elle vomir ?*

— Mahée !

Elle marche jusqu'à nous, un pas sur la droite, un sur la gauche. *Oh ! Elle recule !* Je ne l'ai jamais vue aussi intoxiquée. Je me rends utile et vais la rejoindre. Je m'empresse d'ajuster sa jupe qui descend un peu trop sur ses hanches et d'attacher le bouton qui laisse paraître son soutien-gorge.

— Mais qu'est-ce qui t'arrive ?

Elle passe ses bras autour de mon cou. Je soutiens son corps mou comme de la guenille. Elle manque de nous faire tomber.

— J'ai couché avec Marco, glousse-t-elle, le nez dans mes cheveux.

Je m'éloigne d'elle pour la toiser.

— Tu as fait quoi ? Où ?

— Dans les toilettes… des hommes ! La cabine était très petite et… Ouch ! mon dos !

Je lève les yeux au ciel pendant que Rick étouffe un rire. *Sans aucun doute, il a déjà fait l'amour dans les toilettes d'un bar.* Il donne sa place à Sophie qui se laisse tomber lourdement sur le siège.

— Et Marco, il est où maintenant ? demandé-je, davantage par curiosité que par nécessité.

Sophie hausse les épaules en passant la main dans ses cheveux ébouriffés. Son visage est pâle, ses yeux sont rouges. Avec tout ce qui lui est arrivé ce soir, vraiment, cette dernière connerie est le clou dans le cercueil.

— Sûrement sur le plancher de danse. Il doit être en train de frotter son cul contre une autre belle minette.

Éberlués, Rick et moi la regardons un moment. Sophie, la femme d'affaires exemplaire, se débauche.

— Je crois que Claudia est partie… poursuit Sophie, dont les joues tournent subitement du blanc au vert.

*Une autre histoire ! Pas moyen d'avoir la paix, ce soir.*

— Partie comme dans « retournée chez elle », ou partie comme dans « elle va revenir après sa baise dans la Camaro de son beau Patrick ? »

— Euh…

Rick nous considère tour à tour avec un sourire en coin. Vraiment, ce soir, les divertissements ne manquent pas pour lui. Il s'appuie contre la banquette, les bras croisés.

— Partie comme dans « je l'ai pas vue partir », conclut Sophie, les yeux vitreux.

Son haleine pourrait remplacer l'hélium dans les ballons. Je me tourne pour m'adresser à Rick.

— Je vais aller vérifier quelque chose.

— D'accord, déclare-t-il. Pendant ce temps, je vais la surveiller, ironise-t-il à l'intention de Sophie.

Sophie gémit dans mon dos, mais je me dirige vers la porte sans m'attarder. Je n'ai jamais eu aussi mal aux pieds de ma vie. *La soirée se termine!* Je replie mes orteils pour leur donner un peu d'espace, mes mollets me lancent jusqu'à la hauteur du genou. Rapidement, je parcours des yeux le bar. Dans aucun recoin, je n'aperçois un couple qui se pelote. *Enfin, oui, mais rien de comparable à ce que Claudia est capable de faire.*

Je m'arme de courage pour monter à l'étage vérifier dans les toilettes. Si Sophie et Marco ont réussi à s'y enfermer pour assouvir leur désir primaire, rien n'est impossible pour Claudia et Patrick. La toilette des dames est presque déserte, et ne laisse entendre aucun son inhabituel. Je me penche sous chaque cabine pour être certaine. *Personne.*

Je fonce du côté des hommes. Le grand brun appuyé contre un urinoir sursaute en me voyant dans le miroir.

— Hé! ma belle, les dames, c'est à côté!

Je ne me préoccupe pas de lui et reprends le même manège en regardant sous les portes. L'une d'elles s'ouvre sèchement; deux pieds se figent devant moi. Je me redresse aussitôt. Dan, le demi-frère de Vincent, se balance d'un pied sur l'autre, l'œil malin.

— Tiens, qui je trouve là, à reluquer les toilettes des hommes? dit-il d'une voix éteinte.

*Il a bu.*

— En fait, je…

Il ne me laisse pas finir ma phrase. Il m'attire dans la cabine avec lui et referme la porte. Quand mon dos s'écrase contre le mur, un cri de surprise monte de ma poitrine. Dan m'envoie son haleine de whisky en plein visage.

— Tu es très jolie, Mahée, susurre-t-il à mon oreille. Tu sais que mon crétin de frère te reluque ?

D'un geste vif de sa main intacte, il remonte mon genou contre sa hanche. Je sens clairement son érection contre mon bassin. Du coup, j'ai le souffle coupé.

— Évidemment, toi aussi tu n'as d'yeux que pour lui… C'est toujours pareil !

Est-ce vraiment le même homme que je trouvais si séduisant quelques heures plus tôt lorsque, torse nu, il épongeait une flaque d'eau au milieu de son salon ? Où est passé son regard taquin ? Je m'agrippe à sa veste en cuir.

— Recule, Dan, tu me fais mal, imploré-je en cherchant ses yeux mais sans les trouver.

Lentement, de sa main pansée, il caresse mes cheveux. Ma respiration devient un peu plus haletante lorsqu'il incline ma tête sur la droite pour dégager ma gorge. Puis, il laisse glisser ses lèvres jusqu'à ma mâchoire.

— Mmm… Tes cheveux sont doux et tu sens bon ! souffle-t-il d'une voix rauque.

— Dan, tu as bu, tu délires complètement. Lâche-moi !

J'essaie de me libérer en remuant sous lui. Évidemment, son genou entre mes jambes me maintient en place sans effort. Quand les doigts de Dan s'emparent de mon menton, mon regard rencontre ses yeux ravageurs. Un frisson désagréable traverse mon échine lorsqu'il ose presser davantage ses hanches contre moi. Je suis dépassée par les événements et mon souffle se fait rapide et nerveux. Je plaque mes paumes sur ses épaules pour le repousser, sans succès.

J'entends des pas qui entrent et sortent des toilettes. Je pourrais crier, mais je n'y arrive pas. Mon cerveau refuse de se connecter à mes cordes vocales. J'essaie de rassembler dans mon esprit les quelques techniques d'autodéfense apprises il y a plus de quinze ans dans un sous-sol d'église. *Mon père avait insisté.* J'étais probablement la seule du groupe à avoir peur de faire mal au pseudo-agresseur en lui flanquant un coup dans les testicules.

Sans plus attendre, j'empoigne la main blessée de Dan et l'abaisse. Le grognement qui sort de sa gorge me fait sursauter. Je profite de sa douleur pour lui donner un coup de pied sur le tibia avant de me faufiler dans l'ouverture de la porte. J'atterris contre une armoire à glace. Je contourne l'homme en vitesse. Je ne peux plus être dans cette pièce. Au loin, j'entends le costaud s'adresser à Dan.

— Hé ! imbécile, qu'est-ce que tu lui faisais, à la petite dame ?

Je descends l'escalier aussi vite que mes talons me le permettent. *Est-ce que je lui ai cassé la main ?* Tremblante de peur, je rejoins Rick et Sophie.

Sophie est pliée en deux, et Rick retient patiemment ses cheveux. Je fronce les sourcils, encore aveuglée par l'émoi des derniers événements. Elle se tient le front à deux mains. Est-elle tombée ? Je crie en réalisant ce qui s'est passé.

Rick lève la tête et voit mon air affolé. Je ne sais pas ce qui me perturbe le plus entre l'érection de Dan contre mon ventre ou le fait que Sophie ait vomi sur les souliers à six cent dollars de Rick Cartier.

— Ça va ? As-tu retrouvé ton amie ?

Me parle-t-il vraiment d'un sujet aussi banal alors que ses pieds baignent dans une mare de vomi ? Visiblement mécontente, la serveuse apporte un sac de plastique. Pendant que Rick fait doucement asseoir mon amie, un homme vêtu d'un jean et d'un tee-shirt noir arrive avec une chaudière d'eau. *Ils sont équipés pour les débordements.*

— Je suis désolée... Oh ! tes souliers... Je m'excuse... Ils ont coûté cher ? bafouille Sophie en s'essuyant la bouche à l'aide d'une serviette en papier.

Rick regarde ses pieds, puis hausse les épaules.

— Ce n'est pas grave.

— Bon, je crois que la soirée est terminée, dis-je avec conviction. On rentre.

— J'expliquerai la situation à Vincent. Il comprendra, dit Rick en retirant ses souliers.

*Il ne va pas se promener en bas ici ?*

— Je vais les nettoyer, précise-t-il avec le sourire.

Sophie ne résiste pas lorsque je la prends par le bras pour la mettre debout. *On fait quoi maintenant?* Claudia est partie avec son sac à main, donc elle a notre argent, les clés de l'appartement de Sophie, mon Épipen…

— Vous allez rentrer comment? s'informe Rick. Si vous voulez attendre quelques minutes, je peux vous ramener chez vous.

Sophie a déjà vomi sur ses souliers, alors pas question qu'elle répète l'expérience dans sa voiture ! J'écoute ma voix ingénue lui répondre :

— Non, ça va, l'appartement est tout près.

*Ça va?*

Découragée, je regarde Rick s'éloigner. Il balance ses chaussures chics au rythme de sa démarche « un peu au-dessus de tout ». Sophie me sourit bêtement.

— Il est vraiment beau.

— Ouais, c'est ça. Tu le trouves beau au point de tomber à genoux devant lui pour vomir sur ses pieds ! Viens, on sort d'ici.

# 17
# Le loquet de sûreté

Les lumières ont cessé de briller. Sur la piste de danse, la musique change de rythme. Nous contournons les couples enlacés qui confondent la discothèque avec une chambre d'hôtel. Je presse Sophie, car pas question de croiser Dan. Je sens encore ses doigts dans mes cheveux, son souffle contre ma joue. J'ai un frisson de dégoût. Toutefois, je scrute l'endroit avec l'espoir d'entrevoir l'ombre de Vincent. Une série d'événements s'est interposée entre nous depuis la seconde où il a mis sa main dans mon sac à la gare pour me donner ma pompe.

J'ai une pensée pour David, cet homme qui partage ma vie depuis dix ans. Que fait-il ? Est-il au lit avec ELLE ? A-t-il un peu de remords ? Je doute sincèrement qu'il soit roulé en boule sur le divan en train de pleurer, accablé que son manège ait été révélé au grand jour. Je ne l'ai jamais vu pleurer. *Sauf la fois où le téléviseur a glissé des mains du déménageur dans l'escalier.* Il n'est pas vraiment du genre à se laisser affecter pour rien. *Ne suis-je « rien » pour lui ?*

— Ma belle Sophie, dis-moi qu'on va se revoir ?

Éméché, Marco tombe dans les bras de Sophie.

Je ne connais pas tous les règlements internes d'une équipe de hockey, mais en tant qu'entraîneur, il n'aura pas été un exemple en matière de couvre-feu aujourd'hui ! D'ailleurs, je n'ai croisé aucun de ses joueurs depuis un moment. Il les a probablement renvoyés à l'hôtel. Il fait des adieux larmoyants à Sophie qui l'écoute, l'esprit embrumé.

Je pousse mon amie dehors après l'avoir aidée à mettre sa veste. Les fêtards bien repus se promènent dans la rue en quête d'un taxi. Au moins, la pluie a cessé, mais le vent froid balaie nos cheveux dans tous les sens. Sophie a alors un élan de lucidité.

— On va où ?

— Dis-moi que tu caches un double de ta clé quelque part ? Sous le tapis de l'entrée, dans la boîte aux lettres…

— Je n'ai pas de boîte aux lettres.

Rick Cartier passe près de nous. *Ses souliers paraissent propres.*

— Je vous dépose quelque part ?

Il pointe son porte-clés vers une voiture dont les lumières nous saluent de l'autre côté du trottoir. *Ah tiens ! Une place de stationnement de choix !* Je ne connais pas grand-chose dans le domaine automobile, mais je reconnais le logo de Mercedes. L'auto de Rick a de la gueule et vaut probablement mon salaire annuel. Sophie lui fait un sourire reconnaissant. *Ou soulagé.*

— Ce serait gent…

Je lui pince le peu de peau que je trouve sur son biceps pour la faire taire.

— Ouch !

— Merci, ça va, on peut s'arranger autrement.

Vomir dans une Mercedes, celle de Rick Cartier en plus, ce serait la honte d'une vie. Sophie frotte son bras pendant que le regard de Rick passe d'elle à moi.

— Vous êtes certaines ?

— Ouais... on est certaines... répond Sophie en me faisant les gros yeux.

— Comme vous voudrez !

Il s'avance pour me faire la bise.

— Je t'écris si le billet de loterie est gagnant.

Rick s'éloigne en ricanant. Il se glisse à l'intérieur de sa voiture et disparais en quelques coups de volant. En me retournant, je me bute contre Sophie qui a des éclairs dans les yeux.

— Pourquoi as-tu refusé qu'il nous reconduise jusqu'à chez moi ? Ça nous aurait évité de marcher !

— Tu ne trouves pas que d'avoir vomi sur ses souliers une fois, c'est suffisamment humiliant ?

J'attrape son coude pour l'inciter à avancer. J'espère que nous ne croiserons pas d'hommes douteux qui quêtent, un pot de yogourt à la main. La rue est bien éclairée, ça me rassure. Je cesse de respirer quand un énergumène aux cheveux verts dressés sur la tête marche à contresens. Les mains dans les poches, les yeux rivés au sol, il n’a pas l’air trop dangereux. Il parvient à notre hauteur sans nous regarder. J’expire bruyamment.

— J’ai mal aux pieds, se plaint Sophie.

— Plus vite on arrivera, plus vite tu pourras enlever tes souliers.

Au lieu d’accélérer comme je l’avais prévu, elle s’arrête brusquement.

— J’y pense… Claudia risque de nous chercher, non ?

— Même si on voulait la joindre, son téléphone est à plat. Elle a son beau Patrick ; il la ramènera saine et sauve.

*Et bien baisée.*

Nous faisons une dizaine de pas. Sophie s’immobilise à nouveau. Mon seuil de tolérance atteint un plafond de non-retour.

— C’est la Honda Civic bleue qui nous suivait cet après-midi !

— Voyons, Sophie, c’est pratiquement impossible…

Je regarde les voitures garées le long du trottoir. Plusieurs se ressemblent de par les couleurs et les modèles. Ça m’étonnerait que l’une d’elles appartienne à l’adolescent attardé qui klaxonnait derrière Claudia cet après-midi.

— Oui, je reconnais la tête de mort qui pendouille au rétroviseur.

*C’est vrai ?*

— Peut-être. Dans ce cas, accélère pour qu’on rentre au plus vite.

Je ne veux croiser ni pot de yogourt, ni tête de mort.

— Quelle soirée désastreuse ! pleurniche-t-elle, les mains devant le visage. C'est la faute de Claudia ! Cette maudite vidéo ! J'ai perdu Tristan et probablement mon emploi...

— Peut-être pas, dis-je sans grande sollicitude. Attends d'être certaine avant de paniquer.

— Et Marco, qu'est-ce qui m'a pris de flirter avec lui ? Il est même pas beau...

*À qui le dis-tu !*

Je ne l'écoute plus, car je fais un bilan rapide de ma propre soirée. Qu'est-ce que m'avait prédit la diseuse de bonne aventure, déjà ? « Vous embrasserez l'homme de votre vie. » C'est passé bien près... « Achetez un billet de loterie, vous avez la main chanceuse. » Je fouille dans mes souvenirs... Elle n'avait donc pas parlé de millions ? Je vérifie ; mon billet est toujours au chaud contre mon sein.

Sophie s'arrête encore.

*Soupirs.*

— Quoi ?

Elle s'assied sur le trottoir mouillé, puis commence à détacher ses escarpins. Je jette un regard derrière mon épaule. Pas de tête de mort à nos trousses.

— Sophie, qu'est-ce que tu fabriques ?

— J’en peux plus de marcher avec ces trucs. Regarde, mon petit orteil est en sang.

Elle lève la jambe très haut pour me montrer sa blessure. *Je ne la savais pas si souple.* Finalement, je m’accroupis devant elle.

— Tu ne peux pas te promener pieds nus en plein mois d’octobre, tu vas attraper ton coup de mort !

D’un geste désespérément lent, elle retire ses chaussures, puis prend ma main pour se relever en secouant ses fesses humides.

— L’appartement n’est plus qu’à quelques mètres.

— On risque d’être coincées sur le balcon longtemps.

*On pourrait s’étendre en cuillère et dormir dans le couloir devant sa porte ?*

— Viens, j’ai une idée ! s’écrie mon amie.

Est-ce que l’alcool engourdit la sensibilité de la plante des pieds ? Sophie marche à mes côtés comme si elle était sur un nuage. *Elle va être malade !* Nous montons lentement l’escalier en spirale. Le balcon extérieur est étroit et entouré d’une rampe en fer forgé.

— Je ne mets jamais le loquet de sûreté sur la fenêtre de la cuisine. On pourrait peut-être…

— Tu ne mets pas le loquet de sûreté ?

L’air horrifié, je la fixe. *Il y a en moyenne trente meurtres par année sur l’île de Montréal, je le sais !*

Sophie se dirige sous la fenêtre en question. Ce carré de vitre minuscule surplombe son évier. Pas besoin de loquet de sûreté, aucun homme ne peut s'imaginer passer là. C'est à peine assez grand pour un enfant de cinq ans.

— Tu penses vraiment arriver à entrer par là ?

— Pas moi, toi. Tu es plus petite.

Elle se penche sous la fenêtre.

— Grimpe sur mes épaules.

Je regarde en bas. La marche est haute si on bascule.

— Tu veux rire ? Tes jambes ont bien assez de toi à supporter, crois-moi.

— OK, alors je vais aller voir si Dan est chez lui.

— Non !

Elle se retourne, surprise par mon objection véhémente.

— Pourquoi ? On pourrait attendre chez lui, boire un dernier verre, se rincer l'œil...

— C'est bon, amène-toi que je grimpe sur toi.

— Comme tu veux, dit-elle en haussant les épaules.

Je préfère encore prendre le risque de mourir à cause d'une chute de cinq mètres que de quémander la charité à cet homme sans honneur. Sophie se baisse à nouveau pour me permettre de monter sur elle. Elle se redresse péniblement.

— Tu es plus lourde que je croyais.

Je pose mes mains sur la tôle. C'est glissant avec l'humidité.

— Avance plus près du mur, Sophie, lui demandé-je en forçant pour ouvrir la fenêtre.

— J'ai déjà le nez dans la brique.

Je redouble d'efforts, mais rien ne bouge.

— Ça ne fonctionne pas.

*Absolument pas besoin de loquet.*

Une voiture tourne dans l'entrée boueuse. Oh non ! Des lumières rouges et bleues !

— Police ! Ne bougez plus !

Sophie sursaute, tangue vers l'arrière, puis perd pied. Nous nous emmêlons dans une culbute digne du Cirque du Soleil. Deux filles au gabarit masculin se tiennent de chaque côté du véhicule qui nous aveugle. Ont-elles une arme dans les mains ?

— Je ne sens plus mes pieds ! crie Sophie dans un instant de panique.

— C'est parce qu'ils sont gelés, dis-je en me relevant lentement.

Instinctivement, nous levons nos mains, comme dans les films.

— C'est chez moi, ici. J'ai oublié mes clés, indique Sophie à l'intention des policières qui nous regardent telles deux voleuses.

À la même seconde, un camion se gare parallèlement à la voiture de police. Je place ma main sur mon front pour mieux voir. Mon cœur s'emballe.

*Vincent Grandbois !*

— Tiens, voilà ton héros ! ironise Sophie en frictionnant ses pieds.

Je vois que Vincent s'entretient calmement avec les autorités, mais je ne peux entendre la conversation.

— Claudia me le paiera. Quelle soirée de merde ! ronchonne Sophie.

— OK, c'est bon, dit l'une des policières. C'est un voisin qui a alerté le 911, croyant à une infraction.

*Quel voisin ?*

Les filles remontent dans la voiture, éteignent les gyrophares pendant que Vincent grimpe les escaliers deux par deux.

— Vous allez bien ? demande-t-il, inquiet.

— Mes pieds sont gelés...

Je lève les yeux sur un ciel sans étoiles.

— Claudia est partie avec la clé et notre argent dans son sac. Nous sommes coincées ici.

Il s'approche un peu plus de moi.

— J'ai eu le message de Rick me disant que vous étiez rentrées. Il ne vous a pas raccompagnées ?

— Madame a refusé, explique Sophie sur un ton accusateur.

— Désolé, je n'ai pas pu revenir plus tôt, s'excuse Vincent.

Il est agité. Ses vêtements sont sales, et son visage aussi.

— Qu'est-il arrivé ?

Ses épaules s'affaissent, il s'appuie à la rampe. *J'espère qu'elle est solide.*

— Il y a eu un début d'incendie au sous-sol du restaurant, probablement en lien avec la panne électrique.

Et moi qui bougonnais parce qu'il ne revenait pas…

— Tout est rentré dans l'ordre ?

Vincent acquiesce d'un signe de la tête. Son charmant frère pompier l'a-t-il aidé ? *Je ne veux même pas le savoir.* Il sort son cellulaire de sa poche et compose rapidement un numéro. Il est trois heures du matin. *Pratique, finalement, ces gadgets-là.*

— Oui, c'est Grandbois. J'ai besoin de la clé du 302. Parfait, on attend.

Pendant que Sophie et moi le regardons bouche bée, Vincent nous entraîne vers l'escalier.

— Je connais le concierge de l'immeuble. Venez vous réchauffer dans le camion.

La température est agréable à l'intérieur de la Toyota Tundra. Sophie s'allonge de tout son long sur la banquette arrière. Je monte aux côtés de Vincent. Il appuie sur un bouton qui fait sortir une douce chaleur de la ventilation. J'entends Sophie soupirer de soulagement derrière. Je ferme les yeux un instant, savourant le vent chaud sur mes joues. Lorsque je les rouvre, Vincent me regarde intensément. Il a une mine atterrée.

— Mahée, je…

Je fronce les sourcils, car il m'inquiète. Sans réfléchir, je prends sa main. Mais il la retire doucement.

— J'ai failli devenir fou quand je t'ai vue sur le quai. Tu semblais toute petite au milieu du grand monde, égarée, effrayée… et tu lui ressemblais tellement. J'ai cru pendant un instant que c'était elle, qu'elle était revenue.

Il passe la main dans ses cheveux. Un coup d'œil par-dessus mon épaule me permet de voir Sophie endormie sur le siège arrière. D'ailleurs, elle ronfle comme un dix roues. Vincent se retourne et pose son bras sur le dossier derrière moi.

— Ma femme a disparu il y a un an et demi.

— Oh ! Désolée…

— Je ne peux croire qu'elle se soit simplement enfuie. Nous étions heureux. Du moins, je le croyais… souffle-t-il, le regard vague. Elle a été vue pour la dernière fois au bar Chez Félix. Que lui est-il arrivé ? A-t-elle été enlevée ? Le pire, pour moi, est de ne pas savoir. Souffre-t-elle quelque part ? Lui a-t-on fait du mal ?

En tout cas, lui, il souffre. C'est palpable dans sa voix. Ça explique pourquoi il se rend au bar si souvent.

— Je garde espoir, reprend-il doucement, mais personne ne peut rien me dire. Tous les soirs, je vais Chez Félix avec le sentiment qu'elle apparaîtra soudainement – comme si elle était restée cachée dans un placard – et me criera «Surprise!» Ça me rend fou, j'ai l'impression de la voir à tous les coins de rue. Mahée, ç'a été un tel choc quand je t'ai aperçue. Elle portait le même chemisier que toi, le jour de sa disparition.

Je me rends compte que nous nous sommes rapprochés pendant ses confidences. J'ai envie de le serrer dans mes bras pour le réconforter, mais je m'abstiens. Je ne suis pas certaine qu'il soit prêt pour ça. Et puis, après tout, j'ai attiré son attention seulement parce que je ressemblais à sa femme.

— Je revenais de chez l'enquêteur cet après-midi quand je me suis arrêté à la gare pour y prendre un colis. Je ne les rencontre plus tellement souvent maintenant, seulement une fois ou deux par année. Chaque fois, c'est pour me faire dire qu'ils n'ont rien de nouveau à m'apprendre.

Je ne sais quoi dire. L'anxiété sur le visage de Vincent fait place peu à peu à un sourire en coin.

— Tu m'as beaucoup diverti, aujourd'hui.

Mes yeux s'accrochent aux siens. Est-ce possible de se sentir aussi bien avec un étranger? Nous nous connaissons depuis une dizaine d'heures à peine, et pourtant, j'ai l'impression qu'il a toujours fait partie de ma vie.

— Toi aussi, tu m'as beaucoup remuée, aujourd'hui.

Sa main se referme sur mon épaule. D'un mouvement assuré, voire autoritaire, il m'attire sur lui. Je me retrouve à califourchon sur ses genoux, mon dos appuyé contre le volant. Tout s'est fait si rapidement que je n'ai eu aucune réaction. Sophie ronfle toujours, alors c'est comme si nous étions seuls. Il plonge son regard dans le mien. J'ai le pressentiment qu'il s'apprête à me dire encore quelque chose d'important.

— C'est la première fois que je désire une autre femme...

Il en est visiblement perturbé. Au fond, nous nous ressemblons : je n'ai eu que David dans ma vie. C'est la première fois que j'ose désirer un autre homme. Mes doigts glissent timidement dans ses cheveux, je le sens tressaillir. Ses pupilles se dilatent, son index frôle ma joue, puis ma gorge, jusqu'au premier bouton de mon chemisier. *LE bouton qui m'a humiliée toute la journée.*

Lentement, il s'avance, sa respiration change. *La mienne aussi.* Mes mains descendent dans son cou, je veux enfin m'approprier ses lèvres, toucher à sa langue. Cependant, encore une fois, à la seconde fatidique, je me redresse brusquement, prise d'un vertige. Vincent recule. Une lueur malicieuse danse dans ses yeux noirs.

— Non, Mahée, je n'ai pas mangé d'arachides ces dernières heures.

— Ce n'est pas ça, indiqué-je, aussitôt détendue. Je dois vérifier quelque chose avant de t'embrasser.

— Ah oui ? Quoi ? demande-t-il, étonné.

J'introduis ma main dans mon soutien-gorge pour sortir le billet de loterie, que je déplie lentement. Mon destin dépend de ce bout de papier. Si je gagne le million, je saute sur Vincent et je reste en ville. Sinon, je retourne au Lac.

— Tu pourrais vérifier le résultat du tirage de ce soir sur ton téléphone ?

— Le résultat aura une incidence sur le fait que tu as le droit de m'embrasser ou non ?

J'acquiesce pendant que Vincent se déplace légèrement pour pouvoir retirer son cellulaire de sa poche. À son regard, je conclus que c'est maintenant officiel : il me prend pour une cinglée. Il allume l'appareil en touchant simplement l'écran, sans me quitter des yeux. Un paquet de chiffres apparaît rapidement. Vincent tourne le téléphone face à moi.

Je vérifie chaque combinaison, une à la fois. *C'est long, il y en a beaucoup.* C'est un travail de moine.

— Et puis ?

*C'est de l'impatience que je perçois dans sa voix ?*

— Attends, dis-je, concentrée sur ma tâche.

Voilà, les jeux sont faits. Je replie le billet et le range cette fois dans la poche de mon pantalon. Vincent me regarde, mi-amusé, mi-inquiet. Mes bras emprisonnent son cou, je m'incline vers lui. Oui, Vincent Grandbois et cette diseuse de bonne aventure auront changé mon destin. J'oublie littéralement de respirer au doux contact de ses lèvres. C'est chaud, c'est apaisant. Vincent passe ses mains dans mon dos, puis sous mes fesses pour me rapprocher de lui. Ma vie est en chute libre, mais je me laisse tomber avec ivresse. Je n'ai jamais été aussi légère, aussi jeune. *Je suis soulagée.* Tout est maintenant possible ; les portes s'ouvrent devant moi, je peux mettre les pieds où je veux, prendre le temps de faire mes choix.

*Oui, j'ai gagné à la loterie et je reste en ville.*

Alors que j'ai chaud, que je m'abandonne totalement à Vincent Grandbois, une plainte se fait entendre derrière. *Sophie !*

— Mahée, je crois que je vais… que je vais… marmonne-t-elle avant de dégobiller sur le tapis.

# 18
# Un lendemain de veille tiré par les cheveux

Mes paupières picotent sous un puits de lumière qui réchauffe mon visage. C'est doux, confortable. Je suis enfoncée dans une montagne de coussins. Mon corps est lourd et pour rien au monde je ne bougerais d'ici. Je souris au superbe rêve que je viens de faire. Je veux y retourner, replonger dans cet univers sans tracas, dormir toute la journée. Juste Vincent et moi dans la cabine de son camion à s'embrasser pendant des heures, à faire l'amour comme des sauvages. Un long soupir traverse mes lèvres sèches… *Dommage que la réalité ait été si différente.*

Je me laissais emporter par l'ardeur de Vincent quand tout s'était arrêté d'un coup sec. J'ai encore à l'esprit l'horreur dans ses yeux en voyant son tapis maculé d'un trop-plein d'alcool. Toute trace de passion avait déserté ses traits. J'avais alors prononcé les mots que je m'étais promis de ne jamais dire pour quiconque ne sait pas boire. *Pourtant, la réputation des Bleuets suppose que nous sommes capables d'en prendre.*

— Je vais ramasser, avais-je lancé spontanément.

En espérant que le haut-le-cœur qui m'envahissait à la vue des vomissures n'empirerait pas les dégâts.

— Non, va t'occuper d'elle.

Avec son sang-froid habituel, Vincent avait monté Sophie à l'étage dans ses bras. Heureusement que le concierge n'avait pas tardé avec les clés. Vincent avait pris la bouteille de Hertel et le rouleau d'essuie-tout avant de redescendre. Sophie était en pleine crise existentielle lorsqu'il était remonté pour s'assurer que tout allait bien.

— Ma vie est finie !

— Mais non ! Montréal grouille de célibataires. Tu te trouveras un autre amoureux en claquant des doigts.

*Son voisin d'en bas serait le premier à accourir.*

Vincent était parti discrètement en me saluant d'un signe de la main. *Pourquoi est-ce si compliqué de nous retrouver en tête-à-tête ?*

J'inspire profondément, car je ne veux pas me lever. Je voudrais demeurer à tout jamais dans cet état de béatitude. Une trêve dans ma vie. Tôt ou tard, il me faudra affronter la réalité, prendre mes responsabilités. Je tends l'oreille ; le silence est perturbé par un léger sifflement au loin. *Un ronflement ?* Un deuxième soupir m'échappe, suivi d'une grimace. J'ai la bouche sèche et pâteuse. On dirait que j'ai passé deux semaines en plein désert à sécher au soleil. Je devrais aller boire quelque chose. Pas de tequila ni de martini pour moi aujourd'hui, en tout cas. De l'eau. *Oui, de l'eau.*

J'ouvre un œil, le referme aussitôt. Non seulement la clarté brûle ma rétine, mais il y avait une main robuste dans mon champ de vision. Une grosse main d'homme. *C'est qui ?* J'étais bien seule quand je me suis couchée hier soir. Je me mets à espérer. Peut-être

Vincent est-il revenu en douce ? Je prends garde à ne pas remuer, puis risque un nouveau regard. Claudia et Patrick sont enlacés près de moi. Je ne les ai pas entendus. Je les observe un moment. Leur respiration est tranquille, ils ont l'air heureux. *Rassasiés.*

Je me lève doucement afin de ne pas les déranger. Mes articulations craquent sous mes efforts. Personne ne bouge malgré la maladresse de mes mouvements lourds. Je me sens sale avec mes vêtements de la veille. Mon chemisier a l'air d'une nappe fripée et j'ai encore l'odeur de vomi dans les narines. Mon cœur cognant contre mes tempes, je me rends à la cuisine qui donne sur le salon. On pourrait croire qu'il y a eu un ouragan ici. Ma langue colle à mon palais à tel point que je n'ai plus de salive. J'ouvre quelques armoires avant de trouver les verres. De beaux verres bien alignés. Je prends celui qui est le plus près, mais il me glisse des doigts. Je le regarde tomber au sol.

*Mille miettes sur le plancher...*

Claudia entrouvre les yeux. Patrick grogne sans se réveiller.

— Mahée, qu'est-ce que tu fais ? souffle-t-elle en tâtant le sol pour récupérer ses lunettes.

— Désolée !

Des pas traînants se font entendre dans le couloir. J'ai réveillé tout le monde. Sophie apparaît sur le seuil, avec sa boîte de mouchoirs sous le bras, la bouteille de Tylenol dans une main et celle d'Advil dans l'autre. Elle n'est pas belle à voir. Ses yeux sont bouffis d'avoir trop pleuré cette nuit, ses cheveux sont droits sur sa tête. Elle regarde le dégât sans réagir.

— Advil? Tylenol? propose-t-elle comme si elle vendait de la barbe à papa au Stade olympique.

Claudia saute sur son offre, mais n'arrive pas à se lever sans ses lunettes.

— Sophie, où est ton balai?

Au lieu de me répondre, elle se tourne vers Claudia.

— Qu'est-ce qui t'a pris de nous laisser en plan comme ça, hier soir? C'est ta faute si tout s'est mal terminé…

— Tout s'est mal terminé? s'étonne Claudia, en glissant ses lunettes sur son nez.

— Non, tout ne s'est pas mal terminé, répliqué-je avec un clin d'œil.

Pour une fois, Sophie ne semble pas en mesure de faire la morale. Elle demeure inerte au centre de la pièce. Claudia en profite pour bondir sur ses pieds. *Oh! Elle a l'air en forme!* Elle bouge trop vite, mes yeux n'arrivent pas à la suivre.

— Regardez! s'exclame-t-elle en levant un doigt bien haut.

Sophie et moi plissons le front en même temps. *Merde! Une bague!*

— Patrick m'a fait la grande demande! s'écrie-t-elle, excitée comme une petite fille qui s'en va à Disney World.

— Quoi?

— Claudia, tu le connais depuis deux jours à peine! dis-je, horrifiée.

— Deux semaines!

Elle presse sa main contre son cœur, ses yeux brillent fort. Trop tard pour la raisonner, le mal est fait, Patrick l'a ensorcelée. C'est une cause perdue d'avance.

— Je sais que c'est le bon!

Sophie tombe sur la première chaise qu'elle rencontre. Son front échoue au creux de sa paume.

— Félicitations! chuchote-t-elle en essuyant son nez morveux.

Claudia oublie son petit bonheur au profit d'un peu de compassion. Elle s'approche doucement.

— Je m'excuse, Sophie, de t'avoir créé des problèmes avec cette vidéo. Je ne voulais que m'amuser. Facebook est un terrain de jeu quand...

La sonnerie du téléphone l'interrompt. Encore une fois, Patrick se retourne sans se réveiller. *Je parie que Claudia l'a épuisé.* Sophie regarde le numéro sur l'afficheur.

— C'est toi, dit-elle en me pointant.

J'en déduis que c'est mon numéro que le combiné affiche. David tente de me joindre.

— Je ne veux pas lui parler.

Sophie répond entre deux reniflements. Je peux percevoir les cris de David. Mon amie grince des dents sous cet assaut brutal pour son mal de tête en éloignant un peu l'acoustique de son oreille.

— Non, le téléphone de Claudia était à plat… Le mien ? Euh… je ne l'ai pas consulté de la soirée.

Sophie mord ses lèvres. David a probablement essayé de nous contacter hier soir et cette nuit.

— Mais oui, elle va bien. Elle dort encore. OK… Oui… *Bye.*

Elle raccroche, un peu abasourdie.

— Il avait l'air vraiment inquiet. Tu devrais l'appeler.

— Jamais de la vie ! Qu'il sèche un peu, le grand poireau ! s'insurge Claudia.

— Oui, peut-être que je devrais…

S'inquiétait-il pour de vrai ? Ça me trouble, car je n'ai pas vu ça souvent durant nos années ensemble. Le téléphone sonne à nouveau. Je suis certaine qu'il s'agit de David. Si c'est lui, je lui parle, cette fois.

— Oh non ! C'est le bureau ! panique Sophie.

*Un dimanche midi ?*

Claudia presse ses lèvres l'une contre l'autre. Nous savons toutes les trois ce qui découlera de cet appel. Ça n'augure rien de bon.

— Tu n'es pas obligée de répondre, commente Claudia en voyant Sophie blêmir.

— Aussi bien régler la question au plus vite, dit-elle, décidée à livrer un combat.

Avec un regain d'énergie inattendu, elle empoigne l'appareil et crache :

— Allo !

*Silence...*

Son visage pâlit encore un peu plus. Se fait-elle engueuler ?

*Silence...*

Interdites, Claudia et moi la fixons, trépignant devant son expression indéchiffrable.

— D'accord, Justine, je serai là demain à la première heure.

*Justine ?*

Sophie raccroche, toujours silencieuse. Un léger tremblement secoue ses mains.

— Qui est Justine ? demande Claudia, à bout de nerfs.

— L'adjointe d'Albert. Il a fait un infarctus très tôt ce matin...

*Je le savais. On l'a achevé avec nos histoires.*

— Il va s'en sortir ?

Sous le choc, Sophie passe distraitement la main dans ses cheveux.

— Non, il est décédé… répond-elle sans paraître réaliser l'ampleur de la nouvelle. Justine assumera la direction pour l'instant. Elle me donne le poste d'adjointe.

— Au moins, tu as encore un emploi, conclut Claudia un peu trop simplement.

Des coups impatients résonnent dans le calme inquiétant de l'appartement. Pendant que Claudia va ouvrir, je regarde dans le salon. Je suis surprise que Patrick n'y soit plus, car je ne l'ai pas vu passer. J'entends alors la douche. Puis, voilà que Tristan fait une entrée triomphale. Sophie se recroqueville sur sa chaise. À notre plus grand étonnement, c'est à moi que Tristan s'adresse.

— Mahée, il y a un homme dehors qui souhaite te parler.

Je jette un regard par la fenêtre. Le camion rouge de Vincent est garé là où il l'avait laissé à notre retour. Il est assis dans l'escalier, et frotte ses mains l'une contre l'autre. J'oublie David, ma gueule de bois, mon apparence de lendemain de veille et m'élance sur le balcon. Plus j'avance vers lui, plus je me force à ralentir ma cadence. Vincent se retourne aussitôt. Ses traits sont tirés; il n'a pas beaucoup dormi. Il se redresse en me voyant, un léger sourire sur les lèvres.

— J'ai passé la nuit chez Dan, en bas. D'ailleurs, il faudrait dire à Sophie de ne plus utiliser la douche. Il pleut encore dans son salon.

*Oups!*

— Je voulais voir comment tu allais. Ça s'est bien terminé avec Sophie?

Il est assis sur la deuxième marche. Lorsque je me rapproche, nos visages sont exactement à la même hauteur.

— Oui, ça va.

Vincent saisit ma main. Il passe doucement son pouce sur le bout de mes doigts.

— Dan m'a raconté l'incident, dit-il, le regard plus noir que jamais.

— Ce n'était pas si…

Mais qu'est-ce qui me prend de l'excuser? C'était horrible, j'en garde encore un goût amer. Le fait qu'il ait tout avoué sans y être forcé joue en sa faveur… *Un peu.* Vincent n'est pas aussi gentil: ses lèvres normalement charnues ne forment plus qu'une ligne crispée.

— Ça n'arrivera plus, me coupe-t-il. Quel imbécile! Tu peux porter plainte, tu le sais?

— Oui…

Je n'ai pas le temps de terminer ma phrase que Tristan sort en trombe de chez Sophie avec un sac en plastique contenant une pile de disques et quelques vêtements. Il dévale l'escalier comme si nous n'y étions pas.

— Tu veux que je te conduise à la gare ? me demande Vincent.

— À la gare ?

— Ton autobus de retour, c'est aujourd'hui, non ?

— Je n'ai pas envie de partir aujourd'hui. Je prendrai celui de demain.

Je ne donne pas de cours lundi de toute façon. Ça me laissera quelques heures de plus pour réfléchir à ce que je dirai à David. Les yeux brillants de Vincent se braquent sur moi.

— Je peux t'inviter à souper alors ?

Sa question me prend par surprise. Mais sa voix pleine d'entrain met un baume sur tout le chamboulement de la nuit dernière.

— Euh… oui, ça me ferait plaisir.

Vincent sort une carte de son portefeuille.

— Voici mon numéro de téléphone. Ce sera plus sûr que sur ton poignet.

— Je t'appelle un peu plus tard aujourd'hui, dis-je timidement.

*Laisse-moi le temps de prendre une douche et de me brosser les dents. De parler avec David…*

Oh ! c'est vrai, impossible d'utiliser la douche.

Vincent est toujours devant moi. Il ne semble pas vouloir partir. Je sens qu'il hésite à m'embrasser, qu'il retient son élan. Tant mieux, car je suis moi-même paralysée, me demandant si je sais encore comment faire. Son regard est soudainement fuyant, sa poitrine se soulève d'un soupir.

— À tantôt !

Je le regarde descendre lentement l'escalier. Cet homme a l'effet d'une bombe dans mes plans. Je ne rentre au Saguenay que pour quelque temps. Je tiens à terminer mon contrat à l'école, à régler mes affaires avec David. Ensuite, j'aimerais m'installer en ville. J'espère que Sophie voudra d'une colocataire ; au pire, je placerai une annonce. J'avais besoin d'un bon coup de fouet pour comprendre que je m'enlisais dans un quotidien qui ne m'apportait rien de positif. Pourtant, hier encore, je croyais mon existence parfaite. Peut-on arriver à voir la vie si différemment en seulement vingt-quatre heures ?

Il y a une chose dont je dois m'assurer avant de tout foutre en l'air.

— Vincent ?

Il se retourne vivement.

— Oui ?

— Et si ta femme revenait ? Je veux dire... un jour.

Vincent plisse les paupières pour me jauger.

— Il y a peu de chance que ça arrive.

— Oui, mais si ça se produisait ? Tu l'accueillerais à bras ouverts, n'est-ce pas ? m'enquis-je avec une douleur au ventre.

*Même si je le connais depuis moins de vingt-quatre heures, c'est important pour moi de savoir la vérité.* Pendant un instant, j'ai l'impression qu'il est abasourdi, qu'il réfléchit à quelque chose qu'il n'avait jamais envisagé.

— J'espère sincèrement qu'elle va bien. Je serais heureux qu'elle soit vivante. Oui, probablement que je l'accueillerais à bras ouverts. Pourrions-nous reprendre notre histoire là où elle en était ? J'en doute.

Il hausse les épaules avant d'ajouter, l'air désolé :

— Je ne peux rien te dire de plus…

— Je comprends…

Il descend encore un peu…

— Vincent, attends !

Cette fois, il se retourne sans rien dire. Je dégringole quelques marches, il en monte trois. Nous nous retrouvons au centre de l'escalier dans une étreinte rassurante. Nous nous sommes trouvés, nous avons besoin l'un de l'autre. Il paraît, lui aussi, soulagé en m'embrassant avec plus d'ardeur. Si Vincent Grandbois n'est qu'une étoile filante dans ma vie, je vais profiter de chaque moment qu'il peut m'offrir. Un jour après l'autre, heure après heure…

C'est à bout de souffle que je m'arrache à lui, mes bras se balançant mollement le long de mon corps. Même mes jambes vacillent sous mon poids. Par chance, Vincent me tient toujours par la taille. Ses doigts frôlent le haut de mes fesses, embrasant davantage le feu qui me consume de l'intérieur. Il est dans un état similaire au mien ;

il affiche un air surpris, déstabilisé, un peu perdu. Qu'est-ce qui nous arrive ? Quelque chose de surnaturel nous pousse l'un vers l'autre. Nous avons probablement cette pensée au même moment, car un sourire timide se dessine sur nos lèvres. *Et Dieu qu'un Vincent Grandbois gêné, c'est attendrissant, séduisant.*

— Merci, murmure-t-il simplement.

Je reprends graduellement possession de mes moyens, mon cerveau se connecte à nouveau avec ma bouche. Mais je ne suis pas certaine d'être en mesure de dire quelque chose de cohérent.

— Merci ?

Il hausse les épaules, toujours avec son sourire si charmant. Je n'en saurai pas plus. Toutefois, je le sens serein, plus léger, comme s'il venait de se libérer d'un énorme fardeau. Il s'éloigne sous le zénith sans se retourner, pareil au mirage qu'il pourrait être.

Je regagne l'appartement avec le cœur qui danse la lambada. Ai-je déjà ressenti la même chose pour David ? Nous croisons beaucoup de gens dans une vie ; certains nous marquent plus que d'autres. Peu importe ce que l'avenir nous réserve, Vincent Grandbois aura représenté la fin d'une étape et le début d'une autre. C'est une bénédiction que Sophie ne se soit pas présentée au quai hier pour venir me chercher.

C'est toujours aussi silencieux à l'intérieur. Assise à la table de la cuisine, Claudia admire sa bague en or. Une serviette sur les yeux, Sophie est effondrée sur les coussins qui servent de divan. J'entends encore la douche. *Oups ! Patrick !*

— Claudia, tu peux aller dire à ton mec d'arrêter de se branler sous le jet d'eau ? Ça coule en bas.

Elle glousse. À sa place, je m'inquiéterais. *Patrick est là depuis combien de temps ? En fait, je ne sais pas vraiment, mais il y était déjà lorsque je suis allée rejoindre Vincent...* Je me tourne vers le corps mort dans le salon.

— Sophie, je peux emprunter ton ordinateur ? J'ai un courriel à envoyer.

Elle ne se donne pas la peine de me regarder pour répondre. L'immobilité lui va bien.

— Mmmmm...

*Ah ! Patrick arrête enfin la douche.*

Je trouve facilement l'ordinateur portable de Sophie : il est sur la commode de sa chambre. L'endroit, habituellement en ordre, est plutôt bordélique avec nos vêtements éparpillés sur le lit. Sophie est vraiment mal en point si elle n'a pas tout rangé en ouvrant les yeux ce matin. L'anarchie ne survit pas longtemps avec elle. L'ordinateur prend vie ; c'est un modèle visiblement récent. Je suis impressionnée par la vitesse à laquelle Windows apparaît.

— J'ai besoin de ton mot de passe, crié-je pour me faire entendre.

La réponse vient avec un nouveau flot de sanglots.

— Tristan69.

*Oh !*

À : Rick Cartier
Objet : Billet de loterie
De : Mahée Tremblay

Bonjour,

Un petit mot pour te dire que nous avons gagné cinquante dollars. Où puis-je passer te remettre tes vingt-cinq dollars bien mérités ?

Désolée encore pour Sophie et tes souliers.

À bientôt !

Mahée xxx

*Non, je n'ai pas gagné le million hier soir. J'ai gagné beaucoup plus...*

Je retrouve les filles à la table de la cuisine autour d'un jus d'orange et d'une boîte de mouchoirs. Il y a trafic de comprimés analgésiques ici !

— Alors, les filles, quel est le bilan de notre sortie ? demandé-je à brûle-pourpoint.

— Magnifique !

— Désastreux...

Je tire la chaise entre mes deux amies et passe un bras sur leurs épaules. L'une est heureuse, l'autre est triste. Et moi ? Et moi, mon cœur balance. Je suis entre deux eaux, en plein brouillard. J'espère qu'un signe quelconque viendra m'éclairer…

— Positive ou non, je crois que cette sortie aura définitivement changé nos vies.

— Mmmm… répondent Claudia et Sophie à l'unisson.

Telle une photographie, nous restons figées sur place ; chacune est perdue dans ses pensées. Il n'y a que les bruits de Patrick dans la salle de bain qui nous proviennent en sourdine. Et le café qui s'écoule lentement de la cafetière.

— Vous avez quelque chose de mieux à proposer pour l'an prochain ? m'informé-je pour ranimer les troupes.

— Eh bien, puisque Claudia va se marier, ce sera un enterrement de vie de jeune fille, signale Sophie d'une voix sarcastique, laissant ainsi sous-entendre que la soirée sera mémorable.

Nous levons nos verres remplis de jus d'orange tiède pour trinquer.

— À notre prochaine sortie de filles !

# Épilogue

La tête penchée dans l'évier, je masse doucement mon cuir chevelu avec mon Herbal Essence aux fruits. L'eau chaude coule abondamment, chatouillant mon cou et mon décolleté, mais je suis bien. Les légères rotations que font mes ongles sur mes tempes calment les coups de marteau qui m'empêchent de me concentrer. Je dois avoir le courage de parler à David ; il appelle en boucle depuis ce matin. Il a menacé de prévenir les policiers si je ne daignais pas le rappeler. *Les prévenir de quoi au juste ? Qu'il me trompe ?*

Dans mon monde à l'envers, je vois Sophie qui est affalée sur les coussins dans le salon. Le fait qu'elle soit habillée est le seul indice qui me prouve qu'elle a bougé depuis ce midi. Enfermée dans son mutisme, elle a à peine dit au revoir à Claudia et Patrick.

— Tu aimerais que je reste avec toi ?

J'avais changé mon programme avec Vincent pour être avec elle le plus longtemps possible. C'était la moindre des choses que je pouvais faire dans les circonstances. L'amitié avant les flirts. *La plupart du temps.* Cependant, il était prévu que je rejoindrais Vincent en début de soirée. Or, mon amie se trouve dans un état de déprime avancée. *Avec raison.* Elle tourne nonchalamment entre ses doigts le pénis en silicone laissé par Claudia.

« Maintenant que tu es célibataire, c'est un incontournable », lui a déclaré notre amie avant de partir.

— Mais non, me répond Sophie d'une voix éteinte. Va le voir, ton bel Amérindien…

C'est exactement le genre de réponse qui fait naître un sentiment de culpabilité au creux du cœur. Ce sera suffisant pour m'empêcher de passer une soirée parfaite. J'aurai son regard éploré en tête. Qu'est-ce que je dis là ? Sophie a le droit d'être abattue, avec tout ce qui lui est tombé dessus. Son patron est mort. Son « fils à maman » a claqué la porte. Ses amies préfèrent la compagnie d'un mec plutôt que de la consoler. C'est une situation prédestinée incitant à pleurer en mangeant de la crème glacée, en maudissant tous les hommes de la terre. Ensuite, et seulement ensuite, je pourrai me permettre le luxe de fureter avec les Amérindiens.

Je ferme l'eau d'un geste brusque et j'enroule une serviette sur ma tête. J'ai un vertige en me relevant trop rapidement.

— Sophie, c'est vrai que j'aimerais beaucoup voir Vincent, mais tu es plus importante encore. Je te commande une pizza et on écoute *Mon fantôme d'amour.*

Elle sourit pour la première fois de la journée. Puis, elle lance l'objet coquin – et intimidant ! – sur la table du salon.

— Non, Mahée, commence-t-elle en ramenant ses cheveux derrière ses oreilles. Toi aussi, tu vis des choses bouleversantes. Va t'amuser, ce soir. Profites-en et oublie toute cette merde qui nous tombe dessus depuis vingt-quatre heures !

Je jubile à l'intérieur, mais réussis à contrôler ma joie. Il y a des heures que je tolère son air d'enterrement. On dirait que quelqu'un est mort. *Oui, c'est vrai, quelqu'un est mort...*

— D'accord, mais je ne rentrerai pas tard.

Elle me scrute de la tête aux pieds. *Est-ce qu'elle sourit?*

— Bien sûr! Elles disent toutes ça!

Je me précipite dans la chambre d'un pas léger et excité. La robe que je devais porter hier soir m'attend sur un cintre. Elle sera de circonstance. Claudia a réparé l'entaille. L'ouverture sur le vêtement laisse paraître un bout de cuisse alléchant. Ma robe est encore plus jolie que la version originale.

Sophie recommence à sangloter dès qu'elle m'aperçoit dans la cuisine.

— Tu es belle, Mahée!

Je la serre dans mes bras. Avec mes escarpins, nous sommes de la même grandeur. J'essuie ses larmes avec mes pouces, puis je garde mes mains autour de son visage.

— Ça va aller, Sophie. Tu es certaine que tu ne veux pas que je reste avec toi?

— Non, vas-y!

Elle frotte ses joues, rabat sur sa tête la capuche de son ensemble de coton, encercle son corps de ses bras. C'est dans cette position qu'elle m'observe pendant que je me maquille, que je sèche mes cheveux. J'ai l'impression d'être une grande sœur qui s'apprête à sortir et qui laisse la petite à la maison devant *Passe-Partout.*

— Tu es parfaite.

Voilà trois fois que je replace une mèche, que je remets du rouge sur mes joues pour feindre que je suis fraîche et dispose. Les cernes des lendemains de veille sont plus difficiles à cacher quand on approche de la trentaine.

— Il ne vient pas te chercher ?

— Non, je vais le retrouver directement au restaurant.

*Celui de sa femme disparue…*

Ce n'est pas très loin, alors ça va me permettre de prendre l'air et de me redonner des couleurs. La tempête est enfin passée. Un soleil radieux a brillé aujourd'hui et l'eau dans les rues s'est évaporée.

— Bon, j'ai tout…

J'attrape mon sac à main, mon châle.

— Bonne soirée ! me souhaite Sophie.

Son ton larmoyant m'ennuie. Je suis la pire des égoïstes de l'abandonner dans cet état. Si elle s'ouvre les veines pendant mon absence, je ne me le pardonnerai jamais. Je m'apprête à sortir quand des coups violents à la porte me laissent stupéfaite. *J'espère que ce n'est pas Dan qui vient encore se plaindre d'une pluie torrentielle dans son salon.*

La poignée tourne, je recule. Ah non ! Pas lui ! Mon *chum*... Non ! Mon EX.

— David ? déclarons Sophie et moi dans un même cri du cœur.

*Oh ! Je ne suis pas la seule qui arbore le* look *lendemain de veille.* Il n'est pas rasé, ses cheveux sont défaits, sa chemise a fait les quatre cents coups. Ses yeux me détaillent.

— Où vas-tu, guindée comme ça ?

Je le regarde sans le voir. C'est impossible qu'il soit ici. La tequila était plus forte que je ne le croyais, j'hallucine maintenant.

— La dernière fois que j'ai parlé à Sophie, elle m'a dit que tu ne prenais pas l'autobus ce soir comme prévu. Je suis venu te chercher.

Son débit est nerveux et rapide. Je ne le reconnais pas. *Il a vraiment fait tout ce trajet pour moi ? Avec sa vieille Tercel ? Toute cette essence qui coûte les yeux de la tête a été gaspillée. Il devra réajuster les calculs de son fichier Excel pour dépenser moins sur la prochaine épicerie.*

— Tu es venu jusqu'ici avec ta voiture ? bredouillé-je, anéantie.

— Bien sûr ! J'ai besoin de te parler. Je t'aime, j'ai des choses à te dire...

Mon cœur éclate en mille miettes. David a sorti sa voix rauque, celle qui me fait craquer à tout coup. Ma décision de mettre la hache dans notre couple était plus forte quand je ne l'avais pas sous les yeux, quand il était à des kilomètres, au lit avec Charlotte. Maintenant qu'il est devant moi, j'hésite. Il semble si dévasté. Après tout, nous sommes ensemble depuis dix ans. Je ne peux quand même pas le rayer comme ça de ma vie. Ce serait trop facile. *Hé! Mais qui a trompé qui, dans cette histoire?*

David essaie de me toucher, mais mon corps se révulse. Il n'insiste pas. *Tant mieux.* Mon instant de doute se transforme en une déception profonde. Le brouillard se dissipe, tout s'éclaircit. Je ne perçois pas dans les yeux de David l'excitation et la douceur qu'il y avait dans ceux de Patrick quand il a retrouvé Claudia hier soir. L'amour qui émanait de ce dernier était palpable, et il avait fait le trajet par plaisir, par passion. Ce n'est pas ce que je vois chez David en ce moment. Il venait à peine de poser un pied sur le seuil que déjà, je savais qu'il ne se languissait pas de me sauter dans les bras, de m'embrasser sans pudeur. Ce n'est pas l'ennui ou le désir de me voir qui l'ont conduit jusqu'ici; c'est plutôt parce qu'il sent son monde s'effondrer sous lui qu'il est là. Son sacro-saint confort. Il sait qu'il a tort, alors il a peur de tout perdre. *Il espère quoi, au juste?*

Nous sommes deux continents l'un en face de l'autre. Plus je le regarde patauger dans son délire, plus il me fait pitié. Je n'éprouve ni colère, ni ressentiment – peut-être un peu, quand même –, ni amour pour lui. Passer à autre chose en si peu de temps, est-ce possible? Oui, parce que nous étions déjà à la limite de l'acceptable. Je me posais des questions depuis longtemps sur notre histoire. Hier soir, il m'a fourni les éléments nécessaires pour passer à l'action. Une autre femme dans mon lit, c'est une bêtise sans possibilité de retour, monsieur Leclerc.

L'heure de mon rendez-vous approche. *Je vais être en retard, Vincent va m'attendre!*

— David, tu n'aurais pas dû venir jusqu'ici. Je n'ai pas envie de te parler pour l'instant.

— Quoi?

— Charlotte a bien dormi? J'espère que tu as lavé les draps... et qu'elle n'a pas éternué sur ma taie d'oreiller?

Ses yeux s'embrasent. Il est furieux.

— Et toi, tu vas me faire croire que tu t'es couchée seule? Je sais comment ça se termine, les soirées de filles.

*Ah! Il ne nie même pas!*

Sophie, qui assiste à la scène, nous regarde tous les deux à tour de rôle. J'essaie de garder mon calme. Où est passé l'amour que j'avais pour cet homme? *Il s'est probablement volatilisé entre deux parties de hockey, entre deux colonnes de chiffres, entre deux gigots d'agneau...*

— OK, allons discuter dehors.

Finalement, je ne suis pas allée rejoindre Vincent, et je ne suis pas rentrée au Lac-Saint-Jean avec David. Il est reparti comme il était venu, seul dans sa Tercel. Il a d'abord voulu me convaincre que Charlotte et lui, ce n'était pas sérieux, que c'était une erreur, une histoire d'un soir. « Reviens, Mahée, on fera des bébés. » Puis, il m'a finalement avoué qu'ils se voyaient régulièrement depuis deux ans, qu'il l'aimait peut-être plus qu'il ne le croyait. Ensuite, nous avons passé trois heures à retourner la question. La conclusion? Je me laisse une semaine pour réfléchir à toutes les éventualités.

Sophie dort depuis longtemps, sa peluche de Fraisinette entre les bras. Nous l'avons bien divertie de ses propres soucis. Moi, je suis vide de toute énergie, épuisée. Malgré mon estomac encore dérangé par la soirée d'hier, j'aurais bien englouti quelques petits remontants. *Tequila, s'il vous plaît!* Même le son des gouttes d'eau qui tombent dans l'évier m'agace. Tout tourne à l'envers. J'entends des pas dans l'escalier; mon cœur s'emballe sans que je sache trop pourquoi. Je ne bouge pas, debout au milieu de la cuisine. Je tends l'oreille, les mains moites. Le bruit s'arrête devant la porte de Sophie. *Ou de celle du voisin?* Je patiente... mais rien.

J'avance sur la pointe des pieds pour regarder dans le judas. Je vois le profil d'un homme. Sa tête est penchée vers un cellulaire. Je sursaute.

*Des cheveux blonds!*

J'ouvre la porte prestement. Rick Cartier bondit. Il n'est pas réel cet homme. Être beau comme ça, c'est un vrai péché.

Est-ce que je suis déçue? Est-ce que je m'attendais à ce que Vincent me relance jusqu'ici?

Rick me propose un sourire éclatant.

— Mahée!

— Qu'est-ce que tu fais là?

Mes propos manquent un peu d'hospitalité. Rick pose une main sur le chambranle.

— Tu me dois vingt-cinq dollars.

Ses yeux rieurs me font sourire. Je me détends. Il passe ses doigts dans ses cheveux qui semblaient pourtant avoir été méthodiquement placés mèche après mèche.

— Je m'excuse, il est tard…

Je reprends mes esprits, puis m'écarte pour lui donner de l'espace.

— Entre, dis-je en l'invitant d'un signe de la main.

Il passe le seuil, essuie ses pieds sur le tapis. La pièce est sombre, mais il l'éclaire à lui seul.

— J'en ai rien à foutre de tes vingt-cinq dollars. Je suis allé voir Vincent au restaurant ce soir. Il était fou comme un balai, il t'attendait.

Mon cœur se serre. Je suis tout aussi déçue que lui de notre rendez-vous manqué. Je n'ai pas besoin de répondre, car Rick lit mes sentiments dans mon regard brillant.

— Viens, je t'emmène. Il est encore là-bas et tourne comme un lion en cage.

Je n'ai pas le temps de prendre mon sac parce que Rick m'attrape par la main. L'instant d'après, nous dévalons l'escalier. M'a-t-il soulevée de terre ? J'ai l'impression de voler, que mes pieds ne touchent aucune des marches. Il m'ouvre la portière de sa Mercedes dans laquelle je m'engouffre avec hâte. Il démarre le moteur dont le grondement est très *sexy*. En dix secondes, nous avons franchi les deux coins de rue qui nous séparent du restaurant. *Plus efficace qu'une Camaro !*

— Merci ! dis-je à Rick, une main déjà sur la poignée.

Ma voix est mal assurée. Rick se fait sérieux.

— Bonne chance, Mahée ! Il n'est pas trop tard…

Ragaillardie par ces paroles rassurantes, je descends sur le trottoir désert. La fenêtre côté passager s'abaisse. Rick se penche pour mieux me voir.

— Et oublie mes vingt-cinq dollars !

Sa voiture disparaît comme une bombe nucléaire dans l'univers. *J'aime bien ce type.* Mes épaules frémissent. Je me rends compte que je n'ai pas ma veste. J'entre rapidement dans le restaurant, le cœur serré. L'endroit n'a plus rien de l'atmosphère enfiévrée du samedi soir, où les employés couraient partout pour nourrir les clients bruyants. C'est paisible ; un couple ou deux terminent leur café en bavardant, une jeune fille passe lentement un torchon sur le comptoir pour tuer le temps. Vincent est invisible. Je repère cependant Victor, notre serveur de la veille. Il sourit en me reconnaissant. Ma tenue ne le laisse pas indifférent. *Eh bien, pas mal pour une « matante » !*

— Est-ce que monsieur Grandbois est ici ?

Ma voix est beaucoup trop chevrotante. Je ne serai pas capable de faire face à Vincent sans bafouiller. Le serveur se renfrogne en entendant le nom de son supérieur. Je vois même qu'il serre les lèvres pour ne pas dire de gros mots.

— Oui. Mais je vous préviens, il ne sera pas content de se faire déranger. Il est infernal aujourd'hui.

L'expression de Victor me confirme que son patron s'est défoulé sur le personnel. Il pointe une section où une corde a été tirée afin d'en bloquer l'accès. Les jambes tremblantes sur mes talons qui claquent sur le sol, je vais dans cette direction. L'allée est interminable. Plus j'approche, plus la silhouette de Vincent se dessine dans le contre-jour. Il se tient dos à moi, une vadrouille à la main. *Il n'y aura plus de cire sur le plancher s'il continue de le frotter à ce rythme-là.*

Des souliers noirs brillants, un pantalon anthracite, des manches de chemise roulées jusqu'aux coudes. Les muscles saillants de ses avant-bras ondulent avec le mouvement de la vadrouille. J'avale ma salive. *Trop séduisant.* La musique douce qui sert d'ambiance contraste avec les gestes déterminés de Vincent.

En effet, il n'a pas l'air de bonne humeur. Ce n'était peut-être pas une bonne idée de venir ici sur un coup de tête. Que pense-t-il de moi, maintenant ? Au moment d'enfoncer la vadrouille dans la chaudière d'eau près de lui, Vincent fait une légère torsion. Il m'aperçoit dans son champ de vision.

Je surveille sa réaction. Mon cœur veut sortir de ma poitrine. Calmement, il trempe la vadrouille dans l'eau trois fois plutôt qu'une, la tord avec zèle. *Est-ce qu'on peut mourir d'anticipation ?* Il s'exécute avec une telle lenteur que j'en ai les mains humides. *Allez, dis quelque chose !* Il abandonne enfin sa vadrouille contre un banc, pousse la chaudière contre le mur. *Il ramasse vraiment un bout de papier collé sur le sol ?*

Quand il se tourne finalement vers moi, les mains dans ses poches et les yeux mi-clos, je crois défaillir. Il est attirant, intimidant… Son expression est indéchiffrable.

J'avance d'un pas, il recule de deux. *Qu'est-ce que ça veut dire?* Immobiles, nous nous scrutons comme des bêtes sauvages blessées. Il m'a sûrement lancé un mauvais sort parce que je suis littéralement entraînée par sa force tranquille. Mes pieds me mènent jusqu'à lui. Il est toujours figé, mais ses pupilles dilatées me confirment qu'il n'est pas insensible à ma proximité.

Qu'est-ce que je pourrais dire ? Me répandre en excuses pour lui avoir posé un lapin ce soir ? Il est trop tard pour ça.

Vincent m'enveloppe de son énergie. Je ne vois que mon reflet dans ses yeux couleur de nuit. Je n'ose pas le toucher, encore moins lui demander s'il a mangé des arachides pendant la dernière heure. Mes escarpins me donnent de la hauteur, alors je n'ai pas à m'étirer beaucoup pour que son visage soit à la même hauteur que le mien. Il ne bouge pas. Seules ses lèvres entrouvertes frémissent lorsque je me rapproche.

Même si son corps est toujours figé, Vincent répond à mon baiser avec douceur. Je dois me faire violence pour me rappeler où nous sommes, pour ne pas le pousser sur une banquette, le déshabiller sur-le-champ. C'est encore plus intense que ce que j'espérais, encore plus que la veille dans son camion juste avant que Sophie nous interrompe. C'est profond, sincère. Je me risque à poser mes mains sur ses avant-bras ; un subtil sifflement franchit ses lèvres. Ses mains sont toujours cachées au fond de ses poches. Je ressens les efforts que fait Vincent pour se contenir, surtout lorsque mes doigts remontent jusqu'à ses épaules.

Lentement, il prend mes mains et les ramène le long de mon corps, mettant ainsi un terme à notre échange. Il recule. *Je suis soudainement gênée. Mes lèvres sont encore brûlantes.*

Il m'observe longtemps. *Trop longtemps.* Je sens qu'il réfléchit, qu'il analyse la situation. Lorsqu'il ouvre la bouche, ses paroles me laissent perplexe.

— Je dois me rendre en Europe pour plusieurs semaines, largue-t-il en me fixant de son regard brûlant.

*Monsieur part en voyage ? En quoi ça me regarde ?*

— Bon voyage, alors.

— C'est pour affaires.

Victor ose passer près de nous afin de ramasser quelques menus oubliés. Vincent le foudroie d'un air mauvais, puis attend qu'il soit hors de portée pour poursuivre.

— Accompagne-moi.

— Quoi ?

Je me demande si j'ai bien entendu. Il est difficile à cerner, l'Amérindien. Une seconde, il est méfiant ; l'autre, il se consume sous mes caresses, et ensuite, il veut partir en voyage.

— Le voyage durera douze semaines. On passera par la France, l'Espagne, l'Italie...

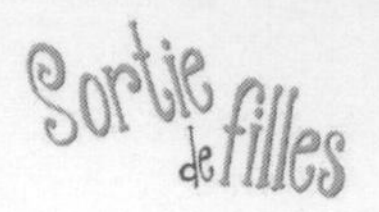

— L'Allemagne, la Suisse ?

— Si tu veux…

— Voyons, Vincent, je ne peux pas partir comme ça !

— Je dois travailler un peu, mais j'aurai aussi tout le temps de visiter ce que tu voudras voir.

Ses yeux ne sont plus seulement brûlants, ils sont carrément en feu. *Il est sérieux.* Ses doigts s'emparent des miens et les pressent ardemment.

— Mahée, viens avec moi ! Éloignons-nous de tout ce bordel. Pendant ces trois mois de paix, on apprendrait à se connaître.

Mon esprit s'embrouille, j'ai du mal à suivre. Mais l'image de la tour Eiffel s'impose entre Vincent et moi.

— J'ai un travail, des choses à régler… protesté-je faiblement.

— On part le mois prochain. Ça te laisserait le temps de t'arranger ?

Un mois pour tout abandonner, pour m'enfuir avec un étranger ? *Finalement, il est peut-être vraiment un maniaque qui veut me séquestrer au bout du monde.* Douze semaines sur un autre continent pour faire le vide, repartir à neuf. Oublier. L'idée me plaît un peu trop. *Je ne suis jamais allée en Europe.*

— Oh ! Mais j'oubliais un détail important. Je n'ai pas gagné le million, hier soir.

Il me regarde comme si je lui avais dit: «J'ai besoin d'un nouveau chandail pour le voyage.»

— C'est un détail. Je m'occupe de tout, réplique-t-il en haussant les épaules.

*Il s'occupe de tout?*

Vincent semble avoir une solution à n'importe quel problème. Je cherche donc frénétiquement les obstacles possibles sans vraiment en trouver. Je n'ai pas de contrat avec l'école, seulement quelques journées de suppléance à faire ici et là. *Je suis vraiment en train de considérer la question?* Son dernier argument est le plus convaincant: sa bouche reprend possession de la mienne. Je me moule à son corps, fonds dans ses bras. Je suis déjà sur une autre planète. Vincent ne s'arrête qu'une fois à bout de souffle, entre deux baisers qui me font languir.

— Viens avec moi...

Quand mes doigts se sont resserrés sur sa nuque, je savais que ma décision était prise, même si j'essayais de me persuader du contraire. Sa proposition est arrivée au bon moment; j'ai besoin de partir, de m'évader. De faire une folie. La sagesse dans laquelle je me suis enfermée depuis mon enfance vient de sauter tel un volcan. La lave coule dans mes veines. Je ne veux plus être la femme raisonnable qui s'oublie pour les autres. Plus rien, ni personne, ne m'attend nulle part. À part mes parents qui vont s'inquiéter.

Quelqu'un toussote dans mon dos. Je m'arrache à Vincent. Celui-ci braque sur l'intrus un regard de tueur en série.

*Victor.*

— Tout est fermé. Il ne reste plus qu'à éteindre en sortant, patron.

*Zut ! Il va le virer, c'est sûr !*

Vincent passe un bras autour de moi pour m'attirer contre lui.

— Parfait, merci, dit-il simplement.

L'employé est déstabilisé par sa soudaine courtoisie. Il sort sans ajouter un mot. Vincent lève les yeux au ciel ; moi, c'est une situation que je trouve cocasse. Puis, il attrape une mèche rebelle de mes cheveux et la ramène doucement derrière mon oreille. Ses doigts sont doux au passage. Je penche la tête pour prolonger leur contact sur ma peau.

— Tu crois qu'en Europe nous réussirons à nous embrasser sans être interrompus au moment où ça commence à devenir intéressant ? demandé-je avec une pointe de moquerie.

Son sourire me fait du bien ; il est chaleureux, apaisant. Dans ma vie, j'ai rarement été regardée de cette manière, c'est-à-dire avec admiration. J'ai l'impression d'être le centre de l'univers.

— Compte sur moi ! Et j'abattrai quiconque m'empêchera de te faire l'amour, ici, maintenant.

Je me retrouve à demi allongée sur une table. *Entre le sel et le menu du jour.* Sa main attrape mon mollet, remonte sous ma robe tandis que, déjà, mes doigts cherchent sa ceinture. Son souffle court dans mon cou. *Moi, j'égorgerai le premier qui se risquera à nous interrompre.*

Oh ! comme j'aurai des histoires croustillantes à raconter au prochain souper de filles ! Claudia bavera de jalousie. Et Sophie s'étouffera avec son Pepsi !

## Remerciements

Un merci particulier aux hommes de ma vie. Mathieu, mon conjoint, pour sa patience et sa compréhension. Sacha, Fabrice et Évance, mes petits héritiers qui mettent de la couleur dans mon quotidien. Vous êtes ce que j'ai de plus précieux.

Merci à ma complice, l'auteure Marie Potvin avec qui je travaille depuis quelques années. Je ne serais pas là où je suis sans tes encouragements et tes innombrables coups de fouet qui font de mes textes de bonnes histoires.

Un merci tout spécial à ma petite maman d'amour qui est toujours là pour me lire encore et encore.

Merci à Sylvain Vallières qui a fait une différence dans ma carrière.

Merci à Daniel Bertrand, pour sa confiance. Ce projet est arrivé à point dans ma vie et c'est un plaisir de me joindre à votre équipe.

Finalement, le plus important des mercis va à vous, chers lecteurs, qui me faites l'honneur de découvrir mes écrits. Vous êtes ma principale motivation.

Achevé d'imprimer au Canada
sur les presses de Imprimerie Lebonfon Inc.